CONTENTS

FOREWORD

The verb is a very important part of speech; it denotes action or state of being. The noted American historian and poet, Carl Sandburg, once declared that the Civil War was fought over a verb, namely whether it was correct to say "The United States *is*" or "The United States *are*."

For each of the 201 verbs listed in this book, the student will find the principal parts of each verb at the top of the page. The principal parts consist of:

1. the Infinitive
2. the third person singular of the Past Tense
3. the Past Participle (preceeded by 'ist' for 'sein' verbs)
4. the third person singular of the Present Tense

EXAMPLE: ENGLISH: *to speak, spoke, spoken, speaks*
 GERMAN: *sprechen, sprach, gesprochen, spricht*

These are the basic forms of the verb and should be memorized, especially in the case of the irregular or strong verbs, i.e., verbs which change the stem vowel of the Infinitive to form the Past Tense and whose Past Participle ends in 'en'. More than one-half the verbs in this book are strong or irregular verbs.

Weak or regular verbs do not change the stem vowel of the Infinitive to form the Past Tense but merely add the ending 'te' (plus personal endings in the second person singular and the three persons of the plural). Past Participles of weak verbs end in 't'.

EXAMPLE: ENGLISH: *to play, played, played, plays*
 GERMAN: *spielen, spielte, gespielt, spielt*

Both English and German have strong and weak verbs.

With the exception of a small group of verbs called irregular weak verbs (in some texts called mixed verbs or 'hybrids'—see index), verbs in German are either weak or strong. The strong or irregular verbs are not as difficult to learn as it might seem, if it is remembered that most of them can be classified into seven major groups. For example, the verbs *bleiben, leihen, meiden, preisen, reiben, scheiden,* v *scheinen, schreien, schweigen, steigen, treiben, verzeihen, weisen*, etc., all follow the same pattern as *schreiben* in their principal parts:

schreiben, schrieb, geschrieben, schreibt

There are six other major groupings (the "Ablautsreihen") of the strong verbs with which the student should familiarize himself from his textbook and classroom drill. He will then agree that the English author, H. H. Munro (Saki), exaggerated the difficulty of German verbs when, in his story "Tobermory," he told of a professor who had to flee England after a cat, which he had trained to talk, compromised the weekend guests at an English manor house by revealing their secrets which it (the cat) had overheard. A few weeks thereafter, the newspapers reported that the professor had been found dead in the Dresden Zoo in Germany. Upon hearing this news, one of the guests, who had been embarrassed by the activities of the professor and his remarkable cat, commented that it served the professor right if he was trying to teach the poor animals those horrible German irregular verbs.

Below the principal parts, the student will find the Imperative or Command Form. Since there are three ways of saying *you* in German (*du, ihr* and *Sie*) there are thus three ways of giving commands to people. The first form of the Imperative is the *du* or familiar singular form which ends in *e* in most cases, although this *e* is frequently dropped in colloquial speech. The second form is the *ihr* or Familiar Plural Imperative. It is exactly the same as the *ihr* form (second person plural) of the Present Tense. The polite or *Sie* Imperative (called in some texts the Conventional or Formal Imperative) is simply the infinitive plus *Sie*, except for the imper. of *sein*, which is *seien Sie!*

The fully conjugated forms of the six tenses of the Indicative will be found on the left hand side of each page. These six tenses state a fact, or, in their interrogative (question) form, ask a question about a fact. The student is referred to his grammar for more detailed information concerning the use of these tenses: the idiomatic use of the Present for the Future; the use of the Present Perfect in colloquial speech and in non-connected narratives where English uses the past; the Future and Future Perfect used idiomatically to express probability, the very important matter of '*sein*' and intransitive verbs, etc.

The rest of each page is devoted to the tenses of the Subjunctive mood, which is used to denote unreality, possibility, doubt in the mind of the speaker, etc. For information concerning the use of the

Subjunctive (indirect discourse; the use of the Past Subjunctive or Present Subjunctive II for the Conditional etc.), the student is again referred to his grammar.

There are four "Times" in the Subjunctive: Present, Past, Future, and Future Perfect time. Each of these "Times" has a primary and a secondary form (indicated by I and II in many grammars). This more recent classification of the forms of the Subjunctive corresponds better to its actual use. However since some grammars still use the traditional names for the tenses of the Subjunctive (which parallel the names for the tenses of the Indicative), they have been given in parentheses. The form *ginge* for example, may be called the Imperfect or Past Subjunctive of *gehen* in some books. In most grammars published today, however, it will be called the Present Subjunctive Secondary (II). The student will find *ginge* listed in this book under Subjunctive, Present Time, Secondary. The alternate designation Imperfect Subjunctive is also given in parentheses.

The Present Participle of the verb (i.e. *dancing* dolls, *flying* saucers, *singing* dogs) has been omitted, since in almost all cases it merely adds a *d* to the infinitive. The student should remember that the Present Participle is used only adjectivally (as in the above examples) or adverbially. Verbal nouns are expressed in German by the infinitive: *das Tanzen*—dancing; *das Fliegen*—flying; *das Singen*—singing.

German verbs can often be combined with prefixes. The matter of prefixes is of great importance. The index therefore devotes considerable attention to them, although, of necessity, it is by no means complete in its listings of verbs which can be combined with prefixes. There are three groups of prefixes: the separable, inseparable and doubtful prefixes.

In the case of separable prefix verbs (see *sich an-ziehen*), the prefix is placed at the end of the clause in the Present and Past Tenses (except in subordinate clauses). The Past Participle is written as one word, with the prefix in front of the Past Participle of the verb itself (*angezogen*).

In the case of verbs beginning with an inseparable prefix (*be, ent, emp, er, ge, ver, zer* etc.), the Past Participle does not begin with *ge*.

The third group, the doubtful prefixes, is infrequently encountered, except for a few verbs like *übersetzen* and *wiederholen*. See *wiederholen* (to repeat) and *wieder-holen* (bring again). These prefixes are: *durch, hinter, um, unter, über*, and *wieder*. They are called "doubtful" because when used literally (pronounced with the stress on the prefix) the prefix separates as with separable prefix verbs; when used figuratively, they are conjugated like inseparable prefix verbs.

Word order is an extremely important topic in German. The basic rule is that the verb is always the second unit of a simple declarative sentence. The student is again referred to his grammar for rules on Normal (subject-verb), Inverted (verb-subject) and Transposed (in subordinate clauses) Word Order. Infinitives dependent on modal-auxiliaries and when used in the Future Tense are placed at the end of the clause. For these and many other points concerning the use of German verbs, the pertinent chapters in the student's grammar must be consulted.

Since the format of this book calls for the completely conjugated forms of German verbs, many verb forms have thus—of necessity—been conjugated which would not be encountered in ordinary speech, especially formal imperatives, such as: bersten Sie! (page 11), erlöschen Sie! (page 32), gären Sie! (page 47), quellen Sie! (page 105), spriessen Sie! (page 159), etc. Among the many other colorful examples is: ich werde gequollen sein!

It is hoped that this book will prove a useful adjunct to the regular classroom text and thereby facilitate the study of German. The chief reference works consulted in the preparation of this book were *Duden*, and the *Minimum Standard German Vocabulary* of the American Association of Teachers of German.

New Brunswick, N. J.
March, 1964

Henry Strutz

VERB FORMS

German	English
Infinitiv (Nennform)	Infinitive
Imperativ (Befehlsform)	Imperative or Command
Präsens (Gegenwart)	Present Indicative
Imperfekt (Vergangenheit)	Past or Imperfect Indicative
Perfekt (vollendete Gegenwart)	Present Perfect Indicative
Plusquamperfekt (vollendete Vergangenheit)	Pluperfect or Past Perfect Indicative
Futur, I *(Zukunft)*	Future Indicative
Futur, II *(vollendete Zukunft)*	Future Perfect Indicative
Konjunktiv (Möglichkeitsform) Präsens	Present Subjunctive, primary (Pres. Subj.)
Konjunktiv Imperfekt	Present Subjunctive, secondary (Past Subjunctive)
Konjunktiv Perfekt	Past Subjunctive, primary (Perfect Subjunctive)
Konjunktiv Plusquamperfekt	Past Subjunctive, secondary (Pluperf. Subj.)
Konjunktiv Futur I	Future Subjunctive, primary (Future Subjunctive)
Konjunktiv Futur, II	Future Perfect Subj., primary (Fut. Perf. Subj.)
Konditional (Bedingungsform)	Future Subjunctive, secondary (Pres. Conditional)
Konditional Perfekt	Future Perfect Subjunctive, secondary (Past Conditional)

SAMPLE ENGLISH VERB CONJUGATION

speak

PRINC. PARTS: to speak, spoke, spoken, speaks
IMPERATIVE: speak

	INDICATIVE	SUBJUNCTIVE	
		PRIMARY	SECONDARY
		Present Time	
	Present	(*Pres. Subj.*)	(*Imperf. Subj.*)
I	speak (am speaking, do speak)	speak (may speak)	spoke (might or would speak)
you	speak	speak	spoke
he (she, it)	speaks	speak	spoke
we	speak	speak	spoke
you	speak	speak	spoke
they	speak	speak	spoke
	Imperfect		
I	spoke (was speaking, did speak)		
you	spoke		
he (she, it)	spoke		
we	spoke		
you	spoke		
they	spoke		
		Past Time	
	Perfect	(*Perf. Subj.*)	(*Pluperf. Subj.*)
I	have spoken (spoke)	have spoken (may have spoken)	had spoken (might or would have spoken)
you	have spoken	have spoken	had spoken
he (she, it)	has spoken	have spoken	had spoken
we	have spoken	have spoken	had spoken
you	have spoken	have spoken	had spoken
they	have spoken	have spoken	had spoken
	Pluperfect	have spoken	had spoken
I	had spoken		
you	had spoken		
he (she, it)	had spoken		
we	had spoken		
you	had spoken		
they	had spoken		
		Future Time	
	Future	(*Fut. Subj.*)	(*Pres. Conditional*)
I	shall speak	shall speak (may speak)	should speak
you	will speak	will speak	would speak
he (she, it)	will speak	will speak	would speak
we	shall speak	shall speak	should speak
you	will speak	will speak	would speak
they	will speak	will speak	would speak
		Future Perfect Time	
	Future Perfect	(*Fut. Perf. Subj.*)	(*Past Conditional*)
I	shall have spoken	shall (would, may) have spoken	should have spoken
you	will have spoken	will have spoken	would have spoken
he (she, it)	will have spoken	will have spoken	would have spoken
we	shall have spoken	shall have spoken	should have spoken
you	will have spoken	will have spoken	would have spoken
they	will have spoken	will have spoken	would have spoken

x

SAMPLE GERMAN VERB CONJUGATION

PRINC. PARTS: sprechen, sprach, gesprochen, spricht
IMPERATIVE: sprich!, sprecht!, sprechen Sie!

sprechen
to speak, talk

INDICATIVE	SUBJUNCTIVE	
	PRIMARY	SECONDARY

Present Time

	Present		(Pres. Subj.)		(Imperf. Subj.)	
ich	sprech	E	sprech	E	spräch	E
du	sprich	ST	sprech	EST	spräch	EST
er	sprich	T	sprech	E	spräch	E
wir	sprech	EN	sprech	EN	spräch	EN
ihr	sprech	T	sprech	ET	spräch	ET
sie	sprech	EN	sprech	EN	spräch	EN

Imperfect

ich	sprach	
du	sprach	ST
er	sprach	
wir	sprach	EN
ihr	sprach	T
sie	sprach	EN

Past Time

	Perfect	(Perf. Subj.)	(Pluperf. Subj.)
ich	habe gesprochen	habe gesprochen	hätte gesprochen
du	hast gesprochen	habest gesprochen	hättest gesprochen
er	hat gesprochen	habe gesprochen	hätte gesprochen
wir	haben gesprochen	haben gesprochen	hätten gesprochen
ihr	habt gesprochen	habet gesprochen	hättet gesprochen
sie	haben gesprochen	haben gesprochen	hätten gesprochen

Pluperfect

ich	hatte gesprochen
du	hattest gesprochen
er	hatte gesprochen
wir	hatten gesprochen
ihr	hattet gesprochen
sie	hatten gesprochen

Future Time

	Future	(Fut. Subj.)	(Pres. Conditional)
ich	werde sprechen	werde sprechen	würde sprechen
du	wirst sprechen	werdest sprechen	würdest sprechen
er	wird sprechen	werde sprechen	würde sprechen
wir	werden sprechen	werden sprechen	würden sprechen
ihr	werdet sprechen	werdet sprechen	würdet sprechen
sie	werden sprechen	werden sprechen	würden sprechen

Future Perfect Time

	Future Perfect	(Fut. Perf. Subj.)	(Past Conditional)
ich	werde gesprochen haben	werden gesprochen haben	würde gesprochen haben
du	wirst gesprochen haben	werdest gesprochen haben	würdest gesprochen haben
er	wird gesprochen haben	werde gesprochen haben	würde gesprochen haben
wir	werden gesprochen haben	werden gesprochen haben	würden gesprochen haben
ihr	werdet gesprochen haben	werdet gesprochen haben	würdet gesprochen haben
sie	werden gesprochen haben	werden gesprochen haben	würden gesprochen haben

xi

SAMPLE GERMAN VERB CONJUGATION—PASSIVE VOICE

to be loved   PRINC. PARTS: to be loved, was loved, has been loved, is loved
                   IMPERATIVE: be loved

	INDICATIVE	SUBJUNCTIVE	
		PRIMARY	SECONDARY
		Present Time	
	Present	*(Pres. Subj.)*	*(Imperf. Subj.)*
I	am loved	may be loved	were loved (might or would be loved)
you	are loved	may be loved	were loved
he (she, it)	is loved	may be loved	were loved
we	are loved	may be loved	were loved
you	are loved	may be loved	were loved
they	are loved	may be loved	were loved
	Imperfect		
I	was loved		
you	were loved		
he (she, it)	was loved		
we	were loved		
you	were loved		
they	were loved		
	Perfect	*Past Time*	
		(Perf. Subj.)	*(Pluperf. Subj.)*
I	have been loved (was loved)	may have been loved	had been loved (might or would have been loved)
you	have been loved	may have been loved	had been loved
he (she, it)	has been loved	may have been loved	had been loved
we	have been loved	may have been loved	had been loved
you	have been loved	may have been loved	had been loved
they	have been loved	may have been loved	had been loved
	Pluperfect		
I	had been loved		
you	had been loved		
he (she, it)	had been loved		
we	had been loved		
you	had been loved		
they	had been loved		
	Future	*Future Time*	
		(Fut. Subj.)	*(Pres. Conditional)*
I	shall be loved	shall be loved (may be loved)	should be loved
you	will be loved	will be loved	would be loved
he (she, it)	will be loved	will be loved	would be loved
we	shall be loved	shall be loved	should be loved
you	will be loved	will be loved	would be loved
they	will be loved	will be loved	would be loved
	Future Perfect	*Future Perfect Time*	
		(Fut. Perf. Subj.)	*(Past Conditional)*
I	shall have been loved	shall (may, would) have been loved	should have been loved
you	will have been loved	will have been loved	would have been loved
he (she, it)	will have been loved	will have been loved	would have been loved
we	shall have been loved	shall have been loved	should have been loved
you	will have been loved	will have been loved	would have been loved
they	will have been loved	will have been loved	would have been loved

SAMPLE GERMAN VERB CONJUGATION— PASSIVE VOICE

PRINC. PARTS: geliebt werden, wurde geliebt, ist geliebt
worden, wird geliebt
IMPERATIVE: werde geliebt!, werdet geliebt!,
werden Sie geliebt!

geliebt werden
to be loved

	INDICATIVE	SUBJUNCTIVE	
		PRIMARY	SECONDARY

		Present Time	
	Present	*(Pres. Subj.)*	*(Imperf. Subj.)*
ich	werde geliebt	werde geliebt	würde geliebt
du	wirst geliebt	werdest geliebt	würdest geliebt
er	wird geliebt	werde geliebt	würde geliebt
wir	werden geliebt	werden geliebt	würden geliebt
ihr	werdet geliebt	werdet geliebt	würdet geliebt
sie	werden geliebt	werden geliebt	würden geliebt

	Imperfect
ich	wurde geliebt
du	wurdest geliebt
er	wurde geliebt
wir	wurden geliebt
ihr	wurdet geliebt
sie	wurden geliebt

		Past Time	
	Perfect	*(Perf. Subj.)*	*(Pluperf. Subj.)*
ich	bin geliebt worden	sei geliebt worden	wäre geliebt worden
du	bist geliebt worden	seiest geliebt worden	wärest geliebt worden
er	ist geliebt worden	sei geliebt worden	wäre geliebt worden
wir	sind geliebt worden	seien geliebt worden	wären geliebt worden
ihr	seid geliebt worden	seiet geliebt worden	wäret geliebt worden
sie	sind geliebt worden	seien geliebt worden	wären geliebt worden

	Pluperfect
ich	war geliebt worden
du	warst geliebt worden
er	war geliebt worden
wir	waren geliebt worden
ihr	wart geliebt worden
sie	waren geliebt worden

		Future Time	
	Future	*(Fut. Subj.)*	*(Pres. Conditional)*
ich	werde geliebt werden	werde geliebt werden	würde geliebt werden
du	wirst geliebt werden	werdest geliebt werden	würdest geliebt werden
er	wird geliebt werden	werde geliebt werden	würde geliebt werden
wir	werden geliebt werden	werden geliebt werden	würden geliebt werden
ihr	werdet geliebt werden	werdet geliebt werden	würdet geliebt werden
sie	werden geliebt werden	werden geliebt werden	würden geliebt werden

		Future Perfect Time	
	Future Perfect	*(Fut. Perf. Subj.)*	*(Past Conditional)*
ich	werde geliebt worden sein	werde geliebt worden sein	würde geliebt worden sein
du	wirst geliebt worden sein	werdest geliebt worden sein	würdest geliebt worden sein
er	wird geliebt worden sein	werde geliebt worden sein	würde geliebt worden sein
wir	werden geliebt worden sein	werden geliebt worden sein	würden geliebt worden sein
ihr	werdet geliebt worden sein	werdet geliebt worden sein	würdet geliebt worden sein
sie	werden geliebt worden sein	werden geliebt worden sein	würden geliebt worden sein

PRINC. PARTS: anfangen, fing an, angefangen, fängt an
IMPERATIVE: fange an!, fangt an!, fangen Sie an!

INDICATIVE	SUBJUNCTIVE	
	PRIMARY	SECONDARY

Present Time

	Present	*(Pres. Subj.)*	*(Imperf. Subj.)*
ich	fange an	fange an	finge an
du	fängst an	fangest an	fingest an
er	fängt an	fange an	finge an
wir	fangen an	fangen an	fingen an
ihr	fangt an	fanget an	finget an
sie	fangen an	fangen an	fingen an

	Imperfect
ich	fing an
du	fingst an
er	fing an
wir	fingen an
ihr	fingt an
sie	fingen an

Past Time

	Perfect	*(Perf. Subj.)*	*(Pluperf. Subj.)*
ich	habe angefangen	habe angefangen	hätte angefangen
du	hast angefangen	habest angefangen	hättest angefangen
er	hat angefangen	habe angefangen	hätte angefangen
wir	haben angefangen	haben angefangen	hätten angefangen
ihr	habt angefangen	habet angefangen	hättet angefangen
sie	haben angefangen	haben angefangen	hätten angefangen

	Pluperfect
ich	hatte angefangen
du	hattest angefangen
er	hatte angefangen
wir	hatten angefangen
ihr	hattet angefangen
sie	hatten angefangen

Future Time

	Future	*(Fut. Subj.)*	*(Pres. Conditional)*
ich	werde anfangen	werde anfangen	würde anfangen
du	wirst anfangen	werdest anfangen	würdest anfangen
er	wird anfangen	werde anfangen	würde anfangen
wir	werden anfangen	werden anfangen	würden anfangen
ihr	werdet anfangen	werdet anfangen	würdet anfangen
sie	werden anfangen	werden anfangen	würden anfangen

Future Perfect Time

	Future Perfect	*(Fut. Perf. Subj.)*	*(Past Conditional)*
ich	werde angefangen haben	werde angefangen haben	würde angefangen haben
du	wirst angefangen haben	werdest angefangen haben	würdest angefangen haben
er	wird angefangen haben	werde angefangen haben	würde angefangen haben
wir	werden angefangen haben	werden angefangen haben	würden angefangen haben
ihr	werdet angefangen haben	werdet angefangen haben	würdet angefangen haben
sie	werden angefangen haben	werden angefangen haben	würden angefangen haben

antworten

to answer, reply

PRINC. PARTS: antworten, antwortete, geantwortet, antwortet
IMPERATIVE: antworte!, antwortet!, antworten Sie!

	INDICATIVE	SUBJUNCTIVE	
		PRIMARY	SECONDARY
		Present Time	
	Present	*(Pres. Subj.)*	*(Imperf. Subj.)*
ich	antworte	antworte	antwortete
du	antwortest	antwortest	antwortetest
er	antwortet	antworte	antwortete
wir	antworten	antworten	antworteten
ihr	antwortet	antwortet	antwortetet
sie	antworten	antworten	antworteten
	Imperfect		
ich	antwortete		
du	antwortetest		
er	antwortete		
wir	antworteten		
ihr	antwortetet		
sie	antworteten		
		Past Time	
	Perfect	*(Perf. Subj.)*	*(Pluperf. Subj.)*
ich	habe geantwortet	habe geantwortet	hätte geantwortet
du	hast geantwortet	habest geantwortet	hättest geantwortet
er	hat geantwortet	habe geantwortet	hätte geantwortet
wir	haben geantwortet	haben geantwortet	hätten geantwortet
ihr	habt geantwortet	habet geantwortet	hättet geantwortet
sie	haben geantwortet	haben geantwortet	hätten geantwortet
	Pluperfect		
ich	hatte geantwortet		
du	hattest geantwortet		
er	hatte geantwortet		
wir	hatten geantwortet		
ihr	hattet geantwortet		
sie	hatten geantwortet		
		Future Time	
	Future	*(Fut. Subj.)*	*(Pres. Conditional)*
ich	werde antworten	werde antworten	würde antworten
du	wirst antworten	werdest antworten	würdest antworten
er	wird antworten	werde antworten	würde antworten
wir	werden antworten	werden antworten	würden antworten
ihr	werdet antworten	werdet antworten	würdet antworten
sie	werden antworten	werden antworten	würden antworten
		Future Perfect Time	
	Future Perfect	*(Fut. Perf. Subj.)*	*(Past Conditional)*
ich	werde geantwortet haben	werde geantwortet haben	würde geantwortet haben
du	wirst geantwortet haben	werdest geantwortet haben	würdest geantwortet haben
er	wird geantwortet haben	werde geantwortet haben	würde geantwortet haben
wir	werden geantwortet haben	werden geantwortet haben	würden geantwortet haben
ihr	werdet geantwortet haben	werdet geantwortet haben	würdet geantwortet haben
sie	werden geantwortet haben	werden geantwortet haben	würden geantwortet haben

PRINC. PARTS: sich anziehen, zog sich an,
sich angezogen, zieht sich an
IMPERATIVE: ziehe dich an!, zieht euch an!, ziehen Sie
sich an!

sich anziehen
to get dressed

	INDICATIVE	SUBJUNCTIVE	
		PRIMARY	SECONDARY
		Present Time	
	Present	*(Pres. Subj.)*	*(Imperf. Subj.)*
ich	ziehe mich an	ziehe mich an	zöge mich an
du	ziehst dich an	ziehest dich an	zögest dich an
er	zieht sich an	ziehe sich an	zöge sich an
wir	ziehen uns an	ziehen uns an	zögen uns an
ihr	zieht euch an	ziehet euch an	zöget euch an
sie	ziehen sich an	ziehen sich an	zögen sich an
	Imperfect		
ich	zog mich an		
du	zogst dich an		
er	zog sich an		
wir	zogen uns an		
ihr	zogt euch an		
sie	zogen sich an		
		Past Time	
	Perfect	*(Perf. Subj.)*	*(Pluperf. Subj.)*
ich	habe mich angezogen	habe mich angezogen	hätte mich angezogen
du	hast dich angezogen	habest dich angezogen	hättest dich angezogen
er	hat sich angezogen	habe sich angezogen	hätte sich angezogen
wir	haben uns angezogen	haben uns angezogen	hätten uns angezogen
ihr	habt euch angezogen	habet euch angezogen	hättet euch angezogen
sie	haben sich angezogen	haben sich angezogen	hätten sich angezogen
	Pluperfect		
ich	hatte mich angezogen		
du	hattest dich angezogen		
er	hatte sich angezogen		
wir	hatten uns angezogen		
ihr	hattet euch angezogen		
sie	hatten sich angezogen		
		Future Time	
	Future	*(Fut. Subj.)*	*(Pres. Conditional)*
ich	werde mich anziehen	werde mich anziehen	würde mich anziehen
du	wirst dich anziehen	werdest dich anziehen	würdest dich anziehen
er	wird sich anziehen	werde sich anziehen	würde sich anziehen
wir	werden uns anziehen	werden uns anziehen	würden uns anziehen
ihr	werdet euch anziehen	werdet euch anziehen	würdet euch anziehen
sie	werden sich anziehen	werden sich anziehen	würden sich anziehen
		Future Perfect Time	
	Future Perfect	*(Fut. Perf. Subj.)*	*(Past Conditional)*
ich	werde mich angezogen haben	werde mich angezogen haben	würde mich angezogen haben
du	wirst dich angezogen haben	werdest dich angezogen haben	würdest dich angezogen haben
er	wird sich angezogen haben	werde sich angezogen haben	würde sich angezogen haben
wir	werden uns angezogen haben	werden uns angezogen haben	würden uns angezogen haben
ihr	werdet euch angezogen haben	werdet euch angezogen haben	würdet euch angezogen haben
sie	werden sich angezogen haben	werden sich angezogen haben	würden sich angezogen haben

3

arbeiten
to work

PRINC. PARTS: arbeiten, arbeitete, gearbeitet, arbeitet
IMPERATIVE: arbeite!, arbeitet!, arbeiten Sie!

INDICATIVE	SUBJUNCTIVE	
	PRIMARY	SECONDARY
	Present Time	
Present	*(Pres. Subj.)*	*(Imperf. Subj.)*
ich arbeite	arbeite	arbeitete
du arbeitest	arbeitest	arbeitetest
er arbeitet	arbeite	arbeitete
wir arbeiten	arbeiten	arbeiteten
ihr arbeitet	arbeitet	arbeitetet
sie arbeiten	arbeiten	arbeiteten

Imperfect

ich arbeitete
du arbeitetest
er arbeitete
wir arbeiteten
ihr arbeitetet
sie arbeiteten

	Past Time	
Perfect	*(Perf. Subj.)*	*(Pluperf. Subj.)*
ich habe gearbeitet	habe gearbeitet	hätte gearbeitet
du hast gearbeitet	habest gearbeitet	hättest gearbeitet
er hat gearbeitet	habe gearbeitet	hätte gearbeitet
wir haben gearbeitet	haben gearbeitet	hätten gearbeitet
ihr habt gearbeitet	habet gearbeitet	hättet gearbeitet
sie haben gearbeitet	haben gearbeitet	hätten gearbeitet

Pluperfect

ich hatte gearbeitet
du hattest gearbeitet
er hatte gearbeitet
wir hatten gearbeitet
ihr hattet gearbeitet
sie hatten gearbeitet

	Future Time	
Future	*(Fut. Subj.)*	*(Pres. Conditional)*
ich werde arbeiten	werde arbeiten	würde arbeiten
du wirst arbeiten	werdest arbeiten	würdest arbeiten
er wird arbeiten	werde arbeiten	würde arbeiten
wir werden arbeiten	werden arbeiten	würden arbeiten
ihr werdet arbeiten	werdet arbeiten	würdet arbeiten
sie werden arbeiten	werden arbeiten	würden arbeiten

	Future Perfect Time	
Future Perfect	*(Fut. Perf. Subj.)*	*(Past Conditional)*
ich werde gearbeitet haben	werde gearbeitet haben	würde gearbeitet haben
du wirst gearbeitet haben	werdest gearbeitet haben	würdest gearbeitet haben
er wird gearbeitet haben	werde gearbeitet haben	würde gearbeitet haben
wir werden gearbeitet haben	werden gearbeitet haben	würden gearbeitet haben
ihr werdet gearbeitet haben	werdet gearbeitet haben	würdet gearbeitet haben
sie werden gearbeitet haben	werden gearbeitet haben	würden gearbeitet haben

PRINC. PARTS: backen, buk, gebacken, bäckt
IMPERATIVE: backe!, backt!, backen Sie!

INDICATIVE	SUBJUNCTIVE	
	PRIMARY	SECONDARY
	Present Time	
Present	*(Pres. Subj.)*	*(Imperf. Subj.)*
ich backe	backe	büke backte
du bäckst	backest	bükest backtest
er bäckt	backe	büke *or* backte
wir backen	backen	büken backten
ihr backt	backet	büket backtet
sie backen	backen	büken backten

Imperfect
ich buk backte
du bukst backtest
er buk *or* backte
wir buken backten
ihr bukt backtet
sie buken backten

Perfect	*Past Time*	
	(Perf. Subj.)	*(Pluperf. Subj.)*
ich habe gebacken	habe gebacken	hätte gebacken
du hast gebacken	habest gebacken	hättest gebacken
er hat gebacken	habe gebacken	hätte gebacken
wir haben gebacken	haben gebacken	hätten gebacken
ihr habt gebacken	habet gebacken	hättet gebacken
sie haben gebacken	haben gebacken	hätten gebacken

Pluperfect
ich hatte gebacken
du hattest gebacken
er hatte gebacken
wir hatten gebacken
ihr hattet gebacken
sie hatten gebacken

Future	*Future Time*	
	(Fut. Subj.)	*(Pres. Conditional)*
ich werde backen	werde backen	würde backen
du wirst backen	werdest backen	würdest backen
er wird backen	werde backen	würde backen
wir werden backen	werden backen	würden backen
ihr werdet backen	werdet backen	würdet backen
sie werden backen	werden backen	würden backen

Future Perfect	*Future Perfect Time*	
	(Fut. Perf. Subj.)	*(Past Conditional)*
ich werde gebacken haben	werde gebacken haben	würde gebacken haben
du wirst gebacken haben	werdest gebacken haben	würdest gebacken haben
er wird gebacken haben	werde gebacken haben	würde gebacken haben
wir werden gebacken haben	werden gebacken haben	würden gebacken haben
ihr werdet gebacken haben	werdet gebacken haben	würdet gebacken haben
sie werden gebacken haben	werden gebacken haben	würden gebacken haben

5

bedingen
to stipulate, limit

PRINC. PARTS: bedingen, bedingte, bedungen, bedingt
IMPERATIVE: bedinge!, bedingt!, bedingen Sie!

	INDICATIVE	SUBJUNCTIVE	
		PRIMARY	SECONDARY

Present Time

	Present	*(Pres. Subj.)*	*(Imperf. Subj.)*
ich	bedinge	bedinge	bedünge
du	bedingst	bedingest	bedüngest
er	bedingt	bedinge	bedünge
wir	bedingen	bedingen	bedüngen
ihr	bedingt	bedinget	bedünget
sie	bedingen	bedingen	bedüngen

	Imperfect
ich	bedingte
du	bedingtest
er	bedingte
wir	bedingten
ihr	bedingtet
sie	bedingten

Past Time

	Perfect	*(Perf. Subj.)*	*(Pluperf. Subj.)*
ich	habe bedungen	habe bedungen	hätte bedungen
du	hast bedungen	habest bedungen	hättest bedungen
er	hat bedungen	habe bedungen	hätte bedungen
wir	haben bedungen	haben bedungen	hätten bedungen
ihr	habt bedungen	habet bedungen	hättet bedungen
sie	haben bedungen	haben bedungen	hätten bedungen

	Pluperfect
ich	hatte bedungen
du	hattest bedungen
er	hatte bedungen
wir	hatten bedungen
ihr	hattet bedungen
sie	hatten bedungen

Future Time

	Future	*(Fut. Subj.)*	*(Pres. Conditional)*
ich	werde bedingen	werde bedingen	würde bedingen
du	wirst bedingen	werdest bedingen	würdest bedingen
er	wird bedingen	werde bedingen	würde bedingen
wir	werden bedingen	werden bedingen	würden bedingen
ihr	werdet bedingen	werdet bedingen	würdet bedingen
sie	werden bedingen	werden bedingen	würden bedingen

Future Perfect Time

	Future Perfect	*(Fut. Perf. Subj.)*	*(Past Conditional)*
ich	werde bedungen haben	werde bedungen haben	würde bedungen haben
du	wirst bedungen haben	werdest bedungen haben	würdest bedungen haben
er	wird bedungen haben	werde bedungen haben	würde bedungen haben
wir	werden bedungen haben	werden bedungen haben	würden bedungen haben
ihr	werdet bedungen haben	werdet bedungen haben	würdet bedungen haben
sie	werden bedungen haben	werden bedungen haben	würden bedungen haben

PRINC. PARTS: befehlen, befahl, befohlen, befiehlt
IMPERATIVE: befiehl!, befehlt!, befehlen Sie!

to order, command

	INDICATIVE	**SUBJUNCTIVE**	
		PRIMARY	SECONDARY
		Present Time	
	Present	*(Pres. Subj.)*	*(Imperf. Subj.)*
ich	befehle	befehle	beföhle
du	befiehlst	befehlest	beföhlest
er	befiehlt	befehle	beföhle
wir	befehlen	befehlen	beföhlen
ihr	befehlt	befehlet	beföhlet
sie	befehlen	befehlen	beföhlen

	Imperfect
ich	befahl
du	befahlst
er	befahl
wir	befahlen
ihr	befahlt
sie	befahlen

			Past Time	
	Perfect	*(Perf. Subj.)*	*(Pluperf. Subj.)*
ich	habe befohlen	habe befohlen	hätte befohlen
du	hast befohlen	habest befohlen	hättest befohlen
er	hat befohlen	habe befohlen	hätte befohlen
wir	haben befohlen	haben befohlen	hätten befohlen
ihr	habt befohlen	habet befohlen	hättet befohlen
sie	haben befohlen	haben befohlen	hätten befohlen

	Pluperfect
ich	hatte befohlen
du	hattest befohlen
er	hatte befohlen
wir	hatten befohlen
ihr	hattet befohlen
sie	hatten befohlen

			Future Time	
	Future	*(Fut. Subj.)*	*(Pres. Conditional)*
ich	werde befehlen	werde befehlen	würde befehlen
du	werdest befehlen	werdest befehlen	würdest befehlen
er	wird befehlen	werde befehlen	würde befehlen
wir	werden befehlen	werden befehlen	würden befehlen
ihr	werdet befehlen	werdet befehlen	würdet befehlen
sie	werden befehlen	werden befehlen	würden befehlen

			Future Perfect Time	
	Future Perfect	*(Fut. Perf. Subj.)*	*(Past Conditional)*
ich	werde befohlen haben	werde befohlen haben	würde befohlen haben
du	wirst befohlen haben	werdest befohlen haben	würdest befohlen haben
er	wird befohlen haben	werde befohlen haben	würde befohlen haben
wir	werden befohlen haben	werden befohlen haben	würden befohlen haben
ihr	werdet befohlen haben	werdet befohlen haben	würdet befohlen haben
sie	werden befohlen haben	werden befohlen haben	würden befohlen haben

7

beginnen

to begin

PRINC. PARTS: beginnen, begann, begonnen, beginnt
IMPERATIVE: beginne!, beginnt! beginnen Sie!

	INDICATIVE	SUBJUNCTIVE	
		PRIMARY	SECONDARY

Present Time

	Present	*(Pres. Subj.)*	*(Imperf. Subj.)*
ich	beginne	beginne	begönne
du	beginnst	beginnest	begönnest
er	beginnt	beginne	begönne
wir	beginnen	beginnen	begönnen
ihr	beginnt	beginnet	begönnet
sie	beginnen	beginnen	begönnen

	Imperfect
ich	begann
du	begannst
er	begann
wir	begannen
ihr	begannt
sie	begannen

Past Time

	Perfect	*(Perf. Subj.)*	*(Pluperf. Subj.)*
ich	habe begonnen	habe begonnen	hätte begonnen
du	hast begonnen	habest begonnen	hättest begonnen
er	hat begonnen	habe begonnen	hätte begonnen
wir	haben begonnen	haben begonnen	hätten begonnen
ihr	habt begonnen	habet begonnen	hättet begonnen
sie	haben begonnen	haben begonnen	hätten begonnen

	Pluperfect
ich	hatte begonnen
du	hattest begonnen
er	hatte begonnen
wir	hatten begonnen
ihr	hattet begonnen
sie	hatten begonnen

Future Time

	Future	*(Fut. Subj.)*	*(Pres. Conditional)*
ich	werde beginnen	werde beginnen	würde beginnen
du	wirst beginnen	werdest beginnen	würdest beginnen
er	wird beginnen	werde beginnen	würde beginnen
wir	werden beginnen	werden beginnen	würden beginnen
ihr	werdet beginnen	werdet beginnen	würdet beginnen
sie	werden beginnen	werden beginnen	würden beginnen

Future Perfect Time

	Future Perfect	*(Fut. Perf. Subj.)*	*(Past Conditional)*
ich	werde begonnen haben	werde begonnen haben	würde begonnen haben
du	wirst begonnen haben	werdest begonnen haben	würdest begonnen haben
er	wird begonnen haben	werde begonnen haben	würde begonnen haben
wir	werden begonnen haben	werden begonnen haben	würden begonnen haben
ihr	werdet begonnen haben	werdet begonnen haben	würdet begonnen haben
sie	werden begonnen haben	werden begonnen haben	würden begonnen haben

PRINC. PARTS: beißen, biß, gebissen, beißt
IMPERATIVE: beiße!, beißt!, beißen Sie!

INDICATIVE	SUBJUNCTIVE	
	PRIMARY	SECONDARY
	Present Time	
Present	*(Pres. Subj.)*	*(Imperf. Subj.)*
ich beiße	beiße	bisse
du beißt	beißest	bissest
er beißt	beiße	bisse
wir beißen	beißen	bissen
ihr beißt	beißet	bisset
sie beißen	beißen	bissen

Imperfect
ich biß
du bissest
er biß
wir bissen
ihr bißt
sie bissen

Perfect	*Past Time*	
	(Perf. Subj.)	*(Pluperf. Subj.)*
ich habe gebissen	habe gebissen	hätte gebissen
du hast gebissen	habest gebissen	hättest gebissen
er hat gebissen	habe gebissen	hätte gebissen
wir haben gebissen	haben gebissen	hätten gebissen
ihr habt gebissen	habet gebissen	hättet gebissen
sie haben gebissen	haben gebissen	hätten gebissen

Pluperfect
ich hatte gebissen
du hattest gebissen
er hatte gebissen
wir hatten gebissen
ihr hattet gebissen
sie hatten gebissen

Future	*Future Time*	
	(Fut. Subj.)	*(Pres. Conditional)*
ich werde beißen	werde beißen	würde beißen
du wirst beißen	werdest beißen	würdest beißen
er wird beißen	werde beißen	würde beißen
wir werden beißen	werden beißen	würden beißen
ihr werdet beißen	werdet beißen	würdet beißen
sie werden beißen	werden beißen	würden beißen

Future Perfect	*Future Perfect Time*	
	(Fut. Perf. Subj.)	*(Past Conditional)*
ich werde gebissen haben	werde gebissen haben	würde gebissen haben
du wirst gebissen haben	werdest gebissen haben	würdest gebissen haben
er wird gebissen haben	werde gebissen haben	würde gebissen haben
wir werden gebissen haben	werden gebissen haben	würden gebissen haben
ihr werdet gebissen haben	werdet gebissen haben	würdet gebissen haben
sie werden gebissen haben	werden gebissen haben	würden gebissen haben

9

bergen

to save, salvage,
recover, conceal

PRINC. PARTS: bergen, barg, geborgen, **birgt**
IMPERATIVE: birg!, bergt!, bergen Sie!

INDICATIVE	SUBJUNCTIVE	
	PRIMARY	SECONDARY

Present Time

	Present	*(Pres. Subj.)*	*(Imperf. Subj.)*	
ich	berge	berge	bürge	bärge
du	birgst	bergest	bürgest	bärgest
er	birgt	berge	bürge *or*	bärge
wir	bergen	bergen	bürgen	bärgen
ihr	bergt	berget	bürget	bärget
sie	bergen	bergen	bürgen	bärgen

	Imperfect
ich	barg
du	bargst
er	barg
wir	bargen
ihr	bargt
sie	bargen

Past Time

	Perfect	*(Perf. Subj.)*	*(Pluperf. Subj.)*
ich	habe geborgen	habe geborgen	hätte geborgen
du	hast geborgen	habest geborgen	hättest geborgen
er	hat geborgen	habe geborgen	hätte geborgen
wir	haben geborgen	haben geborgen	hätten geborgen
ihr	habt geborgen	habet geborgen	hättet geborgen
sie	haben geborgen	haben geborgen	hätten geborgen

	Pluperfect
ich	hatte geborgen
du	hattest geborgen
er	hatte geborgen
wir	hatten geborgen
ihr	hattet geborgen
sie	hatten geborgen

Future Time

	Future	*(Fut. Subj.)*	*(Pres. Conditional)*
ich	werde bergen	werde bergen	würde bergen
du	wirst bergen	werdest bergen	würdest bergen
er	wird bergen	werde bergen	würde bergen
wir	werden bergen	werden bergen	würden bergen
ihr	werdet bergen	werdet bergen	würdet bergen
sie	werden bergen	werden bergen	würden bergen

Future Perfect Time

	Future Perfect	*(Fut. Perf. Subj.)*	*(Past Conditional)*
ich	werde geborgen haben	werde geborgen haben	würde geborgen haben
du	wirst geborgen haben	werdest geborgen haben	würdest geborgen haben
er	wird geborgen haben	werde geborgen haben	würde geborgen haben
wir	werden geborgen haben	werden geborgen haben	würden geborgen haben
ihr	werdet geborgen haben	werdet geborgen haben	würdet geborgen haben
sie	werden geborgen haben	werden geborgen haben	würden geborgen haben

PRINC. PARTS: bersten,* barst, ist geborsten, birst
IMPERATIVE: birst!, berstet!, bersten Sie!**

INDICATIVE	SUBJUNCTIVE		
	PRIMARY	SECONDARY	

Present Time

	Present	*(Pres. Subj.)*	*(Imperf. Subj.)*	
ich	berste	berste	bärste	börste
du	birst	berstest	bärstest	börstest
er	birst	berste	bärste *or* börste	
wir	bersten	bersten	bärsten	börsten
ihr	berstet	berstet	bärstet	börstet
sie	bersten	bersten	bärsten	börsten

	Imperfect
ich	barst
du	barstest
er	barst
wir	barsten
ihr	barstet
sie	barsten

Past Time

	Perfect	*(Perf. Subj.)*	*(Pluperf. Subj.)*
ich	bin geborsten	sei geborsten	wäre geborsten
du	bist geborsten	seiest geborsten	wärest geborsten
er	ist geborsten	sei geborsten	wäre geborsten
wir	sind geborsten	seien geborsten	wären geborsten
ihr	seid geborsten	seiet geborsten	wäret geborsten
sie	sind geborsten	seien geborsten	wären geborsten

	Pluperfect
ich	war geborsten
du	warst geborsten
er	war geborsten
wir	waren geborsten
ihr	wart geborsten
sie	waren geborsten

Future Time

	Future	*(Fut. Subj.)*	*(Pres. Conditional)*
ich	werde bersten	werde bersten	würde bersten
du	wirst bersten	werdest bersten	würdest bersten
er	wird bersten	werde bersten	würde bersten
wir	werden bersten	werden bersten	würden bersten
ihr	werdet bersten	werdet bersten	würdet bersten
sie	werden bersten	werden bersten	würden bersten

Future Perfect Time

	Future Perfect	*(Fut. Perf. Subj.)*	*(Past Conditional)*
ich	werde geborsten sein	werde geborsten sein	würde geborsten sein
du	wirst geborsten sein	werdest geborsten sein	würdest geborsten sein
er	wird geborsten sein	werde geborsten sein	würde geborsten sein
wir	werden geborsten sein	werden geborsten sein	würden geborsten sein
ihr	werdet geborsten sein	werdet geborsten sein	würdet geborsten sein
sie	werden geborsten sein	werden geborsten sein	würden geborsten sein

* Forms other than the third person are infrequently found.
** The imperative is unusual.

beten

to pray

PRINC. PARTS: beten, betete, gebetet, betet
IMPERATIVE: bete!, betet!, beten Sie!

INDICATIVE		SUBJUNCTIVE	
		PRIMARY	SECONDARY

Present Time

	Present	(*Pres. Subj.*)	(*Imperf. Subj.*)
ich	bete	bete	betete
du	betest	betest	betetest
er	betet	bete	betete
wir	beten	beten	beteten
ihr	betet	betet	betetet
sie	beten	beten	beteten

	Imperfect
ich	betete
du	betetest
er	betete
wir	beteten
ihr	betetet
sie	beteten

Past Time

	Perfect	(*Perf. Subj.*)	(*Pluperf. Subj.*)
ich	habe gebetet	habe gebetet	hätte gebetet
du	hast gebetet	habest gebetet	hättest gebetet
er	hat gebetet	habe gebetet	hätte gebetet
wir	haben gebetet	haben gebetet	hätten gebetet
ihr	habet gebetet	habet gebetet	hättet gebetet
sie	haben gebetet	haben gebetet	hätten gebetet

	Pluperfect
ich	hatte gebetet
du	hattest gebetet
er	hatte gebetet
wir	hatten gebetet
ihr	hattet gebetet
sie	hatten gebetet

Future Time

	Future	(*Fut. Subj.*)	(*Pres. Conditional*)
ich	werde beten	werde beten	würde beten
du	wirst beten	werdest beten	würdest beten
er	wird beten	werde beten	würde beten
wir	werden beten	werden beten	würden beten
ihr	werdet beten	werdet beten	würdet beten
sie	werden beten	werden beten	würden beten

Future Perfect Time

	Future Perfect	(*Fut. Perf. Subj.*)	(*Past Conditional*)
ich	werde gebetet haben	werde gebetet haben	würde gebetet haben
du	wirst gebetet haben	werdest gebetet haben	würdest gebetet haben
er	wird gebetet haben	werde gebetet haben	würde gebetet haben
wir	werden gebetet haben	werden gebetet haben	würden gebetet haben
ihr	werdet gebetet haben	werdet gebetet haben	würdet gebetet haben
sie	werden gebetet haben	werden gebetet haben	würden gebetet haben

PRINC. PARTS: betrügen, betrog, betrogen, betrügt
IMPERATIVE: betrüge!, betrügt!, betrügen Sie!

to deceive, cheat

	INDICATIVE	SUBJUNCTIVE	
		PRIMARY	SECONDARY
		Present Time	
	Present	*(Pres. Subj.)*	*(Imperf. Subj.)*
ich	betrüge	betrüge	betröge
du	betrügst	betrügest	betrögest
er	betrügt	betrüge	betröge
wir	betrügen	betrügen	betrögen
ihr	betrügt	betrüget	betröget
sie	betrügen	betrügen	betrögen

	Imperfect
ich	betrog
du	betrogst
er	betrog
wir	betrogen
ihr	betrogt
sie	betrogen

	Perfect	*(Perf. Subj.)*	*(Pluperf. Subj.)*
		Past Time	
ich	habe betrogen	habe betrogen	hätte betrogen
du	hast betrogen	habest betrogen	hättest betrogen
er	hat betrogen	habe betrogen	hätte betrogen
wir	haben betrogen	haben betrogen	hätten betrogen
ihr	habt betrogen	habet betrogen	hättet betrogen
sie	haben betrogen	haben betrogen	hätten betrogen

	Pluperfect
ich	hatte betrogen
du	hattest betrogen
er	hatte betrogen
wir	hatten betrogen
ihr	hattet betrogen
sie	hatten betrogen

	Future	*(Fut. Subj.)*	*(Pres. Conditional)*
		Future Time	
ich	werde betrügen	werde betrügen	würde betrügen
du	wirst betrügen	werdest betrügen	würdest betrügen
er	wird betrügen	werde betrügen	würde betrügen
wir	werden betrügen	werden betrügen	würden betrügen
ihr	werdet betrügen	werdet betrügen	würdet betrügen
sie	werden betrügen	werden betrügen	würden betrügen

	Future Perfect	*(Fut. Perf. Subj.)*	*(Past Conditional)*
		Future Perfect Time	
ich	werde betrogen haben	werde betrogen haben	würde betrogen haben
du	wirst betrogen haben	werdest betrogen haben	würdest betrogen haben
er	wird betrogen haben	werde betrogen haben	würde betrogen haben
wir	werden betrogen haben	werden betrogen haben	würden betrogen haben
ihr	werdet betrogen haben	werdet betrogen haben	würdet betrogen haben
sie	werden betrogen haben	werden betrogen haben	würden betrogen haben

13

bewegen

to move, agitate, shake

PRINC. PARTS: bewegen, bewegte, bewegt, bewegt
IMPERATIVE: bewege!, bewegt!, bewegen Sie!

	INDICATIVE	SUBJUNCTIVE	
		PRIMARY	SECONDARY

Present Time

	Present	*(Pres. Subj.)*	*(Imperf. Subj.)*
ich	bewege	bewege	bewegte
du	bewegst	bewegest	bewegtest
er	bewegt	bewege	bewegte
wir	bewegen	bewegen	bewegten
ihr	bewegt	beweget	bewegtet
sie	bewegen	bewegen	bewegten

	Imperfect
ich	bewegte
du	bewegtest
er	bewegte
wir	bewegten
ihr	bewegtet
sie	bewegten

Past Time

	Perfect	*(Perf. Subj.)*	*(Pluperf. Subj.)*
ich	habe bewegt	habe bewegt	hätte bewegt
du	hast bewegt	hast bewegt	hättest bewegt
er	hat bewegt	hat bewegt	hätte bewegt
wir	haben bewegt	haben bewegt	hätten bewegt
ihr	habt bewegt	habet bewegt	hättet bewegt
sie	haben bewegt	haben bewegt	hätten bewegt

	Pluperfect
ich	hatte bewegt
du	hattest bewegt
er	hatte bewegt
wir	hatten bewegt
ihr	hattet bewegt
sie	hatten bewegt

Future Time

	Future	*(Fut. Subj.)*	*(Pres. Conditional)*
ich	werde bewegen	werde bewegen	würde bewegen
du	wirst bewegen	werdest bewegen	würdest bewegen
er	wird bewegen	werde bewegen	würde bewegen
wir	werden bewegen	werden bewegen	würden bewegen
ihr	werdet bewegen	werdet bewegen	würdet bewegen
sie	werden bewegen	werden bewegen	würden bewegen

Future Perfect Time

	Future Perfect	*(Fut. Perf. Subj.)*	*(Past Conditional)*
ich	werde bewegt haben	werde bewegt haben	würde bewegt haben
du	wirst bewegt haben	werdest bewegt haben	würdest bewegt haben
er	wird bewegt haben	werde bewegt haben	würde bewegt haben
wir	werden bewegt haben	werden bewegt haben	würden bewegt haben
ihr	werdet bewegt haben	werdet bewegt haben	würdet bewegt haben
sie	werden bewegt haben	werden bewegt haben	würden bewegt haben

bewegen

to induce, persuade,
prevail upon

PRINC. PARTS: bewegen, bewog, bewogen, bewegt
IMPERATIVE: bewege!, bewegt!, bewegen Sie!

	INDICATIVE	SUBJUNCTIVE	
		PRIMARY	SECONDARY
		Present Time	
	Present	*(Pres. Subj.)*	*(Imperf. Subj.)*
ich	bewege	bewege	bewöge
du	bewegst	bewegest	bewögest
er	bewegt	bewege	bewöge
wir	bewegen	bewegen	bewögen
ihr	bewegt	beweget	bewöget
sie	bewegen	bewegen	bewögen

	Imperfect
ich	bewog
du	bewogst
er	bewog
wir	bewogen
ihr	bewogt
sie	bewogen

			Past Time	
	Perfect	*(Perf. Subj.)*	*(Pluperf. Subj.)*
ich	habe bewogen	habe bewogen	hätte bewogen
du	hast bewogen	habest bewogen	hättest bewogen
er	hat bewogen	habe bewogen	hätte bewogen
wir	haben bewogen	haben bewogen	hätten bewogen
ihr	habt bewogen	habet bewogen	hättet bewogen
sie	haben bewogen	haben bewogen	hätten bewogen

	Pluperfect
ich	hatte bewogen
du	hattest bewogen
er	hatte bewogen
wir	hatten bewogen
ihr	hattet bewogen
sie	hatten bewogen

			Future Time	
	Future	*(Fut. Subj.)*	*(Pres. Conditional)*
ich	werde bewegen	werde bewegen	würde bewegen
du	wirst bewegen	werdest bewegen	würdest bewegen
er	wird bewegen	werde bewegen	würde bewegen
wir	werden bewegen	werden bewegen	würden bewegen
ihr	werdet bewegen	werdet bewegen	würdet bewegen
sie	werden bewegen	werden bewegen	würden bewegen

			Future Perfect Time	
	Future Perfect	*(Fut. Perf. Subj.)*	*(Past Conditional)*
ich	werde bewogen haben	werde bewogen haben	würde bewogen haben
du	wirst bewogen haben	werdest bewogen haben	würdest bewogen haben
er	wird bewogen haben	werde bewogen haben	würde bewogen haben
wir	werden bewogen haben	werden bewogen haben	würden bewogen haben
ihr	werdet bewogen haben	werdet bewogen haben	würdet bewogen haben
sie	werden bewogen haben	werden bewogen haben	würden bewogen haben

15

biegen

to bend

PRINC. PARTS: biegen, bog, gebogen, biegt
IMPERATIVE: biege!, biegt!, biegen Sie!

	INDICATIVE	SUBJUNCTIVE	
		PRIMARY	SECONDARY
		Present Time	
	Present	*(Pres. Subj.)*	*(Imperf. Subj.)*
ich	biege	biege	böge
du	biegst	biegest	bögest
er	biegt	biege	böge
wir	biegen	biegen	bögen
ihr	biegt	bieget	böget
sie	biegen	biegen	bögen

	Imperfect
ich	bog
du	bogst
er	bogt
wir	bogen
ihr	bogt
sie	bogen

			Past Time	
	Perfect	*(Perf. Subj.)*	*(Pluperf. Subj.)*
ich	habe gebogen	habe gebogen	hätte gebogen
du	hast gebogen	habest gebogen	hättest gebogen
er	hat gebogen	habe gebogen	hätte gebogen
wir	haben gebogen	haben gebogen	hätten gebogen
ihr	habt gebogen	habet gebogen	hättet gebogen
sie	haben gebogen	haben gebogen	hätten gebogen

	Pluperfect
ich	hatte gebogen
du	hattest gebogen
er	hatte gebogen
wir	hatten gebogen
ihr	hattet gebogen
sie	hatten gebogen

			Future Time	
	Future	*(Fut. Subj.)*	*(Pres. Conditional)*
ich	werde biegen	werde biegen	würde biegen
du	wirst biegen	werdest biegen	würdest biegen
er	wird biegen	werde biegen	würde biegen
wir	werden biegen	werden biegen	würden biegen
ihr	werdet biegen	werdet biegen	würdet biegen
sie	werden biegen	werden biegen	würden biegen

			Future Perfect Time	
	Future Perfect	*(Fut. Perf. Subj.)*	*(Past Conditional)*
ich	werde gebogen haben	werde gebogen haben	würde gebogen haben
du	wirst gebogen haben	werdest gebogen haben	würdest gebogen haben
er	wird gebogen haben	werde gebogen haben	würde gebogen haben
wir	werden gebogen haben	werden gebogen haben	würden gebogen haben
ihr	werdet gebogen haben	werdet gebogen haben	würdet gebogen haben
sie	werden gebogen haben	werden gebogen haben	würden gebogen haben

PRINC. PARTS: bieten, bot, geboten, bietet
IMPERATIVE: biete!, bietet!, bieten Sie!

to offer, bid

INDICATIVE	SUBJUNCTIVE	
	PRIMARY	SECONDARY

Present Time

	Present	(*Pres. Subj.*)	(*Imperf. Subj.*)
ich	biete	biete	böte
du	bietest	bietest	bötest
er	bietet	biete	bötet
wir	bieten	bieten	böten
ihr	bietet	bietet	bötet
sie	bieten	bieten	böten

	Imperfect
ich	bot
du	botest
er	bot
wir	boten
ihr	botet
sie	boten

Past Time

	Perfect	(*Perf. Subj.*)	(*Pluperf. Subj.*)
ich	habe geboten	habe geboten	hätte geboten
du	hast geboten	habest geboten	hättest geboten
er	hat geboten	habe geboten	hätte geboten
wir	haben geboten	haben geboten	hätten geboten
ihr	habt geboten	habet geboten	hättet geboten
sie	haben geboten	haben geboten	hätten geboten

	Pluperfect
ich	hatte geboten
du	hattest geboten
er	hatte geboten
wir	hatten geboten
ihr	hattet geboten
sie	hatten geboten

Future Time

	Future	(*Fut. Subj.*)	(*Pres. Conditional*)
ich	werde bieten	werde bieten	würde bieten
du	wirst bieten	werdest bieten	würdest bieten
er	wird bieten	werde bieten	würde bieten
wir	werden bieten	werden bieten	würden bieten
ihr	werdet bieten	werdet bieten	würdet bieten
sie	werden bieten	werden bieten	würden bieten

Future Perfect Time

	Future Perfect	(*Fut. Perf. Subj.*)	(*Past Conditional*)
ich	werde geboten haben	werde geboten haben	würde geboten haben
du	wirst geboten haben	werdest geboten haben	würdest geboten haben
er	wird geboten haben	werde geboten haben	würde geboten haben
wir	werden geboten haben	werden geboten haben	würden geboten haben
ihr	werdet geboten haben	werdet geboten haben	würdet geboten haben
sie	werden geboten haben	werden geboten haben	würden geboten haben

17

binden

to bind, tie

PRINC. PARTS: binden, band, gebunden, bindet
IMPERATIVE: binde!, bindet!, binden Sie!

INDICATIVE	SUBJUNCTIVE	
	PRIMARY	SECONDARY

Present Time

	Present	*(Pres. Subj.)*	*(Imperf. Subj.)*
ich	binde	binde	bände
du	bindest	bindest	bändest
er	bindet	binde	bände
wir	binden	binden	bänden
ihr	bindet	bindet	bändet
sie	binden	binden	bänden

	Imperfect
ich	band
du	bandest
er	band
wir	banden
ihr	bandet
sie	banden

Past Time

	Perfect	*(Perf. Subj.)*	*(Pluperf. Subj.)*
ich	habe gebunden	habe gebunden	hätte gebunden
du	hast gebunden	habest gebunden	hättest gebunden
er	hat gebunden	habe gebunden	hätte gebunden
wir	haben gebunden	haben gebunden	hätten gebunden
ihr	habt gebunden	habet gebunden	hättet gebunden
sie	haben gebunden	haben gebunden	hätten gebunden

	Pluperfect
ich	hatte gebunden
du	hattest gebunden
er	hatte gebunden
wir	hatten gebunden
ihr	hattet gebunden
sie	hatten gebunden

Future Time

	Future	*(Fut. Subj.)*	*(Pres. Conditional)*
ich	werde binden	werde binden	würde binden
du	wirst binden	werdest binden	würdest binden
er	wird binden	werde binden	würde binden
wir	werden binden	werden binden	würden binden
ihr	werdet binden	werdet binden	würdet binden
sie	werden binden	werden binden	würden binden

Future Perfect Time

	Future Perfect	*(Fut. Perf. Subj.)*	*(Past Conditional)*
ich	werde gebunden haben	werde gebunden haben	würde gebunden haben
du	wirst gebunden haben	werdest gebunden haben	würdest gebunden haben
er	wird gebunden haben	werde gebunden haben	würde gebunden haben
wir	werden gebunden haben	werden gebunden haben	würden gebunden haben
ihr	werdet gebunden haben	werdet gebunden haben	würdet gebunden haben
sie	werden gebunden haben	werden gebunden haben	würden gebunden haben

PRINC. PARTS: bitten, bat, gebeten, bittet
IMPERATIVE: bitte!, bittet!, bitten Sie!

to ask (for), request, beg

INDICATIVE	SUBJUNCTIVE	
	PRIMARY	SECONDARY

Present Time

	Present	*(Pres. Subj.)*	*(Imperf. Subj.)*
ich	bitte	bitte	bäte
du	bittest	bittest	bätest
er	bittet	bitte	bäte
wir	bitten	bitten	bäten
ihr	bittet	bittet	bätet
sie	bitten	bitten	bäten

	Imperfect
ich	bat
du	batest
er	bat
wir	baten
ihr	batet
sie	baten

Past Time

	Perfect	*(Perf. Subj.)*	*(Pluperf. Subj.)*
ich	habe gebeten	habe gebeten	hätte gebeten
du	hast gebeten	habest gebeten	hättest gebeten
er	hat gebeten	habe gebeten	hätte gebeten
wir	haben gebeten	haben gebeten	hätten gebeten
ihr	habt gebeten	habet gebeten	hättet gebeten
sie	haben gebeten	haben gebeten	hätten gebeten

	Pluperfect
ich	hatte gebeten
du	hattest gebeten
er	hatte gebeten
wir	hatten gebeten
ihr	hattet gebeten
sie	hatten gebeten

Future Time

	Future	*(Fut. Subj.)*	*(Pres. Conditional)*
ich	werde bitten	werde bitten	würde bitten
du	wirst bitten	werdest bitten	würdest bitten
er	wird bitten	werde bitten	würde bitten
wir	werden bitten	werden bitten	würden bitten
ihr	werdet bitten	werdet bitten	würdet bitten
sie	werden bitten	werden bitten	würden bitten

Future Perfect Time

	Future Perfect	*(Fut. Perf. Subj.)*	*(Past Conditional)*
ich	werde gebeten haben	werde gebeten haben	würde gebeten haben
du	wirst gebeten haben	werdest gebeten haben	würdest gebeten haben
er	wird gebeten haben	werde gebeten haben	würde gebeten haben
wir	werden gebeten haben	werden gebeten haben	würden gebeten haben
ihr	werdet gebeten haben	werdet gebeten haben	würdet gebeten haben
sie	werden gebeten haben	werden gebeten haben	würden gebeten haben

19

blasen

to blow

PRINC. PARTS: blasen, blies, geblasen, bläst
IMPERATIVE: blase!, blast!, blasen Sie!

INDICATIVE		SUBJUNCTIVE	
		PRIMARY	SECONDARY
		Present Time	
	Present	*(Pres. Subj.)*	*(Imperf. Subj.)*
ich	blase	blase	bliese
du	bläst	blasest	bliesest
er	bläst	blase	bliese
wir	blasen	blasen	bliesen
ihr	blast	blaset	blieset
sie	blasen	blasen	bliesen

	Imperfect
ich	blies
du	bliesest
er	blies
wir	bliesen
ihr	bliest
sie	bliesen

			Past Time	
	Perfect	*(Perf. Subj.)*	*(Pluperf. Subj.)*
ich	habe geblasen	habe geblasen	hätte geblasen
du	hast geblasen	habest geblasen	hättest geblasen
er	hat geblasen	habe geblasen	hätte geblasen
wir	haben geblasen	haben geblasen	hätten geblasen
ihr	habt geblasen	habet geblasen	hättet geblasen
sie	haben geblasen	haben geblasen	hätten geblasen

	Pluperfect
ich	hatte geblasen
du	hattest geblasen
er	hatte geblasen
wir	hatten geblasen
ihr	hattet geblasen
sie	hatten geblasen

			Future Time	
	Future	*(Fut. Subj.)*	*(Pres. Conditional)*
ich	werde blasen	werde blasen	würde blasen
du	wirst blasen	werdest blasen	würdest blasen
er	wird blasen	werde blasen	würde blasen
wir	werden blasen	werden blasen	würden blasen
ihr	werdet blasen	werdet blasen	würdet blasen
sie	werden blasen	werden blasen	würden blasen

			Future Perfect Time	
	Future Perfect	*(Fut. Perf. Subj.)*	*(Past Conditional)*
ich	werde geblasen haben	werde geblasen haben	würde geblasen haben
du	wirst geblasen haben	werdest geblasen haben	würdest geblasen haben
er	wird geblasen haben	werde geblasen haben	würde geblasen haben
wir	werden geblasen haben	werden geblasen haben	würden geblasen haben
ihr	werdet geblasen haben	werdet geblasen haben	würdet geblasen haben
sie	werden geblasen haben	werden geblasen haben	würden geblasen haben

PRINC. PARTS: bleiben, blieb, ist geblieben, bleibt
IMPERATIVE: bleibe!, bleibt!, bleiben Sie!

to remain, stay

INDICATIVE		SUBJUNCTIVE	
		PRIMARY	SECONDARY
		Present Time	
	Present	*(Pres. Subj.)*	*(Imperf. Subj.)*
ich	bleibe	bleibe	bliebe
du	bleibst	bleibest	bliebest
er	bleibt	bleibe	bliebe
wir	bleiben	bleiben	blieben
ihr	bleibt	bleibet	bliebet
sie	bleiben	bleiben	blieben
	Imperfect		
ich	blieb		
du	bliebst		
er	blieb		
wir	blieben		
ihr	bliebt		
sie	blieben		
		Past Time	
	Perfect	*(Perf. Subj.)*	*(Pluperf. Subj.)*
ich	bin geblieben	sei geblieben	wäre geblieben
du	bist geblieben	seiest geblieben	wärest geblieben
er	ist geblieben	sei geblieben	wäre geblieben
wir	sind geblieben	seien geblieben	wären geblieben
ihr	seid geblieben	seiet geblieben	wäret geblieben
sie	sind geblieben	seien geblieben	wären geblieben
	Pluperfect		
ich	war geblieben		
du	warst geblieben		
er	war geblieben		
wir	waren geblieben		
ihr	wart geblieben		
sie	waren geblieben		
		Future Time	
	Future	*(Fut. Subj.)*	*(Pres. Conditional)*
ich	werde bleiben	werde bleiben	würde bleiben
du	wirst bleiben	werdest bleiben	würdest bleiben
er	wird bleiben	werde bleiben	würde bleiben
wir	werden bleiben	werden bleiben	würden bleiben
ihr	werdet bleiben	werdet bleiben	würdet bleiben
sie	werden bleiben	werden bleiben	würden bleiben
		Future Perfect Time	
	Future Perfect	*(Fut. Perf. Subj.)*	*(Past Conditional)*
ich	werde geblieben sein	werde geblieben sein	würde geblieben sein
du	wirst geblieben sein	werdest geblieben sein	würdest geblieben sein
er	wird geblieben sein	werde geblieben sein	würde geblieben sein
wir	werden geblieben sein	werden geblieben sein	würden geblieben sein
ihr	werdet geblieben sein	werdet geblieben sein	würdet geblieben sein
sie	werden geblieben sein	werden geblieben sein	würden geblieben sein

braten

to roast

PRINC. PARTS: braten, briet, gebraten, brät
IMPERATIVE: brate!, bratet!, braten Sie!

INDICATIVE	SUBJUNCTIVE	
	PRIMARY	SECONDARY

Present Time

	Present	*(Pres. Subj.)*	*(Imperf. Subj.)*
ich	brate	brate	briete
du	brätst	bratest	brietest
er	brät	brate	briete
wir	braten	braten	brieten
ihr	bratet	bratet	brietet
sie	braten	braten	brieten

	Imperfect
ich	briet
du	brietst
er	briet
wir	brieten
ihr	brietet
sie	brieten

Past Time

	Perfect	*(Perf. Subj.)*	*(Pluperf. Subj.)*
ich	habe gebraten	habe gebraten	hätte gebraten
du	hast gebraten	habest gebraten	hättest gebraten
er	hat gebraten	habe gebraten	hätte gebraten
wir	haben gebraten	haben gebraten	hätten gebraten
ihr	habt gebraten	habet gebraten	hättet gebraten
sie	haben gebraten	haben gebraten	hätten gebraten

	Pluperfect
ich	hatte gebraten
du	hattest gebraten
er	hatte gebraten
wir	hatten gebraten
ihr	hattet gebraten
sie	hatten gebraten

Future Time

	Future	*(Fut. Subj.)*	*(Pres. Conditional)*
ich	werde braten	werde braten	würde braten
du	wirst braten	werdest braten	würdest braten
er	wird braten	werde braten	würde braten
wir	werden braten	werden braten	würden braten
ihr	werdet braten	werdet braten	würdet braten
sie	werden braten	werden braten	würden braten

Future Perfect Time

	Future Perfect	*(Fut. Perf. Subj.)*	*(Past Conditional)*
ich	werde gebraten haben	werde gebraten haben	würde gebraten haben
du	wirst gebraten haben	werdest gebraten haben	würdest gebraten haben
er	wird gebraten haben	werde gebraten haben	würde gebraten haben
wir	werden gebraten haben	werden gebraten haben	würden gebraten haben
ihr	werdet gebraten haben	werdet gebraten haben	würdet gebraten haben
sie	werden gebraten haben	werden gebraten haben	würden gebraten haben

PRINC. PARTS: brauchen, brauchte, gebraucht, braucht
IMPERATIVE: brauche!, braucht!, brauchen Sie!

INDICATIVE	SUBJUNCTIVE	
	PRIMARY	SECONDARY
	Present Time	
Present	*(Pres. Subj.)*	*(Imperf. Subj.)*
ich brauche	brauche	brauchte
du brauchst	brauchest	brauchtest
er braucht	brauche	brauchte
wir brauchen	brauchen	brauchten
ihr braucht	brauchet	brauchtet
sie brauchen	brauchen	brauchten

Imperfect
ich brauchte
du brauchtest
er brauchte
wir brauchten
ihr brauchtet
sie brauchten

	Past Time	
Perfect	*(Perf. Subj.)*	*(Pluperf. Subj.)*
ich habe gebraucht	habe gebraucht	hätte gebraucht
du hast gebraucht	habest gebraucht	hättest gebraucht
er hat gebraucht	habe gebraucht	hätte gebraucht
wir haben gebraucht	haben gebraucht	hätten gebraucht
ihr habt gebraucht	habet gebraucht	hättet gebraucht
sie haben gebraucht	haben gebraucht	hätten gebraucht

Pluperfect
ich hatte gebraucht
du hattest gebraucht
er hatte gebraucht
wir hatten gebraucht
ihr hattet gebraucht
sie hatten gebraucht

	Future Time	
Future	*(Fut. Subj.)*	*(Pres. Conditional)*
ich werde brauchen	werde brauchen	würde brauchen
du wirst brauchen	werdest brauchen	würdest brauchen
er wird brauchen	werde brauchen	würde brauchen
wir werden brauchen	werden brauchen	würden brauchen
ihr werdet brauchen	werdet brauchen	würdet brauchen
sie werden brauchen	werden brauchen	würden brauchen

	Future Perfect Time	
Future Perfect	*(Fut. Perf. Subj.)*	*(Past Conditional)*
ich werde gebraucht haben	werde gebraucht haben	würde gebraucht haben
du wirst gebraucht haben	werdest gebraucht haben	würdest gebraucht haben
er wird gebraucht haben	werde gebraucht haben	würde gebraucht haben
wir werden gebraucht haben	werden gebraucht haben	würden gebraucht haben
ihr werdet gebraucht haben	werdet gebraucht haben	würdet gebraucht haben
sie werden gebraucht haben	werden gebraucht haben	würden gebraucht haben

brechen

to break

PRINC. PARTS: brechen, brach, gebrochen, bricht
IMPERATIVE: brich!, brecht!, brechen Sie!

	INDICATIVE	SUBJUNCTIVE	
		PRIMARY	SECONDARY
	Present	*Present Time*	
		(*Pres. Subj.*)	(*Imperf. Subj.*)
ich	breche	breche	bräche
du	brichst	brechest	brächest
er	bricht	breche	bräche
wir	brechen	brechen	brächen
ihr	brecht	brechet	brächet
sie	brechen	brechen	brächen
	Imperfect		
ich	brach		
du	brachst		
er	brach		
wir	brachen		
ihr	bracht		
sie	brachen		
	Perfect	*Past Time*	
		(*Perf. Subj.*)	(*Pluperf. Subj.*)
ich	habe gebrochen	habe gebrochen	hätte gebrochen
du	hast gebrochen	habest gebrochen	hättest gebrochen
er	hat gebrochen	habe gebrochen	hätte gebrochen
wir	haben gebrochen	haben gebrochen	hätten gebrochen
ihr	habt gebrochen	habet gebrochen	hättet gebrochen
sie	haben gebrochen	haben gebrochen	hätten gebrochen
	Pluperfect		
ich	hatte gebrochen		
du	hattest gebrochen		
er	hatte gebrochen		
wir	hatten gebrochen		
ihr	hattet gebrochen		
sie	hatten gebrochen		
	Future	*Future Time*	
		(*Fut. Subj.*)	(*Pres. Conditional*)
ich	werde brechen	werde brechen	würde brechen
du	wirst brechen	werdest brechen	würdest brechen
er	wird brechen	werde brechen	würde brechen
wir	werden brechen	werden brechen	würden brechen
ihr	werdet brechen	werdet brechen	würdet brechen
sie	werden brechen	werden brechen	würden brechen
	Future Perfect	*Future Perfect Time*	
		(*Fut. Perf. Subj.*)	(*Past Conditional*)
ich	werde gebrochen haben	werde gebrochen haben	würde gebrochen haben
du	wirst gebrochen haben	werdest gebrochen haben	würdest gebrochen haben
er	wird gebrochen haben	werde gebrochen haben	würde gebrochen haben
wir	werden gebrochen haben	werden gebrochen haben	würden gebrochen haben
ihr	werdet gebrochen haben	werdet gebrochen haben	würdet gebrochen haben
sie	werden gebrochen haben	werden gebrochen haben	würden gebrochen haben

PRINC. PARTS: brennen, brannte, gebrannt, brennt
IMPERATIVE: brenne!, brennt!, brennen Sie!

INDICATIVE		SUBJUNCTIVE	
		PRIMARY	SECONDARY

Present Time

Present		*(Pres. Subj.)*	*(Imperf. Subj.)*
ich	brenne	brenne	brennte
du	brennst	brennest	brenntest
er	brennt	brenne	brennte
wir	brennen	brennen	brennten
ihr	brennt	brennet	brenntet
sie	brennen	brennen	brennten

Imperfect	
ich	brannte
du	branntest
er	brannte
wir	brannten
ihr	branntet
sie	brannten

Past Time

Perfect		*(Perf. Subj.)*	*(Pluperf. Subj.)*
ich	habe gebrannt	habe gebrannt	hätte gebrannt
du	hast gebrannt	habest gebrannt	hättest gebrannt
er	hat gebrannt	habe gebrannt	hätte gebrannt
wir	haben gebrannt	haben gebrannt	hätten gebrannt
ihr	habt gebrannt	habet gebrannt	hättet gebrannt
sie	haben gebrannt	haben gebrannt	hätten gebrannt

Pluperfect	
ich	hatte gebrannt
du	hattest gebrannt
er	hatte gebrannt
wir	hatten gebrannt
ihr	hattet gebrannt
sie	hatten gebrannt

Future Time

Future		*(Fut. Subj.)*	*(Pres. Conditional)*
ich	werde brennen	werde brennen	würde brennen
du	wirst brennen	werdest brennen	würdest brennen
er	wird brennen	werde brennen	würde brennen
wir	werden brennen	werden brennen	würden brennen
ihr	werdet brennen	werdet brennen	würdet brennen
sie	werden brennen	werden brennen	würden brennen

Future Perfect Time

Future Perfect		*(Fut. Perf. Subj.)*	*(Past Conditional)*
ich	werde gebrannt haben	werde gebrannt haben	würde gebrannt haben
du	wirst gebrannt haben	werdest gebrannt haben	würdest gebrannt haben
er	wird gebrannt haben	werde gebrannt haben	würde gebrannt haben
wir	werden gebrannt haben	werden gebrannt haben	würden gebrannt haben
ihr	werdet gebrannt haben	werdet gebrannt haben	würdet gebrannt haben
sie	werden gebrannt haben	werden gebrannt haben	würden gebrannt haben

bringen

to bring, convey

PRINC. PARTS: bringen, brachte, gebracht, bringt
IMPERATIVE: bringe!, bringt!, bringen Sie!

	INDICATIVE	SUBJUNCTIVE	
		PRIMARY	SECONDARY
	Present	*Present Time* (*Pres. Subj.*)	(*Imperf. Subj.*)
ich	bringe	bringe	brächte
du	bringst	bringest	brächtest
er	bringt	bringe	brächte
wir	bringen	bringen	brächten
ihr	bringt	bringet	brächtet
sie	bringen	bringen	brächten

	Imperfect
ich	brachte
du	brachtest
er	brachte
wir	brachten
ihr	brachtet
sie	brachten

	Perfect	*Past Time* (*Perf. Subj.*)	(*Pluperf. Subj.*)
ich	habe gebracht	habe gebracht	hätte gebracht
du	hast gebracht	habest gebracht	hättest gebracht
er	hat gebracht	habe gebracht	hätte gebracht
wir	haben gebracht	haben gebracht	hätten gebracht
ihr	habt gebracht	habet gebracht	hättet gebracht
sie	haben gebracht	haben gebracht	hätten gebracht

	Pluperfect
ich	hatte gebracht
du	hattest gebracht
er	hatte gebracht
wir	hatten gebracht
ihr	hattet gebracht
sie	hatten gebracht

	Future	*Future Time* (*Fut. Subj.*)	(*Pres. Conditional*)
ich	werde bringen	werde bringen	würde bringen
du	wirst bringen	werdest bringen	würdest bringen
er	wird bringen	werde bringen	würde bringen
wir	werden bringen	werden bringen	würden bringen
ihr	werdet bringen	werdet bringen	würdet bringen
sie	werden bringen	werden bringen	würden bringen

	Future Perfect	*Future Perfect Time* (*Fut. Perf. Subj.*)	(*Past Conditional*)
ich	werde gebracht haben	werde gebracht haben	würde gebracht haben
du	wirst gebracht haben	werdest gebracht haben	würdest gebracht haben
er	wird gebracht haben	werde gebracht haben	würde gebracht haben
wir	werden gebracht haben	werden gebracht haben	würden gebracht haben
ihr	werdet gebracht haben	werdet gebracht haben	würdet gebracht haben
sie	werden gebracht haben	werden gebracht haben	würden gebracht haben

PRINC. PARTS: denken, dachte, gedacht, denkt
IMPERATIVE: denke!, denkt!, denken Sie!

	INDICATIVE	SUBJUNCTIVE	
		PRIMARY	SECONDARY
		Present Time	
	Present	*(Pres. Subj.)*	*(Imperf. Subj.)*
ich	denke	denke	dächte
du	denkst	denkest	dächtest
er	denkt	denke	dächte
wir	denken	denken	dächten
ihr	denkt	denket	dächtet
sie	denken	denken	dächten

	Imperfect
ich	dachte
du	dachtest
er	dachte
wir	dachten
ihr	dachtet
sie	dachten

			Past Time	
	Perfect	*(Perf. Subj.)*	*(Pluperf. Subj.)*
ich	habe gedacht	habe gedacht	hätte gedacht
du	hast gedacht	habest gedacht	hättest gedacht
er	hat gedacht	habe gedacht	hätte gedacht
wir	haben gedacht	haben gedacht	hätten gedacht
ihr	habt gedacht	habet gedacht	hättet gedacht
sie	haben gedacht	haben gedacht	hätten gedacht

	Pluperfect
ich	hatte gedacht
du	hattest gedacht
er	hatte gedacht
wir	hatten gedacht
ihr	hattet gedacht
sie	hatten gedacht

			Future Time	
	Future	*(Fut. Subj.)*	*(Pres. Conditional)*
ich	werde denken	werde denken	würde denken
du	wirst denken	werdest denken	würdest denken
er	wird denken	werde denken	würde denken
wir	werden denken	werden denken	würden denken
ihr	werdet denken	werdet denken	würdet denken
sie	werden denken	werden denken	würden denken

		Future Perfect Time	
	Future Perfect	*(Fut. Perf. Subj.)*	*(Past Conditional)*
ich	werde gedacht haben	werde gedacht haben	würde gedacht haben
du	wirst gedacht haben	werdest gedacht haben	würdest gedacht haben
er	wird gedacht haben	werde gedacht haben	würde gedacht haben
wir	werden gedacht haben	werden gedacht haben	würden gedacht haben
ihr	werdet gedacht haben	werdet gedacht haben	würdet gedacht haben
sie	werden gedacht haben	werden gedacht haben	würden gedacht haben

27

dringen

to urge, press forward,
rush, pierce, penetrate

PRINC. PARTS: dringen, drang, ist gedrungen, dringt
IMPERATIVE: dringe!, dringt!, dringen Sie!

	INDICATIVE	SUBJUNCTIVE	
		PRIMARY	SECONDARY
			Present Time
	Present	*(Pres. Subj.)*	*(Imperf. Subj.)*
ich	dringe	dringe	dränge
du	dringst	dringest	drängest
er	dringt	dringe	dränge
wir	dringen	dringen	drängen
ihr	dringt	dringet	dränget
sie	dringen	dringen	drängen

	Imperfect
ich	drang
du	drangst
er	drang
wir	drangen
ihr	drangt
sie	drangen

			Past Time
	Perfect	*(Perf. Subj.)*	*(Pluperf. Subj.)*
ich	bin gedrungen	sei gedrungen	wäre gedrungen
du	bist gedrungen	seiest gedrungen	wärest gedrungen
er	ist gedrungen	sei gedrungen	wäre gedrungen
wir	sind gedrungen	seien gedrungen	wären gedrungen
ihr	seid gedrungen	seiet gedrungen	wäret gedrungen
sie	sind gedrungen	seien gedrungen	wären gedrungen

	Pluperfect
ich	war gedrungen
du	warst gedrungen
er	war gedrungen
wir	waren gedrungen
ihr	wart gedrungen
sie	waren gedrungen

			Future Time
	Future	*(Fut. Subj.)*	*(Pres. Conditional)*
ich	werde dringen	werde dringen	würde dringen
du	wirst dringen	werdest dringen	würdest dringen
er	wird dringen	werde dringen	würde dringen
wir	werden dringen	werden dringen	würden dringen
ihr	werdet dringen	werdet dringen	würdet dringen
sie	werden dringen	werden dringen	würden dringen

			Future Perfect Time
	Future Perfect	*(Fut. Perf. Subj.)*	*(Past Conditional)*
ich	werde gedrungen sein	werde gedrungen sein	würde gedrungen sein
du	wirst gedrungen sein	werdest gedrungen sein	würdest gedrungen sein
er	wird gedrungen sein	werde gedrungen sein	würde gedrungen sein
wir	werden gedrungen sein	werden gedrungen sein	würden gedrungen sein
ihr	werdet gedrungen sein	werdet gedrungen sein	würdet gedrungen sein
sie	werden gedrungen sein	werden gedrungen sein	würden gedrungen sein

PRINC. PARTS: dürfen, durfte, gedurft,* darf
IMPERATIVE:

*to be permitted,
be allowed, may*

INDICATIVE	SUBJUNCTIVE	
	PRIMARY	SECONDARY
	Present Time	
Present	*(Pres. Subj.)*	*(Imperf. Subj.)*
ich darf	dürfe	dürfte
du darfst	dürfest	dürftest
er darf	dürfe	dürfte
wir dürfen	dürfen	dürften
ihr dürft	dürfet	dürftet
sie dürfen	dürfen	dürften

Imperfect

ich	durfte
du	durftest
er	durfte
wir	durften
ihr	durftet
sie	durften

	Past Time	
Perfect	*(Perf. Subj.)*	*(Pluperf. Subj.)*
ich habe gedurft	habe gedurft	hätte gedurft
du hast gedurft	habest gedurft	hättest gedurft
er hat gedurft	habe gedurft	hätte gedurft
wir haben gedurft	haben gedurft	hätten gedurft
ihr habt gedurft	habet gedurft	hättet gedurft
sie haben gedurft	haben gedurft	hätten gedurft

Pluperfect

ich	hatte gedurft
du	hattest gedurft
er	hatte gedurft
wir	hatten gedurft
ihr	hattet gedurft
sie	hatten gedurft

	Future Time	
Future	*(Fut. Subj.)*	*(Pres. Conditional)*
ich werde dürfen	werde dürfen	würde dürfen
du wirst dürfen	werdest dürfen	würdest dürfen
er wird dürfen	werde dürfen	würde dürfen
wir werden dürfen	werden dürfen	würden dürfen
ihr werdet dürfen	werdet dürfen	würdet dürfen
sie werden dürfen	werden dürfen	würden dürfen

	Future Perfect Time	
Future Perfect	*(Fut. Perf. Subj.)*	*(Past Conditional)*
ich werde gedurft haben	werde gedurft haben	würde gedurft haben
du wirst gedurft haben	werdest gedurft haben	würdest gedurft haben
er wird gedurft haben	werde gedurft haben	würde gedurft haben
wir werden gedurft haben	werden gedurft haben	würden gedurft haben
ihr werdet gedurft haben	werdet gedurft haben	würdet gedurft haben
sie werden gedurft haben	werden gedurft haben	würden gedurft haben

* **Dürfen** when preceded by an infinitive. See sprechen dürfen.

29

empfangen

to receive

PRINC. PARTS: empfangen, empfing, empfangen, empfängt
IMPERATIVE: empfange!, empfangt!, empfangen Sie!

	INDICATIVE	SUBJUNCTIVE	
		PRIMARY	SECONDARY
		Present Time	
	Present	*(Pres. Subj.)*	*(Imperf. Subj.)*
ich	empfange	empfange	empfinge
du	empfängst	empfangest	empfingest
er	empfängt	empfange	empfinge
wir	empfangen	empfangen	empfingen
ihr	empfangt	empfanget	empfinget
sie	empfangen	empfangen	empfingen
	Imperfect		
ich	empfing		
du	empfingst		
er	empfing		
wir	empfingen		
ihr	empfingt		
sie	empfingen		
		Past Time	
	Perfect	*(Perf. Subj.)*	*(Pluperf. Subj.)*
ich	habe empfangen	habe empfangen	hätte empfangen
du	hast empfangen	habest empfangen	hättest empfangen
er	hat empfangen	habe empfangen	hätte empfangen
wir	haben empfangen	haben empfangen	hätten empfangen
ihr	habt empfangen	habet empfangen	hättet empfangen
sie	haben empfangen	haben empfangen	hätten empfangen
	Pluperfect		
ich	hatte empfangen		
du	hattest empfangen		
er	hatte empfangen		
wir	hatten empfangen		
ihr	hattet empfangen		
sie	hatten empfangen		
		Future Time	
	Future	*(Fut. Subj.)*	*(Pres. Conditional)*
ich	werde empfangen	werde empfangen	würde empfangen
du	wirst empfangen	werdest empfangen	würdest empfangen
er	wird empfangen	werde empfangen	würde empfangen
wir	werden empfangen	werden empfangen	würden empfangen
ihr	werdet empfangen	werdet empfangen	würdet empfangen
sie	werden empfangen	werden empfangen	würden empfangen
		Future Perfect Time	
	Future Perfect	*(Fut. Perf. Subj.)*	*(Past Conditional)*
ich	werde empfangen haben	werde empfangen haben	würde empfangen haben
du	wirst empfangen haben	werdest empfangen haben	würdest empfangen haben
er	wird empfangen haben	werde empfangen haben	würde empfangen haben
wir	werden empfangen haben	werden empfangen haben	würden empfangen haben
ihr	werdet empfangen haben	werdet empfangen haben	würdet empfangen haben
sie	werden empfangen haben	werden empfangen haben	würden empfangen haben

PRINC. PARTS: empfehlen, empfahl, empfohlen, empfiehlt
IMPERATIVE: empfiehl!, empfehlt!, empfehlen Sie!

empfehlen

to recommend

INDICATIVE	SUBJUNCTIVE	
	PRIMARY	SECONDARY
		Present Time
Present	*(Pres. Subj.)*	*(Imperf. Subj.)*
ich empfehle	empfehle	empföhle empfähle
du empfiehlst	empfehlest	empföhlest empfählest
er empfiehlt	empfehle	empföhle *or* empfähle
wir empfehlen	empfehlen	empföhlen empfählen
ihr empfehlt	empfehlet	empföhlet empfählet
sie empfehlen	empfehlen	empföhlen empfählen

Imperfect		
ich empfahl		
du empfahlst		
er empfahl		
wir empfahlen		
ihr empfahlt		
sie empfahlen		

		Past Time
Perfect	*(Perf. Subj.)*	*(Pluperf. Subj.)*
ich habe empfohlen	habe empfohlen	hätte empfohlen
du hast empfohlen	habest empfohlen	hättest empfohlen
er hat empfohlen	habe empfohlen	hätte empfohlen
wir haben empfohlen	haben empfohlen	hätten empfohlen
ihr habt empfohlen	habet empfohlen	hättet empfohlen
sie haben empfohlen	haben empfohlen	hätten empfohlen

Pluperfect		
ich hatte empfohlen		
du hattest empfohlen		
er hatte empfohlen		
wir hatten empfohlen		
ihr hattet empfohlen		
sie hatten empfohlen		

		Future Time
Future	*(Fut. Subj.)*	*(Pres. Conditional)*
ich werde empfehlen	werde empfehlen	würde empfehlen
du wirst empfehlen	werdest empfehlen	würdest empfehlen
er wird empfehlen	werde empfehlen	würde empfehlen
wir werden empfehlen	werden empfehlen	würden empfehlen
ihr werdet empfehlen	werdet empfehlen	würdet empfehlen
sie werden empfehlen	werden empfehlen	würden empfehlen

		Future Perfect Time
Future Perfect	*(Fut. Perf. Subj.)*	*(Past Conditional)*
ich werde empfohlen haben	werde empfohlen haben	würde empfohlen haben
du wirst empfohlen haben	werdest empfohlen haben	würdest empfohlen haben
er wird empfohlen haben	werde empfohlen haben	würde empfohlen haben
wir werden empfohlen haben	werden empfohlen haben	würden empfohlen haben
ihr werdet empfohlen haben	werdet empfohlen haben	würdet empfohlen haben
sie werden empfohlen haben	werden empfohlen haben	würden empfohlen haben

erlöschen

to become extinguished, dim, go out

PRINC. PARTS: erlöschen,* erlosch, ist erloschen, erlischt

IMPERATIVE: erlisch!, erlöscht!, erlöschen Sie!**

INDICATIVE	SUBJUNCTIVE	
	PRIMARY	SECONDARY
	Present Time	
Present	*(Pres. Subj.)*	*(Imperf. Subj.)*
ich erlösche	erlösche	erlösche
du erlischst	erlöschest	erlöschest
er erlischt	erlösche	erlösche
wir erlöschen	erlöschen	erlöschen
ihr erlöscht	erlöschet	erlöschet
sie erlöschen	erlöschen	erlöschen

Imperfect
ich erlosch
du erloschest
er erlosch
wir erloschen
ihr erloscht
sie erloschen

		Past Time	
Perfect	*(Perf. Subj.)*	*(Pluperf. Subj.)*
ich bin erloschen	sei erloschen	wäre erloschen
du bist erloschen	seiest erloschen	wärest erloschen
er ist erloschen	sei erloschen	wäre erloschen
wir sind erloschen	seien erloschen	wären erloschen
ihr seid erloschen	seiet erloschen	wäret erloschen
sie sind erloschen	seien erloschen	wären erloschen

Pluperfect
ich war erloschen
du warst erloschen
er war erloschen
wir waren erloschen
ihr wart erloschen
sie waren erloschen

	Future Time	
Future	*(Fut. Subj.)*	*(Pres. Conditional)*
ich werde erlöschen	werde erlöschen	würde erlöschen
du wirst erlöschen	werdest erlöschen	würdest erlöschen
er wird erlöschen	werde erlöschen	würde erlöschen
wir werden erlöschen	werden erlöschen	würden erlöschen
ihr werdet erlöschen	werdet erlöschen	würdet erlöschen
sie werden erlöschen	werden erlöschen	würden erlöschen

	Future Perfect Time	
Future Perfect	*(Fut. Perf. Subj.)*	*(Past Conditional)*
ich werde erloschen sein	werde erloschen sein	würde erloschen sein
du wirst erloschen sein	werdest erloschen sein	würdest erloschen sein
er wird erloschen sein	werde erloschen sein	würde erloschen sein
wir werden erloschen sein	werden erloschen sein	würden erloschen sein
ihr werdet erloschen sein	werdet erloschen sein	würdet erloschen sein
sie werden erloschen sein	werden erloschen sein	würden erloschen sein

* Forms other than the third person are infrequently found.
** The imperative is unusual.

PRINC. PARTS: erschrecken,* erschrak, ist erschrocken,
erschrickt
IMPERATIVE: erschrick!, erschreckt!, erschrecken Sie!

erschrecken

to be frightened

| | INDICATIVE | | SUBJUNCTIVE | |
| | | | PRIMARY | SECONDARY |

Present Time

	Present	*(Pres. Subj.)*	*(Imperf. Subj.)*
ich	erschrecke	erschrecke	erschräke
du	erschrickst	erschreckest	erschräkest
er	erschrickt	erschrecke	erschräke
wir	erschrecken	erschrecken	erschräken
ihr	erschreckt	erschrecket	erschräket
sie	erschrecken	erschrecken	erschräken

	Imperfect
ich	erschrak
du	erschrakst
er	erschrak
wir	erschraken
ihr	erschrakt
sie	erschraken

Past Time

	Perfect	*(Perf. Subj.)*	*(Pluperf. Subj.)*
ich	bin erschrocken	sei erschrocken	wäre erschrocken
du	bist erschrocken	seiest erschrocken	wärest erschrocken
er	ist erschrocken	sei erschrocken	wäre erschrocken
wir	sind erschrocken	seien erschrocken	wären erschrocken
ihr	seid erschrocken	seiet erschrocken	wäret erschrocken
sie	sind erschrocken	seien erschrocken	wären erschrocken

	Pluperfect
ich	war erschrocken
du	warst erschrocken
er	war erschrocken
wir	waren erschrocken
ihr	wart erschrocken
sie	waren erschrocken

Future Time

	Future	*(Fut. Subj.)*	*(Pres. Conditional)*
ich	werde erschrecken	werde erschrecken	würde erschrecken
du	wirst erschrecken	werdest erschrecken	würdest erschrecken
er	wird erschrecken	werde erschrecken	würde erschrecken
wir	werden erschrecken	werden erschrecken	würden erschrecken
ihr	werdet erschrecken	werdet erschrecken	würdet erschrecken
sie	werden erschrecken	werden erschrecken	würden erschrecken

Future Perfect Time

	Future Perfect	*(Fut. Perf. Subj.)*	*(Past Conditional)*
ich	werde erschrocken sein	werde erschrocken sein	würde erschrocken sein
du	wirst erschrocken sein	werdest erschrocken sein	würdest erschrocken sein
er	wird erschrocken sein	werde erschrocken sein	würde erschrocken sein
wir	werden erschrocken sein	werden erschrocken sein	würden erschrocken sein
ihr	werdet erschrocken sein	werdet erschrocken sein	würdet erschrocken sein
sie	werden erschrocken sein	werden erschrocken sein	würden erschrocken sein

* **Erschrecken** meaning "to frighten" is a weak verb. PRINC. PARTS: erschrecken, erschreckte, erschreckt, erschreckt.

erwägen

to consider, ponder

PRINC. PARTS: erwägen, erwog, erwogen, erwägt
IMPERATIVE: erwäge!, erwägt!, erwägen Sie!

	INDICATIVE	SUBJUNCTIVE	
		PRIMARY	SECONDARY
		Present Time	
	Present	*(Pres. Subj.)*	*(Imperf. Subj.)*
ich	erwäge	erwäge	erwöge
du	erwägst	erwägest	erwögest
er	erwägt	erwäge	erwöge
wir	erwägen	erwägen	erwögen
ihr	erwägt	erwäget	erwöget
sie	erwägen	erwägen	erwögen

	Imperfect
ich	erwog
du	erwogst
er	erwog
wir	erwogen
ihr	erwogt
sie	erwogen

			Past Time	
	Perfect	*(Perf. Subj.)*	*(Pluperf. Subj.)*
ich	habe erwogen	habe erwogen	hätte erwogen
du	hast erwogen	habest erwogen	hättest erwogen
er	hat erwogen	habe erwogen	hätte erwogen
wir	haben erwogen	haben erwogen	hätten erwogen
ihr	habt erwogen	habet erwogen	hättet erwogen
sie	haben erwogen	haben erwogen	hätten erwogen

	Pluperfect
ich	hatte erwogen
du	hattest erwogen
er	hatte erwogen
wir	hatten erwogen
ihr	hattet erwogen
sie	hatten erwogen

			Future Time	
	Future	*(Fut. Subj.)*	*(Pres. Conditional)*
ich	werde erwägen	werde erwägen	würde erwägen
du	wirst erwägen	werdest erwägen	würdest erwägen
er	wird erwägen	werde erwägen	würde erwägen
wir	werden erwägen	werden erwägen	würden erwägen
ihr	werdet erwägen	werdet erwägen	würdet erwägen
sie	werden erwägen	werden erwägen	würden erwägen

			Future Perfect Time	
	Future Perfect	*(Fut. Perf. Subj.)*	*(Past Conditional)*
ich	werde erwogen haben	werde erwogen haben	würde erwogen haben
du	wirst erwogen haben	werdest erwogen haben	würdest erwogen haben
er	wird erwogen haben	werde erwogen haben	würde erwogen haben
wir	werden erwogen haben	werden erwogen haben	würden erwogen haben
ihr	werdet erwogen haben	werdet erwogen haben	würdet erwogen haben
sie	werden erwogen haben	werden erwogen haben	würden erwogen haben

PRINC. PARTS: essen, aß, gegessen, ißt
IMPERATIVE: iß!, eßt!, essen Sie!

INDICATIVE		SUBJUNCTIVE	
		PRIMARY	SECONDARY
		Present Time	
Present		*(Pres. Subj.)*	*(Imperf. Subj.)*
ich	esse	esse	äße
du	ißt	essest	äßest
er	ißt	esse	äße
wir	essen	essen	äßen
ihr	eßt	esset	äßet
sie	essen	essen	äßen

	Imperfect
ich	aß
du	aßest
er	aß
wir	aßen
ihr	aßt
sie	aßen

			Past Time	
	Perfect		*(Perf. Subj.)*	*(Pluperf. Subj.)*
ich	habe gegessen	habe gegessen	hätte gegessen
du	hast gegessen	habest gegessen	hättest gegessen
er	hat gegessen	habe gegessen	hätte gegessen
wir	haben gegessen	haben gegessen	hätten gegessen
ihr	habt gegessen	habet gegessen	hätet gegessen
sie	haben gegessen	haben gegessen	hätten gegessen

	Pluperfect
ich	hatte gegessen
du	hattest gegessen
er	hatte gegessen
wir	hatten gegessen
ihr	hattet gegessen
sie	hatten gegessen

		Future Time	
	Future	*(Fut. Subj.)*	*(Pres. Conditional)*
ich	werde essen	werde essen	würde essen
du	wirst essen	werdest essen	würdest essen
er	wird essen	werde essen	würde essen
wir	werden essen	werden essen	würden essen
ihr	werdet essen	werdet essen	würdet essen
sie	werden essen	werden essen	würden essen

		Future Perfect Time	
	Future Perfect	*(Fut. Perf. Subj.)*	*(Past Conditional)*
ich	werde gegessen haben	werde gegessen haben	würde gegessen haben
du	wirst gegessen haben	werdest gegessen haben	würdest gegessen haben
er	wird gegessen haben	werde gegessen haben	würde gegessen haben
wir	werden gegessen haben	werden gegessen haben	würden gegessen haben
ihr	werdet gegessen haben	werdet gegessen haben	würdet gegessen haben
sie	werden gegessen haben	werden gegessen haben	würden gegessen haben

fahren

to travel, drive, ride, go

PRINC. PARTS: fahren, fuhr, ist gefahren, fährt
IMPERATIVE: fahre!, fahrt!, fahren Sie!

INDICATIVE	SUBJUNCTIVE	
	PRIMARY	SECONDARY

Present Time

	Present	*(Pres. Subj.)*	*(Imperf. Subj.)*
ich	fahre	fahre	führe
du	fährst	fahrest	führest
er	fährt	fahre	führe
wir	fahren	fahren	führen
ihr	fahrt	fahret	führet
sie	fahren	fahren	führen

	Imperfect
ich	fuhr
du	fuhrst
er	fuhr
wir	fuhren
ihr	fuhrt
sie	fuhren

Past Time

	Perfect	*(Perf. Subj.)*	*(Pluperf. Subj.)*
ich	bin gefahren	sei gefahren	wäre gefahren
du	bist gefahren	seiest gefahren	wärest gefahren
er	ist gefahren	sei gefahren	wäre gefahren
wir	sind gefahren	seien gefahren	wären gefahren
ihr	seid gefahren	seiet gefahren	wäret gefahren
sie	sind gefahren	seien gefahren	wären gefahren

	Pluperfect
ich	war gefahren
du	warst gefahren
er	war gefahren
wir	waren gefahren
ihr	wart gefahren
sie	waren gefahren

Future Time

	Future	*(Fut. Subj.)*	*(Pres. Conditional)*
ich	werde fahren	werde fahren	würde fahren
du	wirst fahren	werdest fahren	würdest fahren
er	wird fahren	werde fahren	würde fahren
wir	werden fahren	werden fahren	würden fahren
ihr	werdet fahren	werdet fahren	würdet fahren
sie	werden fahren	werden fahren	würden fahren

Future Perfect Time

	Future Perfect	*(Fut. Perf. Subj.)*	*(Past Conditional)*
ich	werde gefahren sein	werde gefahren sein	würde gefahren sein
du	wirst gefahren sein	werdest gefahren sein	würdest gefahren sein
er	wird gefahren sein	werde gefahren sein	würde gefahren sein
wir	werden gefahren sein	werden gefahren sein	würden gefahren sein
ihr	werdet gefahren sein	werdet gefahren sein	würdet gefahren sein
sie	werden gefahren sein	werden gefahren sein	würden gefahren sein

fallen

PRINC. PARTS: fallen, fiel, ist gefallen, fällt
IMPERATIVE: falle!, fallt!, fallen Sie!

to fall

INDICATIVE	SUBJUNCTIVE	
	PRIMARY	SECONDARY

Present Time

Present	*(Pres. Subj.)*	*(Imperf. Subj.)*
ich falle	falle	fiele
du fällst	fallest	fielest
er fällt	falle	fiele
wir fallen	fallen	fielen
ihr fallt	fallet	fielet
sie fallen	fallen	fielen

Imperfect
ich fiel
du fielst
er fiel
wir fielen
ihr fielt
sie fielen

Past Time

Perfect	*(Perf. Subj.)*	*(Pluperf. Subj.)*
ich bin gefallen	sei gefallen	wäre gefallen
du bist gefallen	seiest gefallen	wärest gefallen
er ist gefallen	sei gefallen	wäre gefallen
wir sind gefallen	seien gefallen	wären gefallen
ihr seid gefallen	seiet gefallen	wäret gefallen
sie sind gefallen	seien gefallen	wären gefallen

Pluperfect
ich war gefallen
du warst gefallen
er war gefallen
wir waren gefallen
ihr wart gefallen
sie waren gefallen

Future Time

Future	*(Fut. Subj.)*	*(Pres. Conditional)*
ich werde fallen	werde fallen	würde fallen
du wirst fallen	werdest fallen	würdest fallen
er wird fallen	werde fallen	würde fallen
wir werden fallen	werden fallen	würden fallen
ihr werdet fallen	werdet fallen	würdet fallen
sie werden fallen	werden fallen	würden fallen

Future Perfect Time

Future Perfect	*(Fut. Perf. Subj.)*	*(Past Conditional)*
ich werde gefallen sein	werde gefallen sein	würde gefallen sein
du wirst gefallen sein	werdest gefallen sein	würdest gefallen sein
er wird gefallen sein	werde gefallen sein	würde gefallen sein
wir werden gefallen sein	werden gefallen sein	würden gefallen sein
ihr werdet gefallen sein	werdet gefallen sein	würdet gefallen sein
sie werden gefallen sein	werden gefallen sein	würden gefallen sein

fangen

to catch, capture

PRINC. PARTS: fangen, fing, gefangen, fängt
IMPERATIVE: fange!, fangt!, fangen Sie!

INDICATIVE	SUBJUNCTIVE	
	PRIMARY	SECONDARY

Present Time

	Present	(Pres. Subj.)	(Imperf. Subj.)
ich	fange	fange	finge
du	fängst	fangest	fingest
er	fängt	fange	finge
wir	fangen	fangen	fingen
ihr	fangt	fanget	finget
sie	fangen	fangen	fingen

	Imperfect
ich	fing
du	fingst
er	fing
wir	fingen
ihr	fingt
sie	fingen

Past Time

	Perfect	(Perf. Subj.)	(Pluperf. Subj.)
ich	habe gefangen	habe gefangen	hätte gefangen
du	hast gefangen	habest gefangen	hättest gefangen
er	hat gefangen	habe gefangen	hätte gefangen
wir	haben gefangen	haben gefangen	hätten gefangen
ihr	habt gefangen	habet gefangen	hättet gefangen
sie	haben gefangen	haben gefangen	hätten gefangen

	Pluperfect
ich	hatte gefangen
du	hattest gefangen
er	hatte gefangen
wir	hatten gefangen
ihr	hattet gefangen
sie	hatten gefangen

Future Time

	Future	(Fut. Subj.)	(Pres. Conditional)
ich	werde fangen	werde fangen	würde fangen
du	wirst fangen	werdest fangen	würdest fangen
er	wird fangen	werde fangen	würde fangen
wir	werden fangen	werden fangen	würden fangen
ihr	werdet fangen	werdet fangen	würdet fangen
sie	werden fangen	werden fangen	würden fangen

Future Perfect Time

	Future Perfect	(Fut. Perf. Subj.)	(Past Conditional)
ich	werde gefangen haben	werde gefangen haben	würde gefangen haben
du	wirst gefangen haben	werdest gefangen haben	würdest gefangen haben
er	wird gefangen haben	werde gefangen haben	würde gefangen haben
wir	werden gefangen haben	werden gefangen haben	würden gefangen haben
ihr	werdet gefangen haben	werdet gefangen haben	würdet gefangen haben
sie	werden gefangen haben	werden gefangen haben	würden gefangen haben

PRINC. PARTS: fechten, focht, gefochten, ficht
IMPERATIVE: ficht!, fechtet!, fechten Sie!

to fight, fence

INDICATIVE	SUBJUNCTIVE	
	PRIMARY	SECONDARY

Present Time

	Present	*(Pres. Subj.)*	*(Imperf. Subj.)*
ich	fechte	fechte	föchte
du	fichtst	fechtest	föchtest
er	ficht	fechte	föchte
wir	fechten	fechten	föchten
ihr	fechtet	fechtet	föchtet
sie	fechten	fechten	föchten

	Imperfect
ich	focht
du	fochtest
er	focht
wir	fochten
ihr	fochtet
sie	fochten

Past Time

	Perfect	*(Perf. Subj.)*	*(Pluperf. Subj.)*
ich	habe gefochten	habe gefochten	hätte gefochten
du	hast gefochten	habest gefochten	hättest gefochten
er	hat gefochten	habe gefochten	hätte gefochten
wir	haben gefochten	haben gefochten	hätten gefochten
ihr	habt gefochten	habet gefochten	hättet gefochten
sie	haben gefochten	haben gefochten	hätten gefochten

	Pluperfect
ich	hatte gefochten
du	hattest gefochten
er	hatte gefochten
wir	hatten gefochten
ihr	hattet gefochten
sie	hatten gefochten

Future Time

	Future	*(Fut. Subj.)*	*(Pres. Conditional)*
ich	werde fechten	werde gefochten	würde fechten
du	wirst fechten	werdest gefochten	würdest fechten
er	wird fechten	werde gefochten	würde fechten
wir	werden fechten	werden gefochten	würden fechten
ihr	werdet fechten	werdet gefochten	würdet fechten
sie	werden fechten	werden gefochten	würden fechten

Future Perfect Time

	Future Perfect	*(Fut. Perf. Subj.)*	*(Past Conditional)*
ich	werde gefochten haben	werde gefochten haben	würde gefochten haben
du	wirst gefochten haben	werdest gefochten haben	würdest gefochten haben
er	wird gefochten haben	werde gefochten haben	würde gefochten haben
wir	werden gefochten haben	werden gefochten haben	würden gefochten haben
ihr	werdet gefochten haben	werdet gefochten haben	würdet gefochten haben
sie	werden gefochten haben	werden gefochten haben	würden gefochten haben

finden

to find

PRINC. PARTS: finden, fand, gefunden, findet
IMPERATIVE: finde!, findet!, finden Sie!

INDICATIVE	SUBJUNCTIVE	
	PRIMARY	SECONDARY
	Present Time	
Present	*(Pres. Subj.)*	*(Imperf. Subj.)*
ich finde	finde	fände
du findest	findest	fändest
er findet	finde	fände
wir finden	finden	fänden
ihr findet	findet	fändet
sie finden	finden	fänden

Imperfect
ich fand
du fandst
er fand
wir fanden
ihr fandet
sie fanden

	Past Time	
Perfect	*(Perf. Subj.)*	*(Pluperf. Subj.)*
ich habe gefunden	habe gefunden	hätte gefunden
du hast gefunden	habest gefunden	hättest gefunden
er hat gefunden	habe gefunden	hätte gefunden
wir haben gefunden	haben gefunden	hätten gefunden
ihr habt gefunden	habet gefunden	hättet gefunden
sie haben gefunden	haben gefunden	hätten gefunden

Pluperfect
ich hatte gefunden
du hattest gefunden
er hatte gefunden
wir hatten gefunden
ihr hattet gefunden
sie hatten gefunden

	Future Time	
Future	*(Fut. Subj.)*	*(Pres. Conditional)*
ich werde finden	werde finden	würde finden
du wirst finden	werdest finden	würdest finden
er wird finden	werde finden	würde finden
wir werden finden	werden finden	würden finden
ihr werdet finden	werdet finden	würdet finden
sie werden finden	werden finden	würden finden

	Future Perfect Time	
Future Perfect	*(Fut. Perf. Subj.)*	*(Past Conditional)*
ich werde gefunden haben	werde gefunden haben	würde gefunden haben
du wirst gefunden haben	werdest gefunden haben	würdest gefunden haben
er wird gefunden haben	werde gefunden haben	würde gefunden haben
wir werden gefunden haben	werden gefunden haben	würden gefunden haben
ihr werdet gefunden haben	werdet gefunden haben	würdet gefunden haben
sie werden gefunden haben	werden gefunden haben	würden gefunden haben

PRINC. PARTS: fliegen, flog, ist geflogen, fliegt
IMPERATIVE: fliege!, fliegt!, fliegen Sie!

fliegen

to fly

INDICATIVE		SUBJUNCTIVE	
		PRIMARY	SECONDARY
		Present Time	
	Present	*(Pres. Subj.)*	*(Imperf. Subj.)*
ich	fliege	fliege	flöge
du	fliegst	fliegest	flögest
er	fliegt	fliege	flöge
wir	fliegen	fliegen	flögen
ihr	fliegt	flieget	flöget
sie	fliegen	fliegen	flögen

	Imperfect
ich	flog
du	flogst
er	flog
wir	flogen
ihr	flogt
sie	flogen

		Past Time	
	Perfect	*(Perf. Subj.)*	*(Pluperf. Subj.)*
ich	bin geflogen	sei geflogen	wäre geflogen
du	bist geflogen	seiest geflogen	wärest geflogen
er	ist geflogen	sei geflogen	wäre geflogen
wir	sind geflogen	seien geflogen	wären geflogen
ihr	seid geflogen	seiet geflogen	wäret geflogen
sie	sind geflogen	seien geflogen	wären geflogen

	Pluperfect
ich	war geflogen
du	warst geflogen
er	war geflogen
wir	waren geflogen
ihr	wart geflogen
sie	waren geflogen

		Future Time	
	Future	*(Fut. Subj.)*	*(Pres. Conditional)*
ich	werde fliegen	werde fliegen	würde fliegen
du	wirst fliegen	werdest fliegen	würdest fliegen
er	wird fliegen	werde fliegen	würde fliegen
wir	werden fliegen	werden fliegen	würden fliegen
ihr	werdet fliegen	werdet fliegen	würdet fliegen
sie	werden fliegen	werden fliegen	würden fliegen

		Future Perfect Time	
	Future Perfect	*(Fut. Perf. Subj.)*	*(Past Conditional)*
ich	werde geflogen sein	werde geflogen sein	würde geflogen sein
du	wirst geflogen sein	werdest geflogen sein	würdest geflogen sein
er	wird geflogen sein	werde geflogen sein	würde geflogen sein
wir	werden geflogen sein	werden geflogen sein	würden geflogen sein
ihr	werdet geflogen sein	werdet geflogen sein	würdet geflogen sein
sie	werden geflogen sein	werden geflogen sein	würden geflogen sein

fliehen

to flee, shun, avoid

PRINC. PARTS: fliehen, floh, ist geflohen, flieht
IMPERATIVE: fliehe!, flieht!, fliehen Sie!

	INDICATIVE	SUBJUNCTIVE	
		PRIMARY	SECONDARY
		Present Time	
	Present	*(Pres. Subj.)*	*(Imperf. Subj.)*
ich	fliehe	fliehe	flöhe
du	fliehst	fliehest	flöhest
er	flieht	fliehe	flöhe
wir	fliehen	fliehen	flöhen
ihr	flieht	fliehet	flöhet
sie	fliehen	fliehen	flöhen

	Imperfect
ich	floh
du	flohst
er	floh
wir	flohen
ihr	floht
sie	flohen

		Past Time	
	Perfect	*(Perf. Subj.)*	*(Pluperf. Subj.)*
ich	bin geflohen	sei geflohen	wäre geflohen
du	bist geflohen	seiest geflohen	wärest geflohen
er	ist geflohen	sei geflohen	wäre geflohen
wir	sind geflohen	seien geflohen	wären geflohen
ihr	seid geflohen	seiet geflohen	wäret geflohen
sie	sind geflohen	seien geflohen	wären geflohen

	Pluperfect
ich	war geflohen
du	warst geflohen
er	war geflohen
wir	waren geflohen
ihr	wart geflohen
sie	waren geflohen

		Future Time	
	Future	*(Fut. Subj.)*	*(Pres. Conditional)*
ich	werde fliehen	werde fliehen	würde fliehen
du	wirst fliehen	werdest fliehen	würdest fliehen
er	wird fliehen	werde fliehen	würde fliehen
wir	werden fliehen	werden fliehen	würden fliehen
ihr	werdet fliehen	werdet fliehen	würdet fliehen
sie	werden fliehen	werden fliehen	würden fliehen

		Future Perfect Time	
	Future Perfect	*(Fut. Perf. Subj.)*	*(Past Conditional)*
ich	werde geflohen sein	werde geflohen sein	würde geflohen sein
du	wirst geflohen sein	werdest geflohen sein	würdest geflohen sein
er	wird geflohen sein	werde geflohen sein	würde geflohen sein
wir	werden geflohen sein	werden geflohen sein	würden geflohen sein
ihr	werdet geflohen sein	werdet geflohen sein	würdet geflohen sein
sie	werden geflohen sein	werden geflohen sein	würden geflohen sein

PRINC. PARTS: fließen,* floß, ist geflossen, fließt
IMPERATIVE: fließe!, fließt!, fließen Sie!**

INDICATIVE	SUBJUNCTIVE	
	PRIMARY	SECONDARY
	Present Time	
Present	(*Pres. Subj.*)	(*Imperf. Subj.*)
ich fließe	fließe	flösse
du fließt	fließest	flössest
er fließt	fließe	flösse
wir fließen	fließen	flössen
ihr fließt	fließet	flösset
sie fließen	fließen	flössen

Imperfect
ich floß
du flossest
er floß
wir flossen
ihr floßt
sie flossen

Perfect	(*Perf. Subj.*)	*Past Time* (*Pluperf. Subj.*)
ich bin geflossen	sei geflossen	wäre geflossen
du bist geflossen	seiest geflossen	wärest geflossen
er ist geflossen	sei geflossen	wäre geflossen
wir sind geflossen	seien geflossen	wären geflossen
ihr seid geflossen	seiet geflossen	wäret geflossen
sie sind geflossen	seien geflossen	wären geflossen

Pluperfect
ich war geflossen
du warst geflossen
er war geflossen
wir waren geflossen
ihr wart geflossen
sie waren geflossen

Future	(*Fut. Subj.*)	*Future Time* (*Pres. Conditional*)
ich werde fließen	werde fließen	würde fließen
du wirst fließen	werdest fließen	würdest fließen
er wird fließen	werde fließen	würde fließen
wir werden fließen	werden fließen	würden fließen
ihr werdet fließen	werdet fließen	würdet fließen
sie werden fließen	werden fließen	würden fließen

Future Perfect	(*Fut. Perf. Subj.*)	*Future Perfect Time* (*Past Conditional*)
ich werde geflossen sein	werde geflossen sein	würde geflossen sein
du wirst geflossen sein	werdest geflossen sein	würdest geflossen sein
er wird geflossen sein	werde geflossen sein	würde geflossen sein
wir werden geflossen sein	werden geflossen sein	würden geflossen sein
ihr werdet geflossen sein	werdet geflossen sein	würdet geflossen sein
sie werden geflossen sein	werden geflossen sein	würden geflossen sein

* Forms other than the third person are infrequently found.
** The imperative is unusual.

fragen

to ask (a question)

PRINC. PARTS: fragen, fragte, gefragt, fragt
IMPERATIVE: frage!, fragt!, fragen Sie!

	INDICATIVE	SUBJUNCTIVE	
		PRIMARY	SECONDARY
		Present Time	
	Present	*(Pres. Subj.)*	*(Imperf. Subj.)*
ich	frage	frage	fragte
du	fragst	fragest	fragtest
er	fragt	frage	fragte
wir	fragen	fragen	fragten
ihr	fragt	fraget	fragtet
sie	fragen	fragen	fragten

	Imperfect
ich	fragte
du	fragtest
er	fragte
wir	fragten
ihr	fragtet
sie	fragten

			Past Time	
	Perfect	*(Perf. Subj.)*	*(Pluperf. Subj.)*
ich	habe gefragt	habe gefragt	hätte gefragt
du	hast gefragt	habest gefragt	hättest gefragt
er	hat gefragt	habe gefragt	hätte gefragt
wir	haben gefragt	haben gefragt	hätten gefragt
ihr	habt gefragt	habet gefragt	hättet gefragt
sie	haben gefragt	haben gefragt	hätten gefragt

	Pluperfect
ich	hatte gefragt
du	hattest gefragt
er	hatte gefragt
wir	hatten gefragt
ihr	hattet gefragt
sie	hatten gefragt

		Future Time	
	Future	*(Fut. Subj.)*	*(Pres. Conditional)*
ich	werde fragen	werde fragen	würde fragen
du	wirst fragen	werdest fragen	würdest fragen
er	wird fragen	werde fragen	würde fragen
wir	werden fragen	werden fragen	würden fragen
ihr	werdet fragen	werdet fragen	würdet fragen
sie	werden fragen	werden fragen	würden fragen

		Future Perfect Time	
	Future Perfect	*(Fut. Perf. Subj.)*	*(Past Conditional)*
ich	werde gefragt haben	werde gefragt haben	würde gefragt haben
du	wirst gefragt haben	werdest gefragt haben	würdest gefragt haben
er	wird gefragt haben	werde gefragt haben	würde gefragt haben
wir	werden gefragt haben	werden gefragt haben	würden gefragt haben
ihr	werdet gefragt haben	werdet gefragt haben	würdet gefragt haben
sie	werden gefragt haben	werden gefragt haben	würden gefragt haben

44

PRINC. PARTS: fressen, fraß, gefressen, frißt
IMPERATIVE: friß!, freßt!, fressen Sie!

to eat, feed, devour

INDICATIVE	SUBJUNCTIVE	
	PRIMARY	SECONDARY

Present Time

	Present	*(Pres. Subj.)*	*(Imperf. Subj.)*
ich	fresse	fresse	fräße
du	frißt	fressest	fräßest
er	frißt	fresse	fräße
wir	fressen	fressen	fräßen
ihr	freßt	fresset	fräßet
sie	fressen	fressen	fräßen

	Imperfect
ich	fraß
du	fraßest
er	fraß
wir	fraßen
ihr	fraßt
sie	fraßen

Past Time

	Perfect	*(Perf. Subj.)*	*(Pluperf. Subj.)*
ich	habe gefressen	habe gefressen	hätte gefressen
du	hast gefressen	habest gefressen	hättest gefressen
er	hat gefressen	habe gefressen	hätte gefressen
wir	haben gefressen	haben gefressen	hätten gefressen
ihr	habt gefressen	habet gefressen	hättet gefressen
sie	haben gefressen	haben gefressen	hätten gefressen

	Pluperfect
ich	hatte gefressen
du	hattest gefressen
er	hatte gefressen
wir	hatten gefressen
ihr	hattet gefressen
sie	hatten gefressen

Future Time

	Future	*(Fut. Subj.)*	*(Pres. Conditional)*
ich	werde fressen	werde fressen	würde fressen
du	wirst fressen	werdest fressen	würdest fressen
er	wird fressen	werde fressen	würde fressen
wir	werden fressen	werden fressen	würden fressen
ihr	werdet fressen	werdet fressen	würdet fressen
sie	werden fressen	werden fressen	würden fressen

Future Perfect Time

	Future Perfect	*(Fut. Perf. Subj.)*	*(Past Conditional)*
ich	werde gefressen haben	werde gefressen haben	würde gefressen haben
du	wirst gefressen haben	werdest gefressen haben	würdest gefressen haben
er	wird gefressen haben	werde gefressen haben	würde gefressen haben
wir	werden gefressen haben	werden gefressen haben	würden gefressen haben
ihr	werdet gefressen haben	werdet gefressen haben	würdet gefressen haben
sie	werden gefressen haben	werden gefressen haben	würden gefressen haben

* Used for animals and humans who eat ravenously.

frieren

to freeze, feel cold

PRINC. PARTS: frieren, fror, gefroren, friert
IMPERATIVE: friere!, friert!, frieren Sie!

	INDICATIVE		SUBJUNCTIVE	
			PRIMARY	SECONDARY
			Present Time	
	Present		*(Pres. Subj.)*	*(Imperf. Subj.)*
ich	friere		friere	fröre
du	frierst		frierest	frörest
er	friert		friere	fröre
wir	frieren		frieren	frören
ihr	friert		frieret	fröret
sie	frieren		frieren	frören
	Imperfect			
ich	fror			
du	frorst			
er	fror			
wir	froren			
ihr	frort			
sie	froren			
			Past Time	
	Perfect		*(Perf. Subj.)*	*(Pluperf. Subj.)*
ich	habe gefroren		habe gefroren	hätte gefroren
du	hast gefroren		habest gefroren	hättest gefroren
er	hat gefroren		habe gefroren	hätte gefroren
wir	haben gefroren		haben gefroren	hätten gefroren
ihr	habt gefroren		habet gefroren	hättet gefroren
sie	haben gefroren		haben gefroren	hätten gefroren
	Pluperfect			
ich	hatte gefroren			
du	hattest gefroren			
er	hatte gefroren			
wir	hatten gefroren			
ihr	hattet gefroren			
sie	hatten gefroren			
			Future Time	
	Future		*(Fut. Subj.)*	*(Pres. Conditional)*
ich	werde frieren		werde frieren	würde frieren
du	wirst frieren		werdest frieren	würdest frieren
er	wird frieren		werde frieren	würde frieren
wir	werden frieren		werden frieren	würden frieren
ihr	werdet frieren		werdet frieren	würdet frieren
sie	werden frieren		werden frieren	würden frieren
			Future Perfect Time	
	Future Perfect		*(Fut. Perf. Subj.)*	*(Past Conditional)*
ich	werde gefroren haben		werde gefroren haben	würde gefroren haben
du	wirst gefroren haben		werdest gefroren haben	würdest gefroren haben
er	wird gefroren haben		werde gefroren haben	würde gefroren haben
wir	werden gefroren haben		werden gefroren haben	würden gefroren haben
ihr	werdet gefroren haben		werdet gefroren haben	würdet gefroren haben
sie	werden gefroren haben		werden gefroren haben	würden gefroren haben

PRINC. PARTS: gären,* gor,** gegoren, gärt
IMPERATIVE: gäre!, gärt!, gären Sie!†

to ferment

INDICATIVE		SUBJUNCTIVE	
		PRIMARY	SECONDARY
		Present Time	
	Present	*(Pres. Subj.)*	*(Imperf. Subj.)*
ich	gäre	gäre	göre
du	gärst	gärest	görest
er	gärt	gäre	göre
wir	gären	gären	gören
ihr	gärt	gäret	göret
sie	gären	gären	gören

	Imperfect
ich	gor
du	gorst
er	gor
wir	goren
ihr	gort
sie	goren

			Past Time	
	Perfect	*(Perf. Subj.)*	*(Pluperf. Subj.)*
ich	habe gegoren	habe gegoren	hätte gegoren
du	hast gegoren	habest gegoren	hättest gegoren
er	hat gegoren	habe gegoren	hätte gegoren
wir	haben gegoren	haben gegoren	hätten gegoren
ihr	habt gegoren	habet gegoren	hättet gegoren
sie	haben gegoren	haben gegoren	hätten gegoren

	Pluperfect
ich	hatte gegoren
du	hattest gegoren
er	hatte gegoren
wir	hatten gegoren
ihr	hattet gegoren
sie	hatten gegoren

			Future Time	
	Future	*(Fut. Subj.)*	*(Pres. Conditional)*
ich	werde gären	werde gären	würde gären
du	wirst gären	werdest gären	würdest gären
er	wird gären	werde gären	würde gären
wir	werden gären	werden gären	würden gären
ihr	werdet gären	werdet gären	würdet gären
sie	werden gären	werden gären	würden gären

			Future Perfect Time	
	Future Perfect	*(Fut. Perf. Subj.)*	*(Past Conditional)*
ich	werde gegoren haben	werde gegoren haben	würde gegoren haben
du	wirst gegoren haben	werdest gegoren haben	würdest gegoren haben
er	wird gegoren haben	werde gegoren haben	würde gegoren haben
wir	werden gegoren haben	werden gegoren haben	würden gegoren haben
ihr	werdet gegoren haben	werdet gegoren haben	würdet gegoren haben
sie	werden gegoren haben	werden gegoren haben	würden gegoren haben

* Forms other than the third person are infrequently found.
** When used figuratively, **gären** is weak. PRINC. PARTS: gären, gärte, gegärt, gärt.
† The imperative is unusual.

gebären

to give birth to

PRINC. PARTS: gebären, gebar, hat geboren,* gebiert
IMPERATIVE: gebier!, gebiert!, gebären Sie!

	INDICATIVE	PRIMARY (Pres. Subj.)	SECONDARY (Imperf. Subj.)

| | | SUBJUNCTIVE | |

Present Time

	Present	*(Pres. Subj.)*	*(Imperf. Subj.)*
ich	gebäre	gebäre	gebäre
du	gebierst	gebärest	gebärest
er	gebiert	gebäre	gebäre
wir	gebären	gebären	gebären
ihr	gebärt	gebäret	gebäret
sie	gebären	gebären	gebären

	Imperfect
ich	gebar
du	gebarst
er	gebar
wir	gebaren
ihr	gebart
sie	gebaren

Past Time

	Perfect	*(Perf. Subj.)*	*(Pluperf. Subj.)*
ich	habe geboren	habe geboren	hätte geboren
du	hast geboren	habest geboren	hättest geboren
er	hat geboren	habe geboren	hätte geboren
wir	haben geboren	haben geboren	hätten geboren
ihr	habt geboren	habet geboren	hättet geboren
sie	haben geboren	haben geboren	hätten geboren

	Pluperfect
ich	war geboren
du	warst geboren
er	war geboren
wir	waren geboren
ihr	wart geboren
sie	waren geboren

Future Time

	Future	*(Fut. Subj.)*	*(Pres. Conditional)*
ich	werde gebären	werde gebären	würde gebären
du	wirst gebären	werdest gebären	würdest gebären
er	wird gebären	werde gebären	würde gebären
wir	werden gebären	werden gebären	würden gebären
ihr	werdet gebären	werdet gebären	würdet gebären
sie	werden gebären	werden gebären	würden gebären

Future Perfect Time

	Future Perfect	*(Fut. Perf. Subj.)*	*(Past Conditional)*
ich	werde geboren haben	werde geboren haben	würde geboren haben
du	wirst geboren haben	werdest geboren haben	würdest geboren haben
er	wird geboren haben	werde geboren haben	würde geboren haben
wir	werden geboren haben	werden geboren haben	würden geboren haben
ihr	werdet geboren haben	werdet geboren haben	würdet geboren haben
sie	werden geboren haben	werden geboren haben	würden geboren haben

* The active perfect forms of this verb, which can only be used by a mother, are given above. The passive perfect forms (I was born, etc.), use *sein* (for living persons) or *werden* (for persons no longer living), not *haben*, as the auxiliary verb and will be more commonly found.

geben

to give

PRINC. PARTS: geben, gab, gegeben, gibt
IMPERATIVE: gib!, gebt!, geben Sie!

	INDICATIVE	SUBJUNCTIVE	
		PRIMARY	SECONDARY
		Present Time	
	Present	*(Pres. Subj.)*	*(Imperf. Subj.)*
ich	gebe	gebe	gäbe
du	gibst	gebest	gäbest
er	gibt	gebe	gäbe
wir	geben	geben	gäben
ihr	gebt	gebet	gäbet
sie	geben	geben	gäben

	Imperfect
ich	gab
du	gabst
er	gab
wir	gaben
ihr	gabt
sie	gaben

			Past Time	
	Perfect	*(Perf. Subj.)*	*(Pluperf. Subj.)*
ich	habe gegeben	habe gegeben	hätte gegeben
du	hast gegeben	habest gegeben	hättest gegeben
er	hat gegeben	habe gegeben	hätte gegeben
wir	haben gegeben	haben gegeben	hätten gegeben
ihr	habt gegeben	habet gegeben	hättet gegeben
sie	haben gegeben	haben gegeben	hätten gegeben

	Pluperfect
ich	hatte gegeben
du	hattest gegeben
er	hatte gegeben
wir	hatten gegeben
ihr	hattet gegeben
sie	hatten gegeben

			Future Time	
	Future	*(Fut. Subj.)*	*(Pres. Conditional)*
ich	werde geben	werde geben	würde geben
du	wirst geben	werdest geben	würdest geben
er	wird geben	werde geben	würde geben
wir	werden geben	werden geben	würden geben
ihr	werdet geben	werdet geben	würdet geben
sie	werden geben	werden geben	würden geben

			Future Perfect Time	
	Future Perfect	*(Fut. Perf. Subj.)*	*(Past Conditional)*
ich	werde gegeben haben	werde gegeben haben	würde gegeben haben
du	wirst gegeben haben	werdest gegeben haben	würdest gegeben haben
er	wird gegeben haben	werde gegeben haben	würde gegeben haben
wir	werden gegeben haben	werden gegeben haben	würden gegeben haben
ihr	werdet gegeben haben	werdet gegeben haben	würdet gegeben haben
sie	werden gegeben haben	werden gegeben haben	würden gegeben haben

49

gedeihen

to thrive, prosper

PRINC. PARTS: gedeihen, gedieh, ist gediehen, gedeiht
IMPERATIVE: gedeihe!, gedeiht!, gedeihen Sie!

	INDICATIVE		SUBJUNCTIVE	
			PRIMARY	SECONDARY
	Present		*Present Time*	
			(Pres. Subj.)	*(Imperf. Subj.)*
ich	gedeihe		gedeihe	gediehe
du	gedeihst		gedeihest	gediehest
er	gedeiht		gedeihe	gediehe
wir	gedeihen		gedeihen	gediehen
ihr	gedeiht		gedeihet	gediehet
sie	gedeihen		gedeihen	gediehen
	Imperfect			
ich	gedieh			
du	gediehst			
er	gedieh			
wir	gediehen			
ihr	gedieht			
sie	gediehen			
	Perfect		*Past Time*	
			(Perf. Subj.)	*(Pluperf. Subj.)*
ich	bin gediehen		sei gediehen	wäre gediehen
du	bist gediehen		seiest gediehen	wärest gediehen
er	ist gediehen		sei gediehen	wäre gediehen
wir	sind gediehen		seien gediehen	wären gediehen
ihr	seid gediehen		seiet gediehen	wäret gediehen
sie	sind gediehen		seien gediehen	wären gediehen
	Pluperfect			
ich	war gediehen			
du	warst gediehen			
er	war gediehen			
wir	waren gediehen			
ihr	wart gediehen			
sie	waren gediehen			
	Future		*Future Time*	
			(Fut. Subj.)	*(Pres. Conditional)*
ich	werde gediehen		werde gediehen	würde gediehen
du	wirst gediehen		werdest gediehen	würdest gediehen
er	wird gediehen		werde gediehen	würde gediehen
wir	werden gediehen		werden gediehen	würden gediehen
ihr	werdet gediehen		werdet gediehen	würdet gediehen
sie	werden gediehen		werden gediehen	würden gediehen
	Future Perfect		*Future Perfect Time*	
			(Fut. Perf. Subj.)	*(Past Conditional)*
ich	werde gediehen sein		werde gediehen sein	würde gediehen sein
du	wirst gediehen sein		werdest gediehen sein	würdest gediehen sein
er	wird gediehen sein		werde gediehen sein	würde gediehen sein
wir	werden gediehen sein		werden gediehen sein	würden gediehen sein
ihr	werdet gediehen sein		werdet gediehen sein	würdet gediehen sein
sie	werden gediehen sein		werden gediehen sein	würden gediehen sein

gefallen

PRINC. PARTS: gefallen, gefiel, gefallen, gefällt
IMPERATIVE: gefalle!, gefallt!, gefallen Sie!

to be pleasing, like

INDICATIVE	SUBJUNCTIVE	
	PRIMARY	SECONDARY

Present Time

	Present	*(Pres. Subj.)*	*(Imperf. Subj.)*
ich	gefalle	gefalle	gefiele
du	gefällst	gefallest	gefielest
er	gefällt	gefalle	gefiele
wir	gefallen	gefallen	gefielen
ihr	gefallt	gefallet	gefielet
sie	gefallen	gefallen	gefielen

	Imperfect
ich	gefiel
du	gefielst
er	gefiel
wir	gefielen
ihr	gefielt
sie	gefielen

Past Time

	Perfect	*(Perf. Subj.)*	*(Pluperf. Subj.)*
ich	habe gefallen	habe gefallen	hätte gefallen
du	hast gefallen	habest gefallen	hättest gefallen
er	hat gefallen	habe gefallen	hätte gefallen
wir	haben gefallen	haben gefallen	hätten gefallen
ihr	habt gefallen	habet gefallen	hättet gefallen
sie	haben gefallen	haben gefallen	hätten gefallen

	Pluperfect
ich	hatte gefallen
du	hattest gefallen
er	hatte gefallen
wir	hatten gefallen
ihr	hattet gefallen
sie	hatten gefallen

Future Time

	Future	*(Fut. Subj.)*	*(Pres. Conditional)*
ich	werde gefallen	werde gefallen	würde gefallen
du	wirst gefallen	werdest gefallen	würdest gefallen
er	wird gefallen	werde gefallen	würde gefallen
wir	werden gefallen	werden gefallen	würden gefallen
ihr	werdet gefallen	werdet gefallen	würdet gefallen
sie	werden gefallen	werden gefallen	würden gefallen

Future Perfect Time

	Future Perfect	*(Fut. Perf. Subj.)*	*(Past Conditional)*
ich	werde gefallen haben	werde gefallen haben	würde gefallen haben
du	wirst gefallen haben	werdest gefallen haben	würdest gefallen haben
er	wird gefallen haben	werde gefallen haben	würde gefallen haben
wir	werden gefallen haben	werden gefallen haben	würden gefallen haben
ihr	werdet gefallen haben	werdet gefallen haben	würdet gefallen haben
sie	werden gefallen haben	werden gefallen haben	würden gefallen haben

51

gehen

to go, walk

PRINC. PARTS: gehen, ging, ist gegangen, geht
IMPERATIVE: gehe!, geht!, gehen Sie!

| | INDICATIVE | | SUBJUNCTIVE | |
| | | | PRIMARY | SECONDARY |

	Present	(*Pres. Subj.*)	(*Imperf. Subj.*)
ich	gehe	gehe	ginge
du	gehst	gehest	gingest
er	geht	gehe	ginge
wir	gehen	gehen	gingen
ihr	geht	gehet	ginget
sie	gehen	gehen	gingen

	Imperfect
ich	ging
du	gingst
er	ging
wir	gingen
ihr	gingt
sie	gingen

Past Time

	Perfect	(*Perf. Subj.*)	(*Pluperf. Subj.*)
ich	bin gegangen	sei gegangen	wäre gegangen
du	bist gegangen	seiest gegangen	wärest gegangen
er	ist gegangen	sei gegangen	wäre gegangen
wir	sind gegangen	seien gegangen	wären gegangen
ihr	seid gegangen	seiet gegangen	wäret gegangen
sie	sind gegangen	seien gegangen	wären gegangen

	Pluperfect
ich	war gegangen
du	warst gegangen
er	war gegangen
wir	waren gegangen
ihr	wart gegangen
sie	waren gegangen

Future Time

	Future	(*Fut. Subj.*)	(*Pres. Conditional*)
ich	werde gehen	werde gehen	würde gehen
du	wirst gehen	werdest gehen	würdest gehen
er	wird gehen	werde gehen	würde gehen
wir	werden gehen	werden gehen	würden gehen
ihr	werdet gehen	werdet gehen	würdet gehen
sie	werden gehen	werden gehen	würden gehen

Future Perfect Time

	Future Perfect	(*Fut. Perf. Subj.*)	(*Past Conditional*)
ich	werde gegangen sein	werde gegangen sein	würde gegangen sein
du	wirst gegangen sein	werdest gegangen sein	würdest gegangen sein
er	wird gegangen sein	werde gegangen sein	würde gegangen sein
wir	werden gegangen sein	werden gegangen sein	würden gegangen sein
ihr	werdet gegangen sein	werdet gegangen sein	würdet gegangen sein
sie	werden gegangen sein	werden gegangen sein	würden gegangen sein

PRINC. PARTS: geliebt werden, wurde geliebt, ist geliebt
worden, wird geliebt
IMPERATIVE: werde geliebt!, werdet geliebt!,
werden Sie geliebt!

geliebt werden
to be loved

	INDICATIVE	SUBJUNCTIVE	
		PRIMARY	SECONDARY
		Present Time	
	Present	(*Pres. Subj.*)	(*Imperf. Subj.*)
ich	werde geliebt	werde geliebt	würde geliebt
du	wirst geliebt	werdest geliebt	würdest geliebt
er	wird geliebt	werde geliebt	würde geliebt
wir	werden geliebt	werden geliebt	würden geliebt
ihr	werdet geliebt	werdet geliebt	würdet geliebt
sie	werden geliebt	werden geliebt	würden geliebt
	Imperfect		
ich	wurde geliebt		
du	wurdest geliebt		
er	wurde geliebt		
wir	wurden geliebt		
ihr	wurdet geliebt		
sie	wurden geliebt		
		Past Time	
	Perfect	(*Perf. Subj.*)	(*Pluperf. Subj.*)
ich	bin geliebt worden	sei geliebt worden	wäre geliebt worden
du	bist geliebt worden	seiest geliebt worden	wärest geliebt worden
er	ist geliebt worden	sei geliebt worden	wäre geliebt worden
wir	sind geliebt worden	seien geliebt worden	wären geliebt worden
ihr	seid geliebt worden	seiet geliebt worden	wäret geliebt worden
sie	sind geliebt worden	seien geliebt worden	wären geliebt worden
	Pluperfect		
ich	war geliebt worden		
du	warst geliebt worden		
er	war geliebt worden		
wir	waren geliebt worden		
ihr	wart geliebt worden		
sie	waren geliebt worden		
		Future Time	
	Future	(*Fut. Subj.*)	(*Pres. Conditional*)
ich	werde geliebt werden	werde geliebt werden	würde geliebt werden
du	wirst geliebt werden	werdest geliebt werden	würdest geliebt werden
er	wird geliebt werden	werde geliebt werden	würde geliebt werden
wir	werden geliebt werden	werden geliebt werden	würden geliebt werden
ihr	werdet geliebt werden	werdet geliebt werden	würdet geliebt werden
sie	werden geliebt werden	werden geliebt werden	würden geliebt werden
		Future Perfect Time	
	Future Perfect	(*Fut. Perf. Subj.*)	(*Past Conditional*)
ich	werde geliebt worden sein	werde geliebt worden sein	würde geliebt worden sein
du	wirst geliebt worden sein	werdest geliebt worden sein	würdest geliebt worden sein
er	wird geliebt worden sein	werde geliebt worden sein	würde geliebt worden sein
wir	werden geliebt worden sein	werden geliebt worden sein	würden geliebt worden sein
ihr	werdet geliebt worden sein	werdet geliebt worden sein	würdet geliebt worden sein
sie	werden geliebt worden sein	werden geliebt worden sein	würden geliebt worden sein

gelingen*

to succeed

PRINC. PARTS: gelingen, gelang, ist gelungen, gelingt
IMPERATIVE: gelinge!, gelingt!, gelingen Sie!

	INDICATIVE	SUBJUNCTIVE	
		PRIMARY	SECONDARY
	Present	*Present Time* (*Pres. Subj.*)	(*Imperf. Subj.*)
ich			
du			
es	gelingt (mir, dir, ihm, ihr, ihm, uns, euch, ihnen, Ihnen)	gelinge	gelänge
wir			
ihr			
sie	gelingen	gelingen	gelängen
	Imperfect		
ich			
du			
es	gelang		
wir			
ihr			
sie	gelangen		
	Perfect	*Past Time* (*Perf. Subj.*)	(*Pluperf. Subj.*)
ich			
du			
es	ist gelungen	sei gelungen	wäre gelungen
wir			
ihr			
sie	sind gelungen	seien gelungen	wären gelungen
	Pluperfect		
ich			
du			
es	war gelungen		
wir			
ihr			
sie	waren gelungen		
	Future	*Future Time* (*Fut. Subj.*)	(*Pres. Conditional*)
ich			
du			
es	wird gelingen	werde gelingen	würde gelingen
wir			
ihr			
sie	werden gelingen	werden gelingen	würden gelingen
	Future Perfect	*Future Perfect Time* (*Fut. Perf. Subj.*)	(*Past Conditional*)
ich			
du			
es	wird gelungen sein	werde gelungen sein	würde gelungen sein
wir			
ihr			
sie	werden gelungen sein	werden gelungen sein	würden gelungen sein

* impersonal verb—only third person forms are used

PRINC. PARTS: gelten, galt, gegolten, gilt
IMPERATIVE: gilt!, geltet!, gelten Sie!

to be valid, be worth, hold good

INDICATIVE	SUBJUNCTIVE	
	PRIMARY	SECONDARY

Present Time

	Present	*(Pres. Subj.)*	*(Imperf. Subj.)*	
ich	gelte	gelte	gölte	gälte
du	giltst	geltest	göltest	gältest
er	gilt	gelte	gölte *or*	gälte
wir	gelten	gelten	gölten	gälten
ihr	geltet	geltet	göltet	gältet
sie	gelten	gelten	gölten	gälten

	Imperfect
ich	galt
du	galtest
er	galt
wir	galten
ihr	galtet
sie	galten

Past Time

	Perfect	*(Perf. Subj.)*	*(Pluperf. Subj.)*
ich	habe gegolten	habe gegolten	hätte gegolten
du	hast gegolten	habest gegolten	hättest gegolten
er	hat gegolten	habe gegolten	hätte gegolten
wir	haben gegolten	haben gegolten	hätten gegolten
ihr	habt gegolten	habet gegolten	hättet gegolten
sie	haben gegolten	haben gegolten	hätten gegolten

	Pluperfect
ich	hatte gegolten
du	hattest gegolten
er	hatte gegolten
wir	hatten gegolten
ihr	hattet gegolten
sie	hatten gegolten

Future Time

	Future	*(Fut. Subj.)*	*(Pres. Conditional)*
ich	werde gelten	werde gelten	würde gelten
du	wirst gelten	werdest gelten	würdest gelten
er	wird gelten	werde gelten	würde gelten
wir	werden gelten	werden gelten	würden gelten
ihr	werdet gelten	werdet gelten	würdet gelten
sie	werden gelten	werden gelten	würden gelten

Future Perfect Time

	Future Perfect	*(Fut. Perf. Subj.)*	*(Past Conditional)*
ich	werde gegolten haben	werde gegolten haben	würde gegolten haben
du	wirst gegolten haben	werdest gegolten haben	würdest gegolten haben
er	wird gegolten haben	werde gegolten haben	würde gegolten haben
wir	werden gegolten haben	werden gegolten haben	würden gegolten haben
ihr	werdet gegolten haben	werdet gegolten haben	würdet gegolten haben
sie	werden gegolten haben	werden gegolten haben	würden gegolten haben

genesen

to recover, convalesce

PRINC. PARTS: genesen, genas, ist genesen, genest
IMPERATIVE: genese!, genest!, genesen Sie!

	INDICATIVE	SUBJUNCTIVE	
		PRIMARY	SECONDARY

Present Time

	Present	*(Pres. Subj.)*	*(Imperf. Subj.)*
ich	genese	genese	genäse
du	genest	genesest	genäsest
er	genest	genese	genäse
wir	genesen	genesen	genäsen
ihr	genest	geneset	genäset
sie	genesen	genesen	genäsen

	Imperfect
ich	genas
du	genasest
er	genas
wir	genasen
ihr	genast
sie	genasen

Past Time

	Perfect	*(Perf. Subj.)*	*(Pluperf. Subj.)*
ich	bin genesen	sei genesen	wäre genesen
du	bist genesen	seiest genesen	wärest genesen
er	ist genesen	sei genesen	wäre genesen
wir	sind genesen	seien genesen	wären genesen
ihr	seid genesen	seiet genesen	wäret genesen
sie	sind genesen	seien genesen	wären genesen

	Pluperfect
ich	war genesen
du	warst genesen
er	war genesen
wir	waren genesen
ihr	wart genesen
sie	waren genesen

Future Time

	Future	*(Fut. Subj.)*	*(Pres. Conditional)*
ich	werde genesen	werde genesen	würde genesen
du	wirst genesen	werdest genesen	würdest genesen
er	wird genesen	werde genesen	würde genesen
wir	werden genesen	werden genesen	würden genesen
ihr	werdet genesen	werdet genesen	würdet genesen
sie	werden genesen	werden genesen	würden genesen

Future Perfect Time

	Future Perfect	*(Fut. Perf. Subj.)*	*(Past Conditional)*
ich	werde genesen sein	werde genesen sein	würde genesen sein
du	wirst genesen sein	werdest genesen sein	würdest genesen sein
er	wird genesen sein	werde genesen sein	würde genesen sein
wir	werden genesen sein	werden genesen sein	würden genesen sein
ihr	werdet genesen sein	werdet genesen sein	würdet genesen sein
sie	werden genesen sein	werden genesen sein	würden genesen sein

PRINC. PARTS: genießen, genoß, genossen, genießt
IMPERATIVE: genieße!, genießt!, genießen Sie!

to enjoy

INDICATIVE	SUBJUNCTIVE	
	PRIMARY	SECONDARY

Present Time

	Present	*(Pres. Subj.)*	*(Imperf. Subj.)*
ich	genieße	genieße	genösse
du	genießt	genießest	genössest
er	genießt	genieße	genösse
wir	genießen	genießen	genössen
ihr	genießt	genießet	genösset
sie	genießen	genießen	genössen

	Imperfect
ich	genoß
du	genossest
er	genoß
wir	genossen
ihr	genoßt
sie	genossen

Past Time

	Perfect	*(Perf. Subj.)*	*(Pluperf. Subj.)*
ich	habe genossen	habe genossen	hätte genossen
du	hast genossen	habest genossen	hättest genossen
er	hat genossen	habe genossen	hätte genossen
wir	haben genossen	haben genossen	hätten genossen
ihr	habt genossen	habet genossen	hättet genossen
sie	haben genossen	haben genossen	hätten genossen

	Pluperfect
ich	hatte genossen
du	hattest genossen
er	hatte genossen
wir	hatten genossen
ihr	hattet genossen
sie	hatten genossen

Future Time

	Future	*(Fut. Subj.)*	*(Pres. Conditional)*
ich	werde genießen	werde genießen	würde genießen
du	wirst genießen	werdest genießen	würdest genießen
er	wird genießen	werde genießen	würde genießen
wir	werden genießen	werden genießen	würden genießen
ihr	werdet genießen	werdet genießen	würdet genießen
sie	werden genießen	werden genießen	würden genießen

Future Perfect Time

	Future Perfect	*(Fut. Perf. Subj.)*	*(Past Conditional)*
ich	werde genossen haben	werde genossen haben	würde genossen haben
du	wirst genossen haben	werdest genossen haben	würdest genossen haben
er	wird genossen haben	werde genossen haben	würde genossen haben
wir	werden genossen haben	werden genossen haben	würden genossen haben
ihr	werdet genossen haben	werdet genossen haben	würdet genossen haben
sie	werden genossen haben	werden genossen haben	würden genossen haben

geraten

to get into, fall into or
upon, turn out, prosper

PRINC. PARTS: geraten, geriet, ist geraten, gerät
IMPERATIVE: gerate!, geratet!, geraten Sie!

	INDICATIVE	SUBJUNCTIVE	
		PRIMARY	SECONDARY
		Present Time	
	Present	*(Pres. Subj.)*	*(Imperf. Subj.)*
ich	gerate	gerate	geriete
du	gerätst	geratest	gerietest
er	gerät	gerate	geriete
wir	geraten	geraten	gerieten
ihr	geratet	geratet	gerietet
sie	geraten	geraten	gerieten

	Imperfect
ich	geriet
du	gerietest
er	geriet
wir	gerieten
ihr	gerietet
sie	gerieten

			Past Time	
	Perfect	*(Perf. Subj.)*	*(Pluperf. Subj.)*
ich	bin geraten	sei geraten	wäre geraten
du	bist geraten	seiest geraten	wärest geraten
er	ist geraten	sei geraten	wäre geraten
wir	sind geraten	seien geraten	wären geraten
ihr	seid geraten	seiet geraten	wäret geraten
sie	sind geraten	seien geraten	wären geraten

	Pluperfect
ich	war geraten
du	warst geraten
er	war geraten
wir	waren geraten
ihr	wart geraten
sie	waren geraten

			Future Time	
	Future	*(Fut. Subj.)*	*(Pres. Conditional)*
ich	werde geraten	werde geraten	würde geraten
du	wirst geraten	werdest geraten	würdest geraten
er	wird geraten	werde geraten	würde geraten
wir	werden geraten	werden geraten	würden geraten
ihr	werdet geraten	werdet geraten	würdet geraten
sie	werden geraten	werden geraten	würden geraten

			Future Perfect Time	
	Future Perfect	*(Fut. Perf. Subj.)*	*(Past Conditional)*
ich	werde geraten sein	werde geraten sein	würde geraten sein
du	wirst geraten sein	werdest geraten sein	würdest geraten sein
er	wird geraten sein	werde geraten sein	würde geraten sein
wir	werden geraten sein	werden geraten sein	würden geraten sein
ihr	werdet geraten sein	werdet geraten sein	würdet geraten sein
sie	werden geraten sein	werden geraten sein	würden geraten sein

geschehen*

PRINC. PARTS: geschehen, geschah, ist geschehen
IMPERATIVE:

to happen, to take place,
to come to pass

	INDICATIVE	PRIMARY	SECONDARY
			SUBJUNCTIVE
	Present	*Present Time*	
		(*Pres. Subj.*)	(*Imperf. Subj.*)
ich			
du			
es	geschieht	geschehe	geschähe
wir			
ihr			
sie	geschehen	geschehen	geschähen
	Imperfect		
ich			
du			
es	geschah		
wir			
ihr			
sie	geschahen		
	Perfect	*Past Time*	
		(*Perf. Subj.*)	(*Pluperf. Subj.*)
ich			
du			
es	ist geschehen	sei geschehen	wäre geschehen
wir			
ihr			
sie	sind geschehen	seien geschehen	wären geschehen
	Pluperfect		
ich			
du			
es	war geschehen		
wir			
ihr			
sie	waren geschehen		
	Future	*Future Time*	
		(*Fut. Subj.*)	(*Pres. Conditional*)
ich			
du			
es	wird geschehen	werde geschehen	würde geschehen
wir			
ihr			
sie	werden geschehen	werden geschehen	würden geschehen
	Future Perfect	*Future Perfect Time*	
		(*Fut. Perf. Subj.*)	(*Past Conditional*)
ich			
du			
es	wird geschehen sein	werde geschehen sein	würde geschehen sein
wir			
ihr			
sie	werden geschehen sein	werden geschehen sein	würden geschehen sein

* impersonal verb—only third person singular and plural are used

59

gewinnen

to win, gain

PRINC. PARTS: gewinnen, gewann, gewonnen, gewinnt
IMPERATIVE: gewinne!, gewinnt!, gewinnen Sie!

	INDICATIVE	SUBJUNCTIVE	
		PRIMARY	SECONDARY
		Present Time	
	Present	*(Pres. Subj.)*	*(Imperf. Subj.)*
ich	gewinne	gewinne	gewönne / gewänne
du	gewinnst	gewinnest	gewönnest / gewännest
er	gewinnt	gewinne	gewönne *or* gewänne
wir	gewinnen	gewinnen	gewönnen / gewännen
ihr	gewinnt	gewinnet	gewönnet / gewännet
sie	gewinnen	gewinnen	gewönnen / gewännen

	Imperfect
ich	gewann
du	gewannst
er	gewann
wir	gewannen
ihr	gewannt
sie	gewannen

			Past Time	
	Perfect	*(Perf. Subj.)*	*(Pluperf. Subj.)*
ich	habe gewonnen	habe gewonnen	hätte gewonnen
du	hast gewonnen	habest gewonnen	hättest gewonnen
er	hat gewonnen	habe gewonnen	hätte gewonnen
wir	haben gewonnen	haben gewonnen	hätten gewonnen
ihr	habt gewonnen	habet gewonnen	hättet gewonnen
sie	haben gewonnen	haben gewonnen	hätten gewonnen

	Pluperfect
ich	hatte gewonnen
du	hattest gewonnen
er	hatte gewonnen
wir	hatten gewonnen
ihr	hattet gewonnen
sie	hatten gewonnen

			Future Time	
	Future	*(Fut. Subj.)*	*(Pres. Conditional)*
ich	werde gewinnen	werde gewinnen	würde gewinnen
du	wirst gewinnen	werdest gewinnen	würdest gewinnen
er	wird gewinnen	werde gewinnen	würde gewinnen
wir	werden gewinnen	werden gewinnen	würden gewinnen
ihr	werdet gewinnen	werdet gewinnen	würdet gewinnen
sie	werden gewinnen	werden gewinnen	würden gewinnen

			Future Perfect Time	
	Future Perfect	*(Fut. Perf. Subj.)*	*(Past Conditional)*
ich	werde gewonnen haben	werde gewonnen haben	würde gewonnen haben
du	wirst gewonnen haben	werdest gewonnen haben	würdest gewonnen haben
er	wird gewonnen haben	werde gewonnen haben	würde gewonnen haben
wir	werden gewonnen haben	werden gewonnen haben	würden gewonnen haben
ihr	werdet gewonnen haben	werdet gewonnen haben	würdet gewonnen haben
sie	werden gewonnen haben	werden gewonnen haben	würden gewonnen haben

gießen

PRINC. PARTS: gießen, goß, gegossen, gießt
IMPERATIVE: gieße!, gießt!, gießen Sie!

to pour, cast (metal)

INDICATIVE	SUBJUNCTIVE	
	PRIMARY	SECONDARY
	Present Time	
Present	*(Pres. Subj.)*	*(Imperf. Subj.)*
ich gieße	gieße	gösse
du gießt	gießest	gössest
er gießt	gieße	gösse
wir gießen	gießen	gössen
ihr gießt	gießet	gösset
sie gießen	gießen	gössen

Imperfect		
ich goß		
du gossest		
er goß		
wir gossen		
ihr goßt		
sie gossen		

	Past Time	
Perfect	*(Perf. Subj.)*	*(Pluperf. Subj.)*
ich habe gegossen	habe gegossen	hätte gegossen
du hast gegossen	habest gegossen	hättest gegossen
er hat gegossen	habe gegossen	hätte gegossen
wir haben gegossen	haben gegossen	hätten gegossen
ihr habt gegossen	habet gegossen	hättet gegossen
sie haben gegossen	haben gegossen	hätten gegossen

Pluperfect		
ich hatte gegossen		
du hattest gegossen		
er hatte gegossen		
wir hatten gegossen		
ihr hattet gegossen		
sie hatten gegossen		

	Future Time	
Future	*(Fut. Subj.)*	*(Pres. Conditional)*
ich werde gießen	werde gießen	würde gießen
du wirst gießen	werdest gießen	würdest gießen
er wird gießen	werde gießen	würde gießen
wir werden gießen	werden gießen	würden gießen
ihr werdet gießen	werdet gießen	würdet gießen
sie werden gießen	werden gießen	würden gießen

	Future Perfect Time	
Future Perfect	*(Fut. Perf. Subj.)*	*(Past Conditional)*
ich werde gegossen haben	werde gegossen haben	würde gegossen haben
du wirst gegossen haben	werdest gegossen haben	würdest gegossen haben
er wird gegossen haben	werde gegossen haben	würde gegossen haben
wir werden gegossen haben	werden gegossen haben	würden gegossen haben
ihr werdet gegossen haben	werdet gegossen haben	würdet gegossen haben
sie werden gegossen haben	werden gegossen haben	würden gegossen haben

glauben

to believe

PRINC. PARTS: glauben, glaubte, geglaubt, glaubt
IMPERATIVE: glaube!, glaubt!, glauben Sie!

	INDICATIVE	SUBJUNCTIVE	
		PRIMARY	SECONDARY
		Present Time	
	Present	*(Pres. Subj.)*	*(Imperf. Subj.)*
ich	glaube	glaube	glaubte
du	glaubst	glaubest	glaubtest
er	glaubt	glaube	glaubte
wir	glauben	glauben	glaubten
ihr	glaubt	glaubet	glaubtet
sie	glauben	glauben	glaubten

	Imperfect
ich	glaubte
du	glaubtest
er	glaubte
wir	glaubten
ihr	glaubtet
sie	glaubten

	Perfect	*(Perf. Subj.)*	*(Pluperf. Subj.)*
		Past Time	
ich	habe geglaubt	habe geglaubt	hätte geglaubt
du	hast geglaubt	habest geglaubt	hättest geglaubt
er	hat geglaubt	habe geglaubt	hätte geglaubt
wir	haben geglaubt	haben geglaubt	hätten geglaubt
ihr	habt geglaubt	habet geglaubt	hättet geglaubt
sie	haben geglaubt	haben geglaubt	hätten geglaubt

	Pluperfect
ich	hatte geglaubt
du	hattest geglaubt
er	hatte geglaubt
wir	hatten geglaubt
ihr	hattet geglaubt
sie	hatten geglaubt

	Future	*(Fut. Subj.)*	*(Pres. Conditional)*
		Future Time	
ich	werde glauben	werde glauben	würde glauben
du	wirst glauben	werdest glauben	würdest glauben
er	wird glauben	werde glauben	würde glauben
wir	werden glauben	werden glauben	würden glauben
ihr	werdet glauben	werdet glauben	würdet glauben
sie	werden glauben	werden glauben	würden glauben

	Future Perfect	*(Fut. Perf. Subj.)*	*(Past Conditional)*
		Future Perfect Time	
ich	werde geglaubt haben	werde geglaubt haben	würde geglaubt haben
du	wirst geglaubt haben	werdest geglaubt haben	würdest geglaubt haben
er	wird geglaubt haben	werde geglaubt haben	würde geglaubt haben
wir	werden geglaubt haben	werden geglaubt haben	würden geglaubt haben
ihr	werdet geglaubt haben	werdet geglaubt haben	würdet geglaubt haben
sie	werden geglaubt haben	werden geglaubt haben	würden geglaubt haben

PRINC. PARTS: gleichen, glich, geglichen, gleicht
IMPERATIVE: gleiche!, gleicht!, gleichen Sie!

be like, resemble, equal

INDICATIVE		SUBJUNCTIVE	
		PRIMARY	SECONDARY
		Present Time	
	Present	*(Pres. Subj.)*	*(Imperf. Subj.)*
ich	gleiche	gleiche	gliche
du	gleichst	gleichest	glichest
er	gleicht	gleiche	gliche
wir	gleichen	gleichen	glichen
ihr	gleicht	gleichet	glichet
sie	gleichen	gleichen	glichen

	Imperfect
ich	glich
du	glichst
er	glich
wir	glichen
ihr	glicht
sie	glichen

			Past Time	
	Perfect	*(Perf. Subj.)*	*(Pluperf. Subj.)*
ich	habe geglichen	habe geglichen	hätte geglichen
du	hast geglichen	habest geglichen	hättest geglichen
er	hat geglichen	habe geglichen	hätte geglichen
wir	haben geglichen	haben geglichen	hätten geglichen
ihr	habt geglichen	habet geglichen	hättet geglichen
sie	haben geglichen	haben geglichen	hätten geglichen

	Pluperfect
ich	hatte geglichen
du	hattest geglichen
er	hatte geglichen
wir	hatten geglichen
ihr	hattet geglichen
sie	hatten geglichen

			Future Time	
	Future	*(Fut. Subj.)*	*(Pres. Conditional)*
ich	werde gleichen	werde gleichen	würde gleichen
du	wirst gleichen	werdest gleichen	würdest gleichen
er	wird gleichen	werde gleichen	würde gleichen
wir	werden gleichen	werden gleichen	würden gleichen
ihr	werdet gleichen	werdet gleichen	würdet gleichen
sie	werden gleichen	werden gleichen	würden gleichen

			Future Perfect Time	
	Future Perfect	*(Fut. Perf. Subj.)*	*(Past Conditional)*
ich	werde geglichen haben	werde geglichen haben	würde geglichen haben
du	wirst geglichen haben	werdest geglichen haben	würdest geglichen haben
er	wird geglichen haben	werde geglichen haben	würde geglichen haben
wir	werden geglichen haben	werden geglichen haben	würden geglichen haben
ihr	werdet geglichen haben	werdet geglichen haben	würdet geglichen haben
sie	werden geglichen haben	werden geglichen haben	würden geglichen haben

gleiten

to slide, glide

PRINC. PARTS: gleiten, glitt, ist geglitten, gleitet
IMPERATIVE: gleite!, gleitet!, gleiten Sie!

	INDICATIVE		SUBJUNCTIVE	
			PRIMARY	SECONDARY
			Present Time	
	Present		*(Pres. Subj.)*	*(Imperf. Subj.)*
ich	gleite		gleite	glitte
du	gleitest		gleitest	glittest
er	gleitet		gleite	glitte
wir	gleiten		gleiten	glitten
ihr	gleitet		gleitet	glittet
sie	gleiten		gleiten	glitten
	Imperfect			
ich	glitt			
du	glittest			
er	glitt			
wir	glitten			
ihr	glittet			
sie	glitten			
			Past Time	
	Perfect		*(Perf. Subj.)*	*(Pluperf. Subj.)*
ich	bin geglitten		sei geglitten	wäre geglitten
du	bist geglitten		seiest geglitten	wärest geglitten
er	ist geglitten		sei geglitten	wäre geglitten
wir	sind geglitten		seien geglitten	wären geglitten
ihr	seid geglitten		seiet geglitten	wäret geglitten
sie	sind geglitten		seien geglitten	wären geglitten
	Pluperfect			
ich	war geglitten			
du	warst geglitten			
er	war geglitten			
wir	waren geglitten			
ihr	wart geglitten			
sie	waren geglitten			
			Future Time	
	Future		*(Fut. Subj.)*	*(Pres. Conditional)*
ich	werde gleiten		werde gleiten	würde gleiten
du	wirst gleiten		werdest gleiten	würdest gleiten
er	wird gleiten		werde gleiten	würde gleiten
wir	werden gleiten		werden gleiten	würden gleiten
ihr	werdet gleiten		werdet gleiten	würdet gleiten
sie	werden gleiten		werden gleiten	würden gleiten
			Future Perfect Time	
	Future Perfect		*(Fut. Perf. Subj.)*	*(Past Conditional)*
ich	werde geglitten sein		werde geglitten sein	würde geglitten sein
du	wirst geglitten sein		werdest geglitten sein	würdest geglitten sein
er	wird geglitten sein		werde geglitten sein	würde geglitten sein
wir	werden geglitten sein		werden geglitten sein	würden geglitten sein
ihr	werdet geglitten sein		werdet geglitten sein	würdet geglitten sein
sie	werden geglitten sein		werden geglitten sein	würden geglitten sein

PRINC. PARTS: graben, grub, gegraben, gräbt
IMPERATIVE: grabe!, grabt!, graben Sie!

	INDICATIVE	SUBJUNCTIVE	
		PRIMARY	SECONDARY
		Present Time	
	Present	*(Pres. Subj.)*	*(Imperf. Subj.)*
ich	grabe	grabe	grübe
du	gräbst	grabest	grübest
er	gräbt	grabe	grübe
wir	graben	graben	grüben
ihr	grabt	grabet	grübet
sie	graben	graben	grüben

	Imperfect
ich	grub
du	grubst
er	grub
wir	gruben
ihr	grubt
sie	gruben

			Past Time	
	Perfect	*(Perf. Subj.)*	*(Pluperf. Subj.)*
ich	habe gegraben	habe gegraben	hätte gegraben
du	hast gegraben	habest gegraben	hättest gegraben
er	hat gegraben	habe gegraben	hätte gegraben
wir	haben gegraben	haben gegraben	hätten gegraben
ihr	habt gegraben	habet gegraben	hättet gegraben
sie	haben gegraben	haben gegraben	hätten gegraben

	Pluperfect
ich	hatte gegraben
du	hattest gegraben
er	hatte gegraben
wir	hatten gegraben
ihr	hattet gegraben
sie	hatten gegraben

			Future Time	
	Future	*(Fut. Subj.)*	*(Pres. Conditional)*
ich	werde graben	werde graben	würde graben
du	wirst graben	werdest graben	würdest graben
er	wird graben	werde graben	würde graben
wir	werden graben	werden graben	würden graben
ihr	werdet graben	werdet graben	würdet graben
sie	werden graben	werden graben	würden graben

			Future Perfect Time	
	Future Perfect	*(Fut. Perf. Subj.)*	*(Past Conditional)*
ich	werde gegraben haben	werde gegraben haben	würde gegraben haben
du	wirst gegraben haben	werdest gegraben haben	würdest gegraben haben
er	wird gegraben haben	werde gegraben haben	würde gegraben haben
wir	werden gegraben haben	werden gegraben haben	würden gegraben haben
ihr	werdet gegraben haben	werdet gegraben haben	würdet gegraben haben
sie	werden gegraben haben	werden gegraben haben	würden gegraben haben

greifen

to seize, grasp, grab

PRINC. PARTS: greifen, griff, gegriffen, greift
IMPERATIVE: greife!, greift!, greifen Sie!

INDICATIVE		SUBJUNCTIVE	
		PRIMARY	SECONDARY
		Present Time	
	Present	*(Pres. Subj.)*	*(Imperf. Subj.)*
ich	greife	greife	griffe
du	greifst	greifest	griffest
er	greift	greife	griffe
wir	greifen	greifen	griffen
ihr	greift	greifet	griffet
sie	greifen	greifen	griffen
	Imperfect		
ich	griff		
du	griffst		
er	griff		
wir	griffen		
ihr	grifft		
sie	griffen		
		Past Time	
	Perfect	*(Perf. Subj.)*	*(Pluperf. Subj.)*
ich	habe gegriffen	habe gegriffen	hätte gegriffen
du	hast gegriffen	habest gegriffen	hättest gegriffen
er	hat gegriffen	habe gegriffen	hätte gegriffen
wir	haben gegriffen	haben gegriffen	hätten gegriffen
ihr	habt gegriffen	habet gegriffen	hättet gegriffen
sie	haben gegriffen	haben gegriffen	hätten gegriffen
	Pluperfect		
ich	hatte gegriffen		
du	hattest gegriffen		
er	hatte gegriffen		
wir	hatten gegriffen		
ihr	hattet gegriffen		
sie	hatten gegriffen		
		Future Time	
	Future	*(Fut. Subj.)*	*(Pres. Conditional)*
ich	werde greifen	werde greifen	würde greifen
du	wirst greifen	werdest greifen	würdest greifen
er	wird greifen	werde greifen	würde greifen
wir	werden greifen	werden greifen	würden greifen
ihr	werdet greifen	werdet greifen	würdet greifen
sie	werden greifen	werden greifen	würden greifen
		Future Perfect Time	
	Future Perfect	*(Fut. Perf. Subj.)*	*(Past Conditional)*
ich	werde gegriffen haben	werde gegriffen haben	würde gegriffen haben
du	wirst gegriffen haben	werdest gegriffen haben	würdest gegriffen haben
er	wird gegriffen haben	werde gegriffen haben	würde gegriffen haben
wir	werden gegriffen haben	werden gegriffen haben	würden gegriffen haben
ihr	werdet gegriffen haben	werdet gegriffen haben	würdet gegriffen haben
sie	werden gegriffen haben	werden gegriffen haben	würden gegriffen haben

PRINC. PARTS: haben, hatte, gehabt, hat
IMPERATIVE: habe!, habt!, haben Sie!

	INDICATIVE		SUBJUNCTIVE	
			PRIMARY	SECONDARY

Present Time

	Present		*(Pres. Subj.)*	*(Imperf. Subj.)*
ich	habe		habe	hätte
du	hast		habest	hättest
er	hat		habe	hätte
wir	haben		haben	hätten
ihr	habt		habet	hättet
sie	haben		haben	hätten

	Imperfect
ich	hatte
du	hattest
er	hatte
wir	hatten
ihr	hattet
sie	hatten

Past Time

	Perfect	*(Perf. Subj.)*	*(Pluperf. Subj.)*
ich	habe gehabt	habe gehabt	hätte gehabt
du	hast gehabt	habest gehabt	hättest gehabt
er	hat gehabt	habe gehabt	hätte gehabt
wir	haben gehabt	haben gehabt	hätten gehabt
ihr	habt gehabt	habet gehabt	hättet gehabt
sie	haben gehabt	haben gehabt	hätten gehabt

	Pluperfect
ich	hatte gehabt
du	hattest gehabt
er	hatte gehabt
wir	hatten gehabt
ihr	hattet gehabt
sie	hatten gehabt

Future Time

	Future	*(Fut. Subj.)*	*(Pres. Conditional)*
ich	werde haben	werde haben	würde haben
du	wirst haben	werdest haben	würdest haben
er	wird haben	werde haben	würde haben
wir	werden haben	werden haben	würden haben
ihr	werdet haben	werdet haben	würdet haben
sie	werden haben	werden haben	würden haben

Future Perfect Time

	Future Perfect	*(Fut. Perf. Subj.)*	*(Past Conditional)*
ich	werde gehabt haben	werde gehabt haben	würde gehabt haben
du	wirst gehabt haben	werdest gehabt haben	würdest gehabt haben
er	wird gehabt haben	werde gehabt haben	würde gehabt haben
wir	werden gehabt haben	werden gehabt haben	würden gehabt haben
ihr	werdet gehabt haben	werdet gehabt haben	würdet gehabt haben
sie	werden gehabt haben	werden gehabt haben	würden gehabt haben

67

halten

to hold, stop, keep, consider

PRINC. PARTS: halten, hielt, gehalten, hält
IMPERATIVE: halte!, haltet!, halten Sie!

	INDICATIVE		SUBJUNCTIVE	
			PRIMARY	SECONDARY
			Present Time	
	Present		*(Pres. Subj.)*	*(Imperf. Subj.)*
ich	halte		halte	hielte
du	hältst		haltest	hieltest
er	hält		halte	hielte
wir	halten		halten	hielten
ihr	haltet		haltet	hieltet
sie	halten		halten	hielten

	Imperfect
ich	hielt
du	hieltest
er	hielt
wir	hielten
ihr	hieltet
sie	hielten

			Past Time	
	Perfect		*(Perf. Subj.)*	*(Pluperf. Subj.)*
ich	habe gehalten		habe gehalten	hätte gehalten
du	hast gehalten		habest gehalten	hättest gehalten
er	hat gehalten		habe gehalten	hätte gehalten
wir	haben gehalten		haben gehalten	hätten gehalten
ihr	habt gehalten		habet gehalten	hättet gehalten
sie	haben gehalten		haben gehalten	hätten gehalten

	Pluperfect
ich	hatte gehalten
du	hattest gehalten
er	hatte gehalten
wir	hatten gehalten
ihr	hattet gehalten
sie	hatten gehalten

			Future Time	
	Future		*(Fut. Subj.)*	*(Pres. Conditional)*
ich	werde halten		werde halten	würde halten
du	wirst halten		werdest halten	würdest halten
er	wird halten		werde halten	würde halten
wir	werden halten		werden halten	würden halten
ihr	werdet halten		werdet halten	würdet halten
sie	werden halten		werden halten	würden halten

			Future Perfect Time	
	Future Perfect		*(Fut. Perf. Subj.)*	*(Past Conditional)*
ich	werde gehalten haben		werde gehalten haben	würde gehalten haben
du	wirst gehalten haben		werdest gehalten haben	würdest gehalten haben
er	wird gehalten haben		werde gehalten haben	würde gehalten haben
wir	werden gehalten haben		werden gehalten haben	würden gehalten haben
ihr	werdet gehalten haben		werdet gehalten haben	würdet gehalten haben
sie	werden gehalten haben		werden gehalten haben	würden gehalten haben

68

PRINC. PARTS: hängen, hing, gehangen, hängt
IMPERATIVE: hänge!, hängt!, hängen Sie!

to hang

INDICATIVE		SUBJUNCTIVE	
		PRIMARY	SECONDARY

Present Time

Present		*(Pres. Subj.)*	*(Imperf. Subj.)*
ich	hänge	hänge	hinge
du	hängst	hängest	hingest
er	hängt	hänge	hinge
wir	hängen	hängen	hingen
ihr	hängt	hänget	hinget
sie	hängen	hängen	hingen

Imperfect	
ich	hing
du	hingst
er	hing
wir	hingen
ihr	hingt
sie	hingen

Past Time

Perfect		*(Perf. Subj.)*	*(Pluperf. Subj.)*
ich	habe gehangen	habe gehangen	hätte gehangen
du	hast gehangen	habest gehangen	hättest gehangen
er	hat gehangen	habe gehangen	hätte gehangen
wir	haben gehangen	haben gehangen	hätten gehangen
ihr	habt gehangen	habet gehangen	hättet gehangen
sie	haben gehangen	haben gehangen	hätten gehangen

Pluperfect	
ich	hatte gehangen
du	hattest gehangen
er	hatte gehangen
wir	hatten gehangen
ihr	hattet gehangen
sie	hatten gehangen

Future Time

Future		*(Fut. Subj.)*	*(Pres. Conditional)*
ich	werde hängen	werde hängen	würde hängen
du	wirst hängen	werdest hängen	würdest hängen
er	wird hängen	werde hängen	würde hängen
wir	werden hängen	werden hängen	würden hängen
ihr	werdet hängen	werdet hängen	würdet hängen
sie	werden hängen	werden hängen	würden hängen

Future Perfect Time

Future Perfect		*(Fut. Perf. Subj.)*	*(Past Conditional)*
ich	werde gehangen haben	werde gehangen haben	würde gehangen haben
du	wirst gehangen haben	werdest gehangen haben	würdest gehangen haben
er	wird gehangen haben	werde gehangen haben	würde gehangen haben
wir	werden gehangen haben	werden gehangen haben	würden gehangen haben
ihr	werdet gehangen haben	werdet gehangen haben	würdet gehangen haben
sie	werden gehangen haben	werden gehangen haben	würden gehangen haben

hauen

to strike, hew, cut, chop, beat

PRINC. PARTS: hauen, hieb,* gehauen, haut
IMPERATIVE: haue!, haut!, hauen Sie!

	INDICATIVE	SUBJUNCTIVE	
		PRIMARY	SECONDARY
		Present Time	
	Present	*(Pres. Subj.)*	*(Imperf. Subj.)*
ich	haue	haue	hiebe
du	haust	hauest	hiebest
er	haut	haue	hiebe
wir	hauen	hauen	hieben
ihr	haut	hauet	hiebet
sie	hauen	hauen	hieben

	Imperfect
ich	hieb
du	hiebst
er	hieb
wir	hieben
ihr	hiebt
sie	hieben

		Past Time	
	Perfect	*(Perf. Subj.)*	*(Pluperf. Subj.)*
ich	habe gehauen	habe gehauen	hätte gehauen
du	hast gehauen	habest gehauen	hättest gehauen
er	hat gehauen	habe gehauen	hätte gehauen
wir	haben gehauen	haben gehauen	hätten gehauen
ihr	habt gehauen	habet gehauen	hättet gehauen
sie	haben gehauen	haben gehauen	hätten gehauen

	Pluperfect
ich	hatte gehauen
du	hattest gehauen
er	hatte gehauen
wir	hatten gehauen
ihr	hattet gehauen
sie	hatten gehauen

		Future Time	
	Future	*(Fut. Subj.)*	*(Pres. Conditional)*
ich	werde hauen	werde hauen	würde hauen
du	wirst hauen	werdest hauen	würdest hauen
er	wird hauen	werde hauen	würde hauen
wir	werden hauen	werden hauen	würden hauen
ihr	werdet hauen	werdet hauen	würdet hauen
sie	werden hauen	werden hauen	würden hauen

		Future Perfect Time	
	Future Perfect	*(Fut. Perf. Subj.)*	*(Past Conditional)*
ich	werde gehauen haben	werde gehauen haben	würde gehauen haben
du	wirst gehauen haben	werdest gehauen haben	würdest gehauen haben
er	wird gehauen haben	werde gehauen haben	würde gehauen haben
wir	werden gehauen haben	werden gehauen haben	würden gehauen haben
ihr	werdet gehauen haben	werdet gehauen haben	würdet gehauen haben
sie	werden gehauen haben	werden gehauen haben	würden gehauen haben

70   * The weak forms, haute, etc., are frequently used in the Imperfect.

PRINC. PARTS: heben, hob, gehoben, hebt
IMPERATIVE: hebe!, hebt!, heben Sie!

to lift, raise, heave

INDICATIVE	SUBJUNCTIVE	
	PRIMARY	SECONDARY

Present Time

	Present	*(Pres. Subj.)*	*(Imperf. Subj.)*
ich	hebe	hebe	höbe
du	hebst	hebest	höbest
er	hebt	hebe	höbe
wir	heben	heben	höben
ihr	hebt	hebet	höbet
sie	heben	heben	höben

	Imperfect
ich	hob
du	hobst
er	hob
wir	hoben
ihr	hobt
sie	hoben

Past Time

	Perfect	*(Perf. Subj.)*	*(Pluperf. Subj.)*
ich	habe gehoben	habe gehoben	hätte gehoben
du	hast gehoben	habest gehoben	hättest gehoben
er	hat gehoben	habe gehoben	hätte gehoben
wir	haben gehoben	haben gehoben	hätten gehoben
ihr	habt gehoben	habet gehoben	hättet gehoben
sie	haben gehoben	haben gehoben	hätten gehoben

	Pluperfect
ich	hatte gehoben
du	hattest gehoben
er	hatte gehoben
wir	hatten gehoben
ihr	hattet gehoben
sie	hatten gehoben

Future Time

	Future	*(Fut. Subj.)*	*(Pres. Conditional)*
ich	werde heben	werde heben	würde heben
du	wirst heben	werdest heben	würdest heben
er	wird heben	werde heben	würde heben
wir	werden heben	werden heben	würden heben
ihr	werdet heben	werdet heben	würdet heben
sie	werden heben	werden heben	würden heben

Future Perfect Time

	Future Perfect	*(Fut. Perf. Subj.)*	*(Past Conditional)*
ich	werde gehoben haben	werde gehoben haben	würde gehoben haben
du	wirst gehoben haben	werdest gehoben haben	würdest gehoben haben
er	wird gehoben haben	werde gehoben haben	würde gehoben haben
wir	werden gehoben haben	werden gehoben haben	würden gehoben haben
ihr	werdet gehoben haben	werdet gehoben haben	würdet gehoben haben
sie	werden gehoben haben	werden gehoben haben	würden gehoben haben

heißen

to be called or named, command

PRINC. PARTS: heißen, hieß, geheißen, heißt
IMPERATIVE: heiße!, heißt!, heißen Sie!

	INDICATIVE	SUBJUNCTIVE	
		PRIMARY	SECONDARY
		Present Time	
	Present	*(Pres. Subj.)*	*(Imperf. Subj.)*
ich	heiße	heiße	hieße
du	heißt	heißest	hießest
er	heißt	heiße	hieße
wir	heißen	heißen	hießen
ihr	heißt	heißet	hießet
sie	heißen	heißen	hießen

Imperfect

ich	hieß
du	hießest
er	hieß
wir	hießen
ihr	hießt
sie	hießen

			Past Time	
	Perfect	*(Perf. Subj.)*	*(Pluperf. Subj.)*
ich	habe geheißen	habe geheißen	hätte geheißen
du	hast geheißen	habest geheißen	hättest geheißen
er	hat geheißen	habe geheißen	hätte geheißen
wir	haben geheißen	haben geheißen	hätten geheißen
ihr	habt geheißen	habet geheißen	hättet geheißen
sie	haben geheißen	haben geheißen	hätten geheißen

Pluperfect

ich	hatte geheißen
du	hattest geheißen
er	hatte geheißen
wir	hatten geheißen
ihr	hattet geheißen
sie	hatten geheißen

		Future Time	
	Future	*(Fut. Subj.)*	*(Pres. Conditional)*
ich	werde heißen	werde heißen	würde heißen
du	wirst heißen	werdest heißen	würdest heißen
er	wird heißen	werde heißen	würde heißen
wir	werden heißen	werden heißen	würden heißen
ihr	werdet heißen	werdet heißen	würdet heißen
sie	werden heißen	werden heißen	würden heißen

		Future Perfect Time	
	Future Perfect	*(Fut. Perf. Subj.)*	*(Past Conditional)*
ich	werde geheißen haben	werde geheißen haben	würde geheißen haben
du	wirst geheißen haben	werdest geheißen haben	würdest geheißen haben
er	wird geheißen haben	werde geheißen haben	würde geheißen haben
wir	werden geheißen haben	werden geheißen haben	würden geheißen haben
ihr	werdet geheißen haben	werdet geheißen haben	würdet geheißen haben
sie	werden geheißen haben	werden geheißen haben	würden geheißen haben

72

PRINC. PARTS: helfen, half, geholfen, hilft
IMPERATIVE: hilf!, helft!, helfen Sie!

to help, aid, assist

	INDICATIVE		SUBJUNCTIVE	
			PRIMARY	SECONDARY
			Present Time	
	Present		*(Pres. Subj.)*	*(Imperf. Subj.)*
ich	helfe		helfe	hülfe
du	hilfst		helfest	hülfest
er	hilft		helfe	hülfe
wir	helfen		helfen	hülfen
ihr	helft		helfet	hülfet
sie	helfen		helfen	hülfen

Imperfect

ich	half
du	halfst
er	half
wir	halfen
ihr	halft
sie	halfen

	Perfect		*(Perf. Subj.)*	*(Pluperf. Subj.)*
			Past Time	
ich	habe geholfen		habe geholfen	hätte geholfen
du	hast geholfen		habest geholfen	hättest geholfen
er	hat geholfen		habe geholfen	hätte geholfen
wir	haben geholfen		haben geholfen	hätten geholfen
ihr	habt geholfen		habet geholfen	hättet geholfen
sie	haben geholfen		haben geholfen	hätten geholfen

Pluperfect

ich	hatte geholfen
du	hattest geholfen
er	hatte geholfen
wir	hatten geholfen
ihr	hattet geholfen
sie	hatten geholfen

	Future		*(Fut. Subj.)*	*(Pres. Conditional)*
			Future Time	
ich	werde helfen		werde helfen	würde helfen
du	wirst helfen		werdest helfen	würdest helfen
er	wird helfen		werde helfen	würde helfen
wir	werden helfen		werden helfen	würden helfen
ihr	werdet helfen		werdet helfen	würdet helfen
sie	werden helfen		werden helfen	würden helfen

	Future Perfect	*(Fut. Perf. Subj.)*	*(Past Conditional)*
		Future Perfect Time	
ich	werde geholfen haben	werde geholfen haben	würde geholfen haben
du	wirst geholfen haben	werdest geholfen haben	würdest geholfen haben
er	wird geholfen haben	werde geholfen haben	würde geholfen haben
wir	werden geholfen haben	werden geholfen haben	würden geholfen haben
ihr	werdet geholfen haben	werdet geholfen haben	würdet geholfen haben
sie	werden geholfen haben	werden geholfen haben	würden geholfen haben

hören

to hear

PRINC. PARTS: hören, hörte, gehört, hört
IMPERATIVE: höre!, hört!, hören Sie!

INDICATIVE	SUBJUNCTIVE	
	PRIMARY	SECONDARY

Present Time

	Present	(Pres. Subj.)	(Imperf. Subj.)
ich	höre	höre	hörte
du	hörst	hörest	hörtest
er	hört	höre	hörte
wir	hören	hören	hörten
ihr	hört	höret	hörtet
sie	hören	hören	hörten

	Imperfect
ich	hörte
du	hörtest
er	hörte
wir	hörten
ihr	hörtet
sie	hörten

Past Time

	Perfect	(Perf. Subj.)	(Pluperf. Subj.)
ich	habe gehört	habe gehört	hätte gehört
du	hast gehört	habest gehört	hättest gehört
er	hat gehört	habe gehört	hätte gehört
wir	haben gehört	haben gehört	hätten gehört
ihr	habt gehört	habet gehört	hättet gehört
sie	haben gehört	haben gehört	hätten gehört

	Pluperfect
ich	hatte gehört
du	hattest gehört
er	hatte gehört
wir	hatten gehört
ihr	hattet gehört
sie	hatten gehört

Future Time

	Future	(Fut. Subj.)	(Pres. Conditional)
ich	werde hören	werde hören	würde hören
du	wirst hören	werdest hören	würdest hören
er	wird hören	werde hören	würde hören
wir	werden hören	werden hören	würden hören
ihr	werdet hören	werdet hören	würdet hören
sie	werden hören	werden hören	würden hören

Future Perfect Time

	Future Perfect	(Fut. Perf. Subj.)	(Past Conditional)
ich	werde gehört haben	werde gehört haben	würde gehört haben
du	wirst gehört haben	werdest gehört haben	würdest gehört haben
er	wird gehört haben	werde gehört haben	würde gehört haben
wir	werden gehört haben	werden gehört haben	würden gehört haben
ihr	werdet gehört haben	werdet gehört haben	würdet gehört haben
sie	werden gehört haben	werden gehört haben	würden gehört haben

PRINC. PARTS: sich interessieren, interessierte sich,
hat sich interessiert, interessiert sich
IMPERATIVE: interessiere dich!, interessiert euch!,
interessieren Sie sich!

to be interested in

INDICATIVE	SUBJUNCTIVE	
	PRIMARY	SECONDARY

Present Time

Present	*(Pres. Subj.)*	*(Imperf. Subj.)*
ich interessiere mich	interessiere mich	interessierte mich
du interessierst dich	interessierest dich	interessiertest dich
er interessiert sich	interessiere sich	interessierte sich
wir interessieren uns	interessieren uns	interessierten uns
ihr interessiert euch	interessieret euch	interessiertet euch
sie interessieren sich	interessieren sich	interessierten sich

Imperfect

ich interessierte mich
du interessiertest dich
er interessierte sich
wir interessierten uns
ihr interessiertet euch
sie interessierten sich

Past Time

Perfect	*(Perf. Subj.)*	*(Pluperf. Subj.)*
ich habe mich interessiert	habe mich interessiert	hätte mich interessiert
du hast dich interessiert	habest dich interessiert	hättest dich interessiert
er hat sich interessiert	habe sich interessiert	hätte sich interessiert
wir haben uns interessiert	haben uns interessiert	hätten uns interessiert
ihr habt euch interessiert	habet euch interessiert	hättet euch interessiert
sie haben sich interessiert	haben sich interessiert	hätten sich interessiert

Pluperfect

ich hatte mich interessiert
du hattest dich interessiert
er hatte sich interessiert
wir hatten uns interessiert
ihr hattet euch interessiert
sie hatten sich interessiert

Future Time

Future	*(Fut. Subj.)*	*(Pres. Conditional)*
ich werde mich interessieren	werde mich interessieren	würde mich interessieren
du wirst dich interessieren	werdest dich interessieren	würdest dich interessieren
er wird sich interessieren	werde sich interessieren	würde sich interessieren
wir werden uns interessieren	werden uns interessieren	würden uns interessieren
ihr werdet euch interessieren	werdet euch interessieren	würdet euch interessieren
sie werden sich interessieren	werden sich interessieren	würden sich interessieren

Future Perfect Time

Future Perfect	*(Fut. Perf. Subj.)*	*(Past Conditional)*
ich werde mich interessiert haben	werde mich interessiert haben	würde mich interessiert haben
du wirst dich interessiert haben	werdest dich interessiert haben	würdest dich interessiert haben
er wird sich interessiert haben	werde sich interessiert haben	würde sich interessiert haben
wir werden uns interessiert haben	werden uns interessiert haben	würden uns interessiert haben
ihr werdet euch interessiert haben	werdet euch interessiert haben	würdet euch interessiert haben
sie werden sich interessiert haben	werden sich interessiert haben	würden sich interessiert haben

kaufen

to buy

PRINC. PARTS: kaufen, kaufte, gekauft, kauft
IMPERATIVE: kaufe!, kauft!, kaufen Sie!

INDICATIVE	SUBJUNCTIVE	
	PRIMARY	SECONDARY
	Present Time	
Present	*(Pres. Subj.)*	*(Imperf. Subj.)*
ich kaufe	kaufe	kaufte
du kaufst	kaufest	kauftest
er kauft	kaufe	kaufte
wir kaufen	kaufen	kauften
ihr kauft	kaufet	kauftet
sie kaufen	kaufen	kauften

Imperfect

ich kaufte
du kauftest
er kaufte
wir kauften
ihr kauftet
sie kauften

	Past Time	
Perfect	*(Perf. Subj.)*	*(Pluperf. Subj.)*
ich habe gekauft	habe gekauft	hätte gekauft
du hast gekauft	habest gekauft	hättest gekauft
er hat gekauft	habe gekauft	hätte gekauft
wir haben gekauft	haben gekauft	hätten gekauft
ihr habt gekauft	habet gekauft	hättet gekauft
sie haben gekauft	haben gekauft	hätten gekauft

Pluperfect

ich hatte gekauft
du hattest gekauft
er hatte gekauft
wir hatten gekauft
ihr hattet gekauft
sie hatten gekauft

	Future Time	
Future	*(Fut. Subj.)*	*(Pres. Conditional)*
ich werde kaufen	werde kaufen	würde kaufen
du wirst kaufen	werdest kaufen	würdest kaufen
er wird kaufen	werde kaufen	würde kaufen
wir werden kaufen	werden kaufen	würden kaufen
ihr werdet kaufen	werdet kaufen	würdet kaufen
sie werden kaufen	werden kaufen	würden kaufen

	Future Perfect Time	
Future Perfect	*(Fut. Perf. Subj.)*	*(Past Conditional)*
ich werde gekauft haben	werde gekauft haben	würde gekauft haben
du wirst gekauft haben	werdest gekauft haben	würdest gekauft haben
er wird gekauft haben	werde gekauft haben	würde gekauft haben
wir werden gekauft haben	werden gekauft haben	würden gekauft haben
ihr werdet gekauft haben	werdet gekauft haben	würdet gekauft haben
sie werden gekauft haben	werden gekauft haben	würden gekauft haben

kennen

PRINC. PARTS: kennen, kannte, gekannt, kennt
IMPERATIVE: kenne!, kennt!, kennen Sie!

to know (by acquaintance),
be familiar with

INDICATIVE		SUBJUNCTIVE	
		PRIMARY	SECONDARY
		Present Time	
	Present	*(Pres. Subj.)*	*(Imperf. Subj.)*
ich	kenne	kenne	kennte
du	kennst	kennest	kenntest
er	kennt	kenne	kennte
wir	kennen	kennen	kennten
ihr	kennt	kennet	kenntet
sie	kennen	kennen	kennten

	Imperfect
ich	kannte
du	kanntest
er	kannte
wir	kannten
ihr	kanntet
sie	kannten

			Past Time	
	Perfect	*(Perf. Subj.)*	*(Pluperf. Subj.)*
ich	habe gekannt	habe gekannt	hätte gekannt
du	hast gekannt	habest gekannt	hättest gekannt
er	hat gekannt	habe gekannt	hätte gekannt
wir	haben gekannt	haben gekannt	hätten gekannt
ihr	habt gekannt	habet gekannt	hättet gekannt
sie	haben gekannt	haben gekannt	hätten gekannt

	Pluperfect
ich	hatte gekannt
du	hattest gekannt
er	hatte gekannt
wir	hatten gekannt
ihr	hattet gekannt
sie	hatten gekannt

			Future Time	
	Future	*(Fut. Subj.)*	*(Pres. Conditional)*
ich	werde kennen	werde kennen	würde kennen
du	wirst kennen	werdest kennen	würdest kennen
er	wird kennen	werde kennen	würde kennen
wir	werden kennen	werden kennen	würden kennen
ihr	werdet kennen	werdet kennen	würdet kennen
sie	werden kennen	werden kennen	würden kennen

			Future Perfect Time	
	Future Perfect	*(Fut. Perf. Subj.)*	*(Past Conditional)*
ich	werde gekannt haben	werde gekannt haben	würde gekannt haben
du	wirst gekannt haben	werdest gekannt haben	würdest gekannt haben
er	wird gekannt haben	werde gekannt haben	würde gekannt haben
wir	werden gekannt haben	werden gekannt haben	würden gekannt haben
ihr	werdet gekannt haben	werdet gekannt haben	würdet gekannt haben
sie	werden gekannt haben	werden gekannt haben	würden gekannt haben

kennenlernen

*to get to know, meet,
become acquainted with*

PRINC. PARTS: kennenlernen, lernte kennen,
kennengelernt, lernt kennen
IMPERATIVE: lerne kennen!, lernt kennen!,
lernen Sie kennen!

	INDICATIVE	SUBJUNCTIVE	
		PRIMARY	SECONDARY

	Present	*(Pres. Subj.)*	*(Imperf. Subj.)*
ich	lerne kennen	lerne kennen	lernte kennen
du	lernst kennen	lernest kennen	lerntest kennen
er	lernt kennen	lerne kennen	lernte kennen
wir	lernen kennen	lernen kennen	lernten kennen
ihr	lernt kennen	lernet kennen	lerntet kennen
sie	lernen kennen	lernen kennen	lernten kennen

Imperfect

ich	lernte kennen
du	lerntest kennen
er	lernte kennen
wir	lernten kennen
ihr	lerntet kennen
sie	lernten kennen

	Perfect	*(Perf. Subj.)*	*(Pluperf. Subj.)*
ich	habe kennengelernt	habe kennengelernt	hätte kennengelernt
du	hast kennengelernt	habest kennengelernt	hättest kennengelernt
er	hat kennengelernt	habe kennengelernt	hätte kennengelernt
wir	haben kennengelernt	haben kennengelernt	hätten kennengelernt
ihr	habt kennengelernt	habet kennengelernt	hättet kennengelernt
sie	haben kennengelernt	haben kennengelernt	hätten kennengelernt

Pluperfect

ich	hatte kennengelernt
du	hattest kennengelernt
er	hatte kennengelernt
wir	hatten kennengelernt
ihr	hattet kennengelernt
sie	hatten kennengelernt

Future Time

	Future	*(Fut. Subj.)*	*(Pres. Conditional)*
ich	werde kennenlernen	werde kennenlernen	würde kennenlernen
du	wirst kennenlernen	werdest kennenlernen	würdest kennenlernen
er	wird kennenlernen	werde kennenlernen	würde kennenlernen
wir	werden kennenlernen	werden kennenlernen	würden kennenlernen
ihr	werdet kennenlernen	werdet kennenlernen	würdet kennenlernen
sie	werden kennenlernen	werden kennenlernen	würden kennenlernen

Future Perfect Time

	Future Perfect	*(Fut. Perf. Subj.)*	*(Past Conditional)*
ich	werde kennengelernt haben	werde kennengelernt haben	würde kennengelernt haben
du	wirst kennengelernt haben	werdest kennengelernt haben	würdest kennengelernt haben
er	wird kennengelernt haben	werde kennengelernt haben	würde kennengelernt haben
wir	werden kennengelernt haben	werden kennengelernt haben	würden kennengelernt haben
ihr	werdet kennengelernt haben	werdet kennengelernt haben	würdet kennengelernt haben
sie	werden kennengelernt haben	werden kennengelernt haben	würden kennengelernt haben

PRINC. PARTS: klingen,* klang, geklungen, klingt
IMPERATIVE: klinge!, klingt!, klingen Sie!**

to ring, sound

INDICATIVE	SUBJUNCTIVE	
	PRIMARY	SECONDARY

Present Time

	Present	*(Pres. Subj.)*	*(Imperf. Subj.)*
ich	klinge	klinge	klänge
du	klingst	klingest	klängest
er	klingt	klinge	klänge
wir	klingen	klingen	klängen
ihr	klingt	klinget	klänget
sie	klingen	klingen	klängen

	Imperfect
ich	klang
du	klangst
er	klang
wir	klangen
ihr	klangt
sie	klangen

Past Time

	Perfect	*(Perf. Subj.)*	*(Pluperf. Subj.)*
ich	habe geklungen	habe geklungen	hätte geklungen
du	hast geklungen	habest geklungen	hättest geklungen
er	hat geklungen	habe geklungen	hätte geklungen
wir	haben geklungen	haben geklungen	hätten geklungen
ihr	habt geklungen	habet geklungen	hättet geklungen
sie	haben geklungen	haben geklungen	hätten geklungen

	Pluperfect
ich	hatte geklungen
du	hattest geklungen
er	hatte geklungen
wir	hatten geklungen
ihr	hattet geklungen
sie	hatten geklungen

Future Time

	Future	*(Fut. Subj.)*	*(Pres. Conditional)*
ich	werde klingen	werde klingen	würde klingen
du	wirst klingen	werdest klingen	würdest klingen
er	wird klingen	werde klingen	würde klingen
wir	werden klingen	werden klingen	würden klingen
ihr	werdet klingen	werdet klingen	würdet klingen
sie	werden klingen	werden klingen	würden klingen

Future Perfect Time

	Future Perfect	*(Fut. Perf. Subj.)*	*(Past Conditional)*
ich	werde geklungen haben	werde geklungen haben	würde geklungen haben
du	wirst geklungen haben	werdest geklungen haben	würdest geklungen haben
er	wird geklungen haben	werde geklungen haben	würde geklungen haben
wir	werden geklungen haben	werden geklungen haben	würden geklungen haben
ihr	werdet geklungen haben	werdet geklungen haben	würdet geklungen haben
sie	werden geklungen haben	werden geklungen haben	würden geklungen haben

* Forms other than the third person are infrequently found.
** The imperative is unusual.

kommen

to come

PRINC. PARTS: kommen, kam, ist gekommen, kommt
IMPERATIVE: komme!, kommt!, kommen Sie!

INDICATIVE	SUBJUNCTIVE	
	PRIMARY	SECONDARY
	Present Time	
Present	*(Pres. Subj.)*	*(Imperf. Subj.)*
ich komme	komme	käme
du kommst	kommest	kämest
er kommt	komme	käme
wir kommen	kommen	kämen
ihr kommt	kommet	kämet
sie kommen	kommen	kämen

Imperfect		
ich kam		
du kamst		
er kam		
wir kamen		
ihr kamt		
sie kamen		

	Past Time	
Perfect	*(Perf. Subj.)*	*(Pluperf. Subj.)*
ich bin gekommen	sei gekommen	wäre gekommen
du bist gekommen	seiest gekommen	wärest gekommen
er ist gekommen	sei gekommen	wäre gekommen
wir sind gekommen	seien gekommen	wären gekommen
ihr seid gekommen	seiet gekommen	wäret gekommen
sie sind gekommen	seien gekommen	wären gekommen

Pluperfect		
ich war gekommen		
du warst gekommen		
er war gekommen		
wir waren gekommen		
ihr wart gekommen		
sie waren gekommen		

	Future Time	
Future	*(Fut. Subj.)*	*(Pres. Conditional)*
ich werde kommen	werde kommen	würde kommen
du wirst kommen	werdest kommen	würdest kommen
er wird kommen	werde kommen	würde kommen
wir werden kommen	werden kommen	würden kommen
ihr werdet kommen	werdet kommen	würdet kommen
sie werden kommen	werden kommen	würden kommen

	Future Perfect Time	
Future Perfect	*(Fut. Perf. Subj.)*	*(Past Conditional)*
ich werde gekommen sein	werde gekommen sein	würde gekommen sein
du wirst gekommen sein	werdest gekommen sein	würdest gekommen sein
er wird gekommen sein	werde gekommen sein	würde gekommen sein
wir werden gekommen sein	werden gekommen sein	würden gekommen sein
ihr werdet gekommen sein	werdet gekommen sein	würdet gekommen sein
sie werden gekommen sein	werden gekommen sein	würden gekommen sein

PRINC. PARTS: können, konnte, gekonnt (können
when immediately preceded by a
infinitive—see 'sprechen dürfen'), kann

IMPERATIVE:

können
*to be able (can),
to know (a language
or how to do something)*

	INDICATIVE		SUBJUNCTIVE	
			PRIMARY	SECONDARY
			Present Time	
	Present		(*Pres. Subj.*)	(*Imperf. Subj.*)
ich	kann		könne	könnte
du	kannst		könnest	könntest
er	kann		könne	könnte
wir	können		können	könnten
ihr	könnt		könnet	könntet
sie	können		können	könnten
	Imperfect			
ich	konnte			
du	konntest			
er	konnte			
wir	konnten			
ihr	konntet			
sie	konnten			
			Past Time	
	Perfect		(*Perf. Subj.*)	(*Pluperf. Subj.*)
ich	habe gekonnt		habe gekonnt	hätte gekonnt
du	hast gekonnt		habest gekonnt	hättest gekonnt
er	hat gekonnt		habe gekonnt	hätte gekonnt
wir	haben gekonnt		haben gekonnt	hätten gekonnt
ihr	habt gekonnt		habet gekonnt	hättet gekonnt
sie	haben gekonnt		haben gekonnt	hätten gekonnt
	Pluperfect			
ich	hatte gekonnt			
du	hattest gekonnt			
er	hatte gekonnt			
wir	hatten gekonnt			
ihr	hattet gekonnt			
sie	hatten gekonnt			
			Future Time	
	Future		(*Fut. Subj.*)	(*Pres. Conditional*)
ich	werde können		werde können	würde können
du	wirst können		werdest können	würdest können
er	wird können		werde können	würde können
wir	werden können		werden können	würden können
ihr	werdet können		werdet können	würdet können
sie	werden können		werden können	würden können
			Future Perfect Time	
	Future Perfect		(*Fut. Perf. Subj.*)	(*Past Conditional*)
ich	werde gekonnt haben		werde gekonnt haben	würde gekonnt haben
du	wirst gekonnt haben		werdest gekonnt haben	würdest gekonnt haben
er	wird gekonnt haben		werde gekonnt haben	würde gekonnt haben
wir	werden gekonnt haben		werden gekonnt haben	würden gekonnt haben
ihr	werdet gekonnt haben		werdet gekonnt haben	würdet gekonnt haben
sie	werden gekonnt haben		werden gekonnt haben	würden gekonnt haben

81

kriechen
to creep, crawl

PRINC. PARTS: kriechen, kroch, ist gekrochen, kriecht
IMPERATIVE: krieche!, kriecht!, kriechen Sie!

INDICATIVE	SUBJUNCTIVE	
	PRIMARY	SECONDARY

Present Time

	Present	(*Pres. Subj.*)	(*Imperf. Subj.*)
ich	krieche	krieche	kröche
du	kriechst	kriechest	kröchest
er	kriecht	krieche	kröche
wir	kriechen	kriechen	kröchen
ihr	kriecht	kriechet	kröchet
sie	kriechen	kriechen	kröchen

	Imperfect
ich	kroch
du	krochst
er	kroch
wir	krochen
ihr	krocht
sie	krochen

Past Time

	Perfect	(*Perf. Subj.*)	(*Pluperf. Subj.*)
ich	bin gekrochen	sei gekrochen	wäre gekrochen
du	bist gekrochen	seiest gekrochen	wärest gekrochen
er	ist gekrochen	sei gekrochen	wäre gekrochen
wir	sind gekrochen	seien gekrochen	wären gekrochen
ihr	seid gekrochen	seiet gekrochen	wäret gekrochen
sie	sind gekrochen	seien gekrochen	wären gekrochen

	Pluperfect
ich	war gekrochen
du	warst gekrochen
er	war gekrochen
wir	waren gekrochen
ihr	wart gekrochen
sie	waren gekrochen

Future Time

	Future	(*Fut. Subj.*)	(*Pres. Conditional*)
ich	werde kriechen	werde kriechen	würde kriechen
du	wirst kriechen	werdest kriechen	würdest kriechen
er	wird kriechen	werde kriechen	würde kriechen
wir	werden kriechen	werden kriechen	würden kriechen
ihr	werdet kriechen	werdet kriechen	würdet kriechen
sie	werden kriechen	werden kriechen	würden kriechen

Future Perfect Time

	Future Perfect	(*Fut. Perf. Subj.*)	(*Past Conditional*)
ich	werde gekrochen sein	werde gekrochen sein	würde gekrochen sein
du	wirst gekrochen sein	werdest gekrochen sein	würdest gekrochen sein
er	wird gekrochen sein	werde gekrochen sein	würde gekrochen sein
wir	werden gekrochen sein	werden gekrochen sein	würden gekrochen sein
ihr	werdet gekrochen sein	werdet gekrochen sein	würdet gekrochen sein
sie	werden gekrochen sein	werden gekrochen sein	würden gekrochen sein

PRINC. PARTS: lächeln, lächelte, gelächelt, lächelt
IMPERATIVE: lächle!, lächelt!, lächeln Sie!

INDICATIVE	SUBJUNCTIVE	
	PRIMARY	SECONDARY

Present Time

	Present	*(Pres. Subj.)*	*(Imperf. Subj.)*
ich	lächle	lächle	lächelte
du	lächelst	lächlest	lächeltest
er	lächelt	lächle	lächelte
wir	lächeln	lächeln	lächelten
ihr	lächelt	lächlet	lächeltet
sie	lächeln	lächeln	lächelten

	Imperfect
ich	lächelte
du	lächeltest
er	lächelte
wir	lächelten
ihr	lächeltet
sie	lächelten

Past Time

	Perfect	*(Perf. Subj.)*	*(Pluperf. Subj.)*
ich	habe gelächelt	habe gelächelt	hätte gelächelt
du	hast gelächelt	habest gelächelt	hättest gelächelt
er	hat gelächelt	habe gelächelt	hätte gelächelt
wir	haben gelächelt	haben gelächelt	hätten gelächelt
ihr	habt gelächelt	habet gelächelt	hättet gelächelt
sie	haben gelächelt	haben gelächelt	hätten gelächelt

	Pluperfect
ich	hatte gelächelt
du	hattest gelächelt
er	hatte gelächelt
wir	hatten gelächelt
ihr	hattet gelächelt
sie	hatten gelächelt

Future Time

	Future	*(Fut. Subj.)*	*(Pres. Conditional)*
ich	werde lächeln	werde lächeln	würde lächeln
du	wirst lächeln	werdest lächeln	würdest lächeln
er	wird lächeln	werde lächeln	würde lächeln
wir	werden lächeln	werden lächeln	würden lächeln
ihr	werdet lächeln	werdet lächeln	würdet lächeln
sie	werden lächeln	werden lächeln	würden lächeln

Future Perfect Time

	Future Perfect	*(Fut. Perf. Subj.)*	*(Past Conditional)*
ich	werde gelächelt haben	werde gelächelt haben	würde gelächelt haben
du	wirst gelächelt haben	werdest gelächelt haben	würdest gelächelt haben
er	wird gelächelt haben	werde gelächelt haben	würde gelächelt haben
wir	werden gelächelt haben	werden gelächelt haben	würden gelächelt haben
ihr	werdet gelächelt haben	werdet gelächelt haben	würdet gelächelt haben
sie	werden gelächelt haben	werden gelächelt haben	würden gelächelt haben

lachen

to laugh

PRINC. PARTS: lachen, lachte, gelacht, lacht
IMPERATIVE: lache!, lacht!, lachen Sie!

INDICATIVE	SUBJUNCTIVE	
	PRIMARY	SECONDARY

Present Time

	Present	(Pres. Subj.)	(Imperf. Subj.)
ich	lache	lache	lachte
du	lachst	lachest	lachtest
er	lacht	lache	lachte
wir	lachen	lachen	lachten
ihr	lacht	lachet	lachtet
sie	lachen	lachen	lachten

	Imperfect
ich	lachte
du	lachtest
er	lachte
wir	lachten
ihr	lachtet
sie	lachten

Past Time

	Perfect	(Perf. Subj.)	(Pluperf. Subj.)
ich	habe gelacht	habe gelacht	hätte gelacht
du	hast gelacht	habest gelacht	hättest gelacht
er	hat gelacht	habe gelacht	hätte gelacht
wir	haben gelacht	haben gelacht	hätten gelacht
ihr	habt gelacht	habet gelacht	hättet gelacht
sie	haben gelacht	haben gelacht	hätten gelacht

	Pluperfect
ich	hatte gelacht
du	hattest gelacht
er	hatte gelacht
wir	hatten gelacht
ihr	hattet gelacht
sie	hatten gelacht

Future Time

	Future	(Fut. Subj.)	(Pres. Conditional)
ich	werde lachen	werde lachen	würde lachen
du	wirst lachen	werdest lachen	würdest lachen
er	wird lachen	werde lachen	würde lachen
wir	werden lachen	werden lachen	würden lachen
ihr	werdet lachen	werdet lachen	würdet lachen
sie	werden lachen	werden lachen	würden lachen

Future Perfect Time

	Future Perfect	(Fut. Perf. Subj.)	(Past Conditional)
ich	werde gelacht haben	werde gelacht haben	würde gelacht haben
du	wirst gelacht haben	werdest gelacht haben	würdest gelacht haben
er	wird gelacht haben	werde gelacht haben	würde gelacht haben
wir	werden gelacht haben	werden gelacht haben	würden gelacht haben
ihr	werdet gelacht haben	werdet gelacht haben	würdet gelacht haben
sie	werden gelacht haben	werden gelacht haben	würden gelacht haben

laden

to invite; cite, summon

	INDICATIVE	SUBJUNCTIVE		
		PRIMARY		SECONDARY

Present Time

	Present	*(Pres. Subj.)*	*(Imperf. Subj.)*	
ich	lade	lade	lüde	ladete
du	lädst (ladest)	ladest	lüdest	ladetest
er	lädt (ladet)	lade	lüde *or*	ladete
wir	laden	laden	lüden	ladeten
ihr	ladet	ladet	lüdet	ladetet
sie	laden	laden	lüden	ladeten

	Imperfect	
ich	lud	ladete
du	ludst	ladetest
er	lud *or*	ladete
wir	luden	ladeten
ihr	ludet	ladetet
sie	luden	ladeten

Past Time

	Perfect	*(Perf. Subj.)*	*(Pluperf. Subj.)*
ich	habe geladen	habe geladen	hätte geladen
du	hast geladen	habest geladen	hättest geladen
er	hat geladen	habe geladen	hätte geladen
wir	haben geladen	haben geladen	hätten geladen
ihr	habt geladen	habet geladen	hättet geladen
sie	haben geladen	haben geladen	hätten geladen

	Pluperfect
ich	hatte geladen
du	hattest geladen
er	hatte geladen
wir	hatten geladen
ihr	hattet geladen
sie	hatten geladen

Future Time

	Future	*(Fut. Subj.)*	*(Pres. Conditional)*
ich	werde laden	werde laden	würde laden
du	wirst laden	werdest laden	würdest laden
er	wird laden	werde laden	würde laden
wir	werden laden	werden laden	würden laden
ihr	werdet laden	werdet laden	würdet laden
sie	werden laden	werden laden	würden laden

	Future Perfect	*(Fut. Perf. Subj.)*	*(Past Conditional)*
ich	werde geladen haben	werde geladen haben	würde geladen haben
du	wirst geladen haben	werdest geladen haben	würdest geladen haben
er	wird geladen haben	werde geladen haben	würde geladen haben
wir	werden geladen haben	werden geladen haben	würden geladen haben
ihr	werdet geladen haben	werdet geladen haben	würdet geladen haben
sie	werden geladen haben	werden geladen haben	würden geladen haben

85

lassen

to let, leave, allow, abandon
have something done (with infinitive)

PRINC. PARTS: lassen, ließ, gelassen, läßt
IMPERATIVE: laß!, laßt!, lassen Sie!

INDICATIVE		SUBJUNCTIVE	
		PRIMARY	SECONDARY
		Present Time	
	Present	*(Pres. Subj.)*	*(Imperf. Subj.)*
ich	lasse	lasse	ließe
du	läßt	lassest	ließest
er	läßt	lasse	ließe
wir	lassen	lassen	ließen
ihr	laßt	lasset	ließet
sie	lassen	lassen	ließen
	Imperfect		
ich	ließ		
du	ließest		
er	ließ		
wir	ließen		
ihr	ließt		
sie	ließen		
		Past Time	
	Perfect	*(Perf. Subj.)*	*(Pluperf. Subj.)*
ich	habe gelassen	habe gelassen	hätte gelassen
du	hast gelassen	habest gelassen	hättest gelassen
er	hat gelassen	habe gelassen	hätte gelassen
wir	haben gelassen	haben gelassen	hätten gelassen
ihr	habt gelassen	habet gelassen	hättet gelassen
sie	haben gelassen	haben gelassen	hätten gelassen
	Pluperfect		
ich	hatte gelassen		
du	hattest gelassen		
er	hatte gelassen		
wir	hatten gelassen		
ihr	hattet gelassen		
sie	hatten gelassen		
		Future Time	
	Future	*(Fut. Subj.)*	*(Pres. Conditional)*
ich	werde lassen	werde lassen	würde lassen
du	wirst lassen	werdest lassen	würdest lassen
er	wird lassen	werde lassen	würde lassen
wir	werden lassen	werden lassen	würden lassen
ihr	werdet lassen	werdet lassen	würdet lassen
sie	werden lassen	werden lassen	würden lassen
		Future Perfect Time	
	Future Perfect	*(Fut. Perf. Subj.)*	*(Past Conditional)*
ich	werde gelassen haben	werde gelassen haben	würde gelassen haben
du	wirst gelassen haben	werdest gelassen haben	würdest gelassen haben
er	wird gelassen haben	werde gelassen haben	würde gelassen haben
wir	werden gelassen haben	werden gelassen haben	würden gelassen haben
ihr	werdet gelassen haben	werdet gelassen haben	würdet gelassen haben
sie	werden gelassen haben	werden gelassen haben	würden gelassen haben

PRINC. PARTS: laufen, lief, ist gelaufen, läuft
IMPERATIVE: laufe!, lauft!, laufen Sie!

to run, walk

	INDICATIVE	SUBJUNCTIVE	
		PRIMARY	SECONDARY

Present Time

	Present	*(Pres. Subj.)*	*(Imperf. Subj.)*
ich	laufe	laufe	liefe
du	läufst	laufest	liefest
er	läuft	laufe	liefe
wir	laufen	laufen	liefen
ihr	lauft	laufet	liefet
sie	laufen	laufen	liefen

	Imperfect
ich	lief
du	liefst
er	lief
wir	liefen
ihr	lieft
sie	liefen

Past Time

	Perfect	*(Perf. Subj.)*	*(Pluperf. Subj.)*
ich	bin gelaufen	sei gelaufen	wäre gelaufen
du	bist gelaufen	seiest gelaufen	wärest gelaufen
er	ist gelaufen	sei gelaufen	wäre gelaufen
wir	sind gelaufen	seien gelaufen	wären gelaufen
ihr	seid gelaufen	seiet gelaufen	wäret gelaufen
sie	sind gelaufen	seien gelaufen	wären gelaufen

	Pluperfect
ich	war gelaufen
du	warst gelaufen
er	war gelaufen
wir	waren gelaufen
ihr	wart gelaufen
sie	waren gelaufen

Future Time

	Future	*(Fut. Subj.)*	*(Pres. Conditional)*
ich	werde laufen	werde laufen	würde laufen
du	wirst laufen	werdest laufen	würdest laufen
er	wird laufen	werde laufen	würde laufen
wir	werden laufen	werden laufen	würden laufen
ihr	werdet laufen	werdet laufen	würdet laufen
sie	werden laufen	werden laufen	würden laufen

Future Perfect Time

	Future Perfect	*(Fut. Perf. Subj.)*	*(Past Conditional)*
ich	werde gelaufen sein	werde gelaufen sein	würde gelaufen sein
du	wirst gelaufen sein	werdest gelaufen sein	würdest gelaufen sein
er	wird gelaufen sein	werde gelaufen sein	würde gelaufen sein
wir	werden gelaufen sein	werden gelaufen sein	würden gelaufen sein
ihr	werdet gelaufen sein	werdet gelaufen sein	würdet gelaufen sein
sie	werden gelaufen sein	werden gelaufen sein	würden gelaufen sein

legen

to lay, put, place, deposit

PRINC. PARTS: legen, legte, gelegt, legt
IMPERATIVE: lege!, legt!, legen Sie!

INDICATIVE		SUBJUNCTIVE	
		PRIMARY	SECONDARY
		Present Time	
	Present	(*Pres. Subj.*)	(*Imperf. Subj.*)
ich	lege	lege	legte
du	legst	legest	legtest
er	legt	lege	legte
wir	legen	legen	legten
ihr	legt	leget	legtet
sie	legen	legen	legten

	Imperfect
ich	legte
du	legtest
er	legte
wir	legten
ihr	legtet
sie	legten

		Past Time	
	Perfect	(*Perf. Subj.*)	(*Pluperf. Subj.*)
ich	habe gelegt	habe gelegt	hätte gelegt
du	hast gelegt	habest gelegt	hättest gelegt
er	hat gelegt	habe gelegt	hätte gelegt
wir	haben gelegt	haben gelegt	hätten gelegt
ihr	habt gelegt	habet gelegt	hättet gelegt
sie	haben gelegt	haben gelegt	hätten gelegt

	Pluperfect
ich	hatte gelegt
du	hattest gelegt
er	hatte gelegt
wir	hatten gelegt
ihr	hattet gelegt
sie	hatten gelegt

		Future Time	
	Future	(*Fut. Subj.*)	(*Pres. Conditional*)
ich	werde legen	werde legen	würde legen
du	wirst legen	werdest legen	würdest legen
er	wird legen	werde legen	würde legen
wir	werden legen	werden legen	würden legen
ihr	werdet legen	werdet legen	würdet legen
sie	werden legen	werden legen	würden legen

		Future Perfect Time	
	Future Perfect	(*Fut. Perf. Subj.*)	(*Past Conditional*)
ich	werde gelegt haben	werde gelegt haben	würde gelegt haben
du	wirst gelegt haben	werdest gelegt haben	würdest gelegt haben
er	wird gelegt haben	werde gelegt haben	würde gelegt haben
wir	werden gelegt haben	werden gelegt haben	würden gelegt haben
ihr	werdet gelegt haben	werdet gelegt haben	würdet gelegt haben
sie	werden gelegt haben	werden gelegt haben	würden gelegt haben

PRINC. PARTS: leiden, litt, gelitten, leidet
IMPERATIVE: leide!, leidet!, leiden Sie!

leiden

to suffer

INDICATIVE	SUBJUNCTIVE	
	PRIMARY	SECONDARY

Present Time

	Present	*(Pres. Subj.)*	*(Imperf. Subj.)*
ich	leide	leide	litte
du	leidest	leidest	littest
er	leidet	leide	litte
wir	leiden	leiden	litten
ihr	leidet	leidet	littet
sie	leiden	leiden	litten

	Imperfect
ich	litt
du	littst
er	litt
wir	litten
ihr	littet
sie	litten

Past Time

	Perfect	*(Perf. Subj.)*	*(Pluperf. Subj.)*
ich	habe gelitten	habe gelitten	hätte gelitten
du	hast gelitten	habest gelitten	hättest gelitten
er	hat gelitten	habe gelitten	hätte gelitten
wir	haben gelitten	haben gelitten	hätten gelitten
ihr	habt gelitten	habet gelitten	hättet gelitten
sie	haben gelitten	haben gelitten	hätten gelitten

	Pluperfect
ich	hatte gelitten
du	hattest gelitten
er	hatte gelitten
wir	hatten gelitten
ihr	hattet gelitten
sie	hatten gelitten

Future Time

	Future	*(Fut. Subj.)*	*(Pres. Conditional)*
ich	werde leiden	werde leiden	würde leiden
du	wirst leiden	werdest leiden	würdest leiden
er	wird leiden	werde leiden	würde leiden
wir	werden leiden	werden leiden	würden leiden
ihr	werdet leiden	werdet leiden	würdet leiden
sie	werden leiden	werden leiden	würden leiden

Future Perfect Time

	Future Perfect	*(Fut. Perf. Subj.)*	*(Past Conditional)*
ich	werde gelitten haben	werde gelitten haben	würde gelitten haben
du	wirst gelitten haben	werdest gelitten haben	würdest gelitten haben
er	wird gelitten haben	werde gelitten haben	würde gelitten haben
wir	werden gelitten haben	werden gelitten haben	würden gelitten haben
ihr	werdet gelitten haben	werdet gelitten haben	würdet gelitten haben
sie	werden gelitten haben	werden gelitten haben	würden gelitten haben

89

leihen

to lend, borrow from, hire

PRINC. PARTS: leihen, lieh, geliehen, leiht
IMPERATIVE: leihe!, leiht!, leihen Sie!

| | INDICATIVE | | SUBJUNCTIVE | |
| | | | PRIMARY | SECONDARY |

Present Time

	Present		*(Pres. Subj.)*	*(Imperf. Subj.)*
ich	leihe		leihe	liehe
du	leihst		leihest	liehest
er	leiht		leihe	liehe
wir	leihen		leihen	liehen
ihr	leiht		leihet	liehet
sie	leihen		leihen	liehen

	Imperfect
ich	lieh
du	liehst
er	lieh
wir	liehen
ihr	lieht
sie	liehen

Past Time

	Perfect		*(Perf. Subj.)*	*(Pluperf. Subj.)*
ich	habe geliehen		habe geliehen	hätte geliehen
du	hast geliehen		habest geliehen	hättest geliehen
er	hat geliehen		habe geliehen	hätte geliehen
wir	haben geliehen		haben geliehen	hätten geliehen
ihr	habt geliehen		habet geliehen	hättet geliehen
sie	haben geliehen		haben geliehen	hätten geliehen

	Pluperfect
ich	hatte geliehen
du	hattest geliehen
er	hatte geliehen
wir	hatten geliehen
ihr	hattet geliehen
sie	hatten geliehen

Future Time

	Future		*(Fut. Subj.)*	*(Pres. Conditional)*
ich	werde leihen		werde leihen	würde leihen
du	wirst leihen		werdest leihen	würdest leihen
er	wird leihen		werde leihen	würde leihen
wir	werden leihen		werden leihen	würden leihen
ihr	werdet leihen		werdet leihen	würdet leihen
sie	werden leihen		werden leihen	würden leihen

Future Perfect Time

	Future Perfect	*(Fut. Perf. Subj.)*	*(Past Conditional)*
ich	werde geliehen haben	werde geliehen haben	würde geliehen haben
du	wirst geliehen haben	werdest geliehen haben	würdest geliehen haben
er	wird geliehen haben	werde geliehen haben	würde geliehen haben
wir	werden geliehen haben	werden geliehen haben	würden geliehen haben
ihr	werdet geliehen haben	werdet geliehen haben	würdet geliehen haben
sie	werden geliehen haben	werden geliehen haben	würden geliehen haben

PRINC. PARTS: lesen, las, gelesen, liest
IMPERATIVE: lies!, lest!, lesen Sie!

to read

INDICATIVE	SUBJUNCTIVE	
	PRIMARY	SECONDARY

Present Time

Present	*(Pres. Subj.)*	*(Imperf. Subj.)*
ich lese	lese	läse
du liest	lesest	läsest
er liest	lese	läse
wir lesen	lesen	läsen
ihr lest	leset	läset
sie lesen	lesen	läsen

Imperfect		
ich las		
du lasest		
er las		
wir lasen		
ihr last		
sie lasen		

Past Time

Perfect	*(Perf. Subj.)*	*(Pluperf. Subj.)*
ich habe gelesen	habe gelesen	hätte gelesen
du hast gelesen	habest gelesen	hättest gelesen
er hat gelesen	habe gelesen	hätte gelesen
wir haben gelesen	haben gelesen	hätten gelesen
ihr habt gelesen	habet gelesen	hättet gelesen
sie haben gelesen	haben gelesen	hätten gelesen

Pluperfect		
ich hatte gelesen		
du hattest gelesen		
er hatte gelesen		
wir hatten gelesen		
ihr hattet gelesen		
sie hatten gelesen		

Future Time

Future	*(Fut. Subj.)*	*(Pres. Conditional)*
ich werde lesen	werde lesen	würde lesen
du wirst lesen	werdest lesen	würdest lesen
er wird lesen	werde lesen	würde lesen
wir werden lesen	werden lesen	würden lesen
ihr werdet lesen	werdet lesen	würdet lesen
sie werden lesen	werden lesen	würden lesen

Future Perfect Time

Future Perfect	*(Fut. Perf. Subj.)*	*(Past Conditional)*
ich werde gelesen haben	werde gelesen haben	würde gelesen haben
du wirst gelesen haben	werdest gelesen haben	würdest gelesen haben
er wird gelesen haben	werde gelesen haben	würde gelesen haben
wir werden gelesen haben	werden gelesen haben	würden gelesen haben
ihr werdet gelesen haben	werdet gelesen haben	würdet gelesen haben
sie werden gelesen haben	werden gelesen haben	würden gelesen haben

lieben

to love

PRINC. PARTS: lieben, liebte, geliebt, liebt
IMPERATIVE: liebe!, liebt!, lieben Sie!

	INDICATIVE		SUBJUNCTIVE	
			PRIMARY	SECONDARY
			Present Time	
	Present		*(Pres. Subj.)*	*(Imperf. Subj.)*
ich	liebe		liebe	liebte
du	liebst		liebest	liebtest
er	liebt		liebe	liebte
wir	lieben		lieben	liebten
ihr	liebt		liebet	liebtet
sie	lieben		lieben	liebten

	Imperfect
ich	liebte
du	liebtest
er	liebte
wir	liebten
ihr	liebtet
sie	liebten

			Past Time	
	Perfect		*(Perf. Subj.)*	*(Pluperf. Subj.)*
ich	habe geliebt		habe geliebt	hätte geliebt
du	hast geliebt		habest geliebt	hättest geliebt
er	hat geliebt		habe geliebt	hätte geliebt
wir	haben geliebt		haben geliebt	hätten geliebt
ihr	habt geliebt		habet geliebt	hättet geliebt
sie	haben geliebt		haben geliebt	hätten geliebt

	Pluperfect
ich	hatte geliebt
du	hattest geliebt
er	hatte geliebt
wir	hatten geliebt
ihr	hattet geliebt
sie	hatten geliebt

			Future Time	
	Future		*(Fut. Subj.)*	*(Pres. Conditional)*
ich	werde lieben		werde lieben	würde lieben
du	wirst lieben		werdest lieben	würdest lieben
er	wird lieben		werde lieben	würde lieben
wir	werden lieben		werden lieben	würden lieben
ihr	werdet lieben		werdet lieben	würdet lieben
sie	werden lieben		werden lieben	würden lieben

			Future Perfect Time	
	Future Perfect		*(Fut. Perf. Subj.)*	*(Past Conditional)*
ich	werde geliebt haben		werde geliebt haben	würde geliebt haben
du	wirst geliebt haben		werdest geliebt haben	würdest geliebt haben
er	wird geliebt haben		werde geliebt haben	würde geliebt haben
wir	werden geliebt haben		werden geliebt haben	würden geliebt haben
ihr	werdet geliebt haben		werdet geliebt haben	würdet geliebt haben
sie	werden geliebt haben		werden geliebt haben	würden geliebt haben

liegen

PRINC. PARTS: liegen, lag, gelegen, liegt
IMPERATIVE: liege!, liegt!, liegen Sie!

to lie, rest, be situated

INDICATIVE		SUBJUNCTIVE	
		PRIMARY	SECONDARY
		Present Time	
	Present	*(Pres. Subj.)*	*(Imperf. Subj.)*
ich	liege	liege	läge
du	liegst	liegest	lägest
er	liegt	liege	läge
wir	liegen	liegen	lägen
ihr	liegt	lieget	läget
sie	liegen	liegen	lägen

	Imperfect
ich	lag
du	lagst
er	lag
wir	lagen
ihr	lagt
sie	lagen

		Past Time	
	Perfect	*(Perf. Subj.)*	*(Pluperf. Subj.)*
ich	habe gelegen	habe gelegen	hätte gelegen
du	hast gelegen	habest gelegen	hättest gelegen
er	hat gelegen	habe gelegen	hätte gelegen
wir	haben gelegen	haben gelegen	hätten gelegen
ihr	habt gelegen	habet gelegen	hättet gelegen
sie	haben gelegen	haben gelegen	hätten gelegen

	Pluperfect
ich	hatte gelegen
du	hattest gelegen
er	hatte gelegen
wir	hatten gelegen
ihr	hattet gelegen
sie	hatten gelegen

		Future Time	
	Future	*(Fut. Subj.)*	*(Pres. Conditional)*
ich	werde liegen	werde liegen	würde liegen
du	wirst liegen	werdest liegen	würdest liegen
er	wird liegen	werde liegen	würde liegen
wir	werden liegen	werden liegen	würden liegen
ihr	werdet liegen	werdet liegen	würdet liegen
sie	werden liegen	werden liegen	würden liegen

		Future Perfect Time	
	Future Perfect	*(Fut. Perf. Subj.)*	*(Past Conditional)*
ich	werde gelegen haben	werde gelegen haben	würde gelegen haben
du	wirst gelegen haben	werdest gelegen haben	würdest gelegen haben
er	wird gelegen haben	werde gelegen haben	würde gelegen haben
wir	werden gelegen haben	werden gelegen haben	würden gelegen haben
ihr	werdet gelegen haben	werdet gelegen haben	würdet gelegen haben
sie	werden gelegen haben	werden gelegen haben	würden gelegen haben

93

lügen

to tell a lie

PRINC. PARTS: lügen, log, gelogen, lügt
IMPERATIVE: lüge!, lügt!, lügen Sie!

	INDICATIVE	SUBJUNCTIVE	
		PRIMARY	SECONDARY
		Present Time	
	Present	*(Pres. Subj.)*	*(Imperf. Subj.)*
ich	lüge	lüge	löge
du	lügst	lügest	lögest
er	lügt	lüge	löge
wir	lügen	lügen	lögen
ihr	lügt	lüget	löget
sie	lügen	lügen	lögen

	Imperfect
ich	log
du	logst
er	log
wir	logen
ihr	logt
sie	logen

			Past Time	
	Perfect	*(Perf. Subj.)*	*(Pluperf. Subj.)*
ich	habe gelogen	habe gelogen	hätte gelogen
du	hast gelogen	habest gelogen	hättest gelogen
er	hat gelogen	habe gelogen	hätte gelogen
wir	haben gelogen	haben gelogen	hätten gelogen
ihr	habt gelogen	habet gelogen	hättet gelogen
sie	haben gelogen	haben gelogen	hätten gelogen

	Pluperfect
ich	hatte gelogen
du	hattest gelogen
er	hatte gelogen
wir	hatten gelogen
ihr	hattet gelogen
sie	hatten gelogen

			Future Time	
	Future	*(Fut. Subj.)*	*(Pres. Conditional)*
ich	werde lügen	werde lügen	würde lügen
du	wirst lügen	werdest lügen	würdest lügen
er	wird lügen	werde lügen	würde lügen
wir	werden lügen	werden lügen	würden lügen
ihr	werdet lügen	werdet lügen	würdet lügen
sie	werden lügen	werden lügen	würden lügen

		Future Perfect Time	
	Future Perfect	*(Fut. Perf. Subj.)*	*(Past Conditional)*
ich	werde gelogen haben	werde gelogen haben	würde gelogen haben
du	wirst gelogen haben	werdest gelogen haben	würdest gelogen haben
er	wird gelogen haben	werde gelogen haben	würde gelogen haben
wir	werden gelogen haben	werden gelogen haben	würden gelogen haben
ihr	werdet gelogen haben	werdet gelogen haben	würdet gelogen haben
sie	werden gelogen haben	werden gelogen haben	würden gelogen haben

PRINC. PARTS: machen, machte, gemacht, macht
IMPERATIVE: mache!, macht!, machen Sie!

to make, to do

INDICATIVE	SUBJUNCTIVE	
	PRIMARY	SECONDARY

Present Time

	Present	*(Pres. Subj.)*	*(Imperf. Subj.)*
ich	mache	mache	machte
du	machst	machest	machtest
er	macht	mache	machte
wir	machen	machen	machten
ihr	macht	machet	machtet
sie	machen	machen	machten

	Imperfect
ich	machte
du	machtest
er	machte
wir	machten
ihr	machtet
sie	machten

Past Time

	Perfect	*(Perf. Subj.)*	*(Pluperf. Subj.)*
ich	habe gemacht	habe gemacht	hätte gemacht
du	hast gemacht	habest gemacht	hättest gemacht
er	hat gemacht	habe gemacht	hätte gemacht
wir	haben gemacht	haben gemacht	hätten gemacht
ihr	habt gemacht	habet gemacht	hättet gemacht
sie	haben gemacht	haben gemacht	hätten gemacht

	Pluperfect
ich	hatte gemacht
du	hattest gemacht
er	hatte gemacht
wir	hatten gemacht
ihr	hattet gemacht
sie	hatten gemacht

Future Time

	Future	*(Fut. Subj.)*	*(Pres. Conditional)*
ich	werde machen	werde machen	würde machen
du	wirst machen	werdest machen	würdest machen
er	wird machen	werde machen	würde machen
wir	werden machen	werden machen	würden machen
ihr	werdet machen	werdet machen	würdet machen
sie	werden machen	werden machen	würden machen

Future Perfect Time

	Future Perfect	*(Fut. Perf. Subj.)*	*(Past Conditional)*
ich	werde gemacht haben	werde gemacht haben	würde gemacht haben
du	wirst gemacht haben	werdest gemacht haben	würdest gemacht haben
er	wird gemacht haben	werde gemacht haben	würde gemacht haben
wir	werden gemacht haben	werden gemacht haben	würden gemacht haben
ihr	werdet gemacht haben	werdet gemacht haben	würdet gemacht haben
sie	werden gemacht haben	werden gemacht haben	würden gemacht haben

mahlen

to mill, grind

PRINC. PARTS: mahlen, mahlte, gemahlen, mahlt
IMPERATIVE: mahle!, mahlt!, mahlen Sie!

INDICATIVE	SUBJUNCTIVE	
	PRIMARY	SECONDARY

Present Time

	Present	(Pres. Subj.)	(Imperf. Subj.)
ich	mahle	mahle	mahlte
du	mahlst	mahlest	mahltest
er	mahlt	mahle	mahlte
wir	mahlen	mahlen	mahlten
ihr	mahlt	mahlet	mahltet
sie	mahlen	mahlen	mahlten

	Imperfect
ich	mahlte
du	mahltest
er	mahlte
wir	mahlten
ihr	mahltet
sie	mahlten

Past Time

	Perfect	(Perf. Subj.)	(Pluperf. Subj.)
ich	habe gemahlen	habe gemahlen	hätte gemahlen
du	hast gemahlen	habest gemahlen	hättest gemahlen
er	hat gemahlen	habe gemahlen	hätte gemahlen
wir	haben gemahlen	haben gemahlen	hätten gemahlen
ihr	habt gemahlen	habet gemahlen	hättet gemahlen
sie	haben gemahlen	haben gemahlen	hätten gemahlen

	Pluperfect
ich	hatte gemahlen
du	hattest gemahlen
er	hatte gemahlen
wir	hatten gemahlen
ihr	hattet gemahlen
sie	hatten gemahlen

Future Time

	Future	(Fut. Subj.)	(Pres. Conditional)
ich	werde mahlen	werde mahlen	würde mahlen
du	wirst mahlen	werdest mahlen	würdest mahlen
er	wird mahlen	werde mahlen	würde mahlen
wir	werden mahlen	werden mahlen	würden mahlen
ihr	werdet mahlen	werdet mahlen	würdet mahlen
sie	werden mahlen	werden mahlen	würden mahlen

Future Perfect Time

	Future Perfect	(Fut. Perf. Subj.)	(Past Conditional)
ich	werde gemahlen haben	werde gemahlen haben	würde gemahlen haben
du	wirst gemahlen haben	werdest gemahlen haben	würdest gemahlen haben
er	wird gemahlen haben	werde gemahlen haben	würde gemahlen haben
wir	werden gemahlen haben	werden gemahlen haben	würden gemahlen haben
ihr	werdet gemahlen haben	werdet gemahlen haben	würdet gemahlen haben
sie	werden gemahlen haben	werden gemahlen haben	würden gemahlen haben

PRINC. PARTS: meiden, mied, gemieden, meidet
IMPERATIVE: meide!, meidet!, meiden Sie!

to avoid, shun

INDICATIVE	SUBJUNCTIVE	
	PRIMARY	SECONDARY
	Present Time	
Present	*(Pres. Subj.)*	*(Imperf. Subj.)*
ich meide	meide	miede
du meidest	meidest	miedest
er meidet	meide	miede
wir meiden	meiden	mieden
ihr meidet	meidet	miedet
sie meiden	meiden	mieden

Imperfect

ich	mied
du	miedest
er	mied
wir	mieden
ihr	miedet
sie	mieden

	Past Time	
Perfect	*(Perf. Subj.)*	*(Pluperf. Subj.)*
ich habe gemieden	habe gemieden	hätte gemieden
du hast gemieden	habest gemieden	hättest gemieden
er hat gemieden	habe gemieden	hätte gemieden
wir haben gemieden	haben gemieden	hätten gemieden
ihr habt gemieden	habet gemieden	hättet gemieden
sie haben gemieden	haben gemieden	hätten gemieden

Pluperfect

ich	hatte gemieden
du	hattest gemieden
er	hatte gemieden
wir	hatten gemieden
ihr	hattet gemieden
sie	hatten gemieden

	Future Time	
Future	*(Fut. Subj.)*	*(Pres. Conditional)*
ich werde meiden	werde meiden	würde meiden
du wirst meiden	werdest meiden	würdest meiden
er wird meiden	werde meiden	würde meiden
wir werden meiden	werden meiden	würden meiden
ihr werdet meiden	werdet meiden	würdet meiden
sie werden meiden	werden meiden	würden meiden

	Future Perfect Time	
Future Perfect	*(Fut. Perf. Subj.)*	*(Past Conditional)*
ich werde gemieden haben	werde gemieden haben	würde gemieden haben
du wirst gemieden haben	werdest gemieden haben	würdest gemieden haben
er wird gemieden haben	werde gemieden haben	würde gemieden haben
wir werden gemieden haben	werden gemieden haben	würden gemieden haben
ihr werdet gemieden haben	werdet gemieden haben	würdet gemieden haben
sie werden gemieden haben	werden gemieden haben	würden gemieden haben

messen

to measure

PRINC. PARTS: messen, maß, gemessen, mißt
IMPERATIVE: miß!, meßt!, messen Sie!

	INDICATIVE	SUBJUNCTIVE	
		PRIMARY	SECONDARY
		Present Time	
	Present	*(Pres. Subj.)*	*(Imperf. Subj.)*
ich	messe	messe	mäße
du	mißt	messest	mäßest
er	mißt	messe	mäße
wir	messen	messen	mäßen
ihr	meßt	messet	mäßet
sie	messen	messen	mäßen

	Imperfect
ich	maß
du	maßest
er	maß
wir	maßen
ihr	maßt
sie	maßen

			Past Time	
	Perfect	*(Perf. Subj.)*	*(Pluperf. Subj.)*
ich	habe gemessen	habe gemessen	hätte gemessen
du	hast gemessen	habest gemessen	hättest gemessen
er	hat gemessen	habe gemessen	hätte gemessen
wir	haben gemessen	haben gemessen	hätten gemessen
ihr	habt gemessen	habet gemessen	hättet gemessen
sie	haben gemessen	haben gemessen	hätten gemessen

	Pluperfect
ich	hatte gemessen
du	hattest gemessen
er	hatte gemessen
wir	hatten gemessen
ihr	hattet gemessen
sie	hatten gemessen

			Future Time	
	Future	*(Fut. Subj.)*	*(Pres. Conditional)*
ich	werde messen	werde messen	würde messen
du	wirst messen	werdest messen	würdest messen
er	wird messen	werde messen	würde messen
wir	werden messen	werden messen	würden messen
ihr	werdet messen	werdet messen	würdet messen
sie	werden messen	werden messen	würden messen

			Future Perfect Time	
	Future Perfect	*(Fut. Perf. Subj.)*	*(Past Conditional)*
ich	werde gemessen haben	werde gemessen haben	würde gemessen haben
du	wirst gemessen haben	werdest gemessen haben	würdest gemessen haben
er	wird gemessen haben	werde gemessen haben	würde gemessen haben
wir	werden gemessen haben	werden gemessen haben	würden gemessen haben
ihr	werdet gemessen haben	werdet gemessen haben	würdet gemessen haben
sie	werden gemessen haben	werden gemessen haben	würden gemessen haben

PRINC. PARTS: mögen, mochte, gemocht (mögen, when immediately preceded by an infinitive; see
'sprechen dürfen') mag

IMPERATIVE:

mögen

to like, want, may

INDICATIVE	SUBJUNCTIVE	
	PRIMARY	SECONDARY
	Present Time	
Present	*(Pres. Subj.)*	*(Imperf. Subj.)*
ich mag	möge	möchte
du magst	mögest	möchtest
er mag	möge	möchte
wir mögen	mögen	möchten
ihr mögt	möget	möchtet
sie mögen	mögen	möchten

Imperfect

ich mochte
du mochtest
er mochte
wir mochten
ihr mochtet
sie mochten

Perfect	*Past Time*	
	(Perf. Subj.)	*(Pluperf. Subj.)*
ich habe gemocht	habe gemocht	hätte gemocht
du hast gemocht	habest gemocht	hättest gemocht
er hat gemocht	habe gemocht	hätte gemocht
wir haben gemocht	haben gemocht	hätten gemocht
ihr habt gemocht	habet gemocht	hättet gemocht
sie haben gemocht	haben gemocht	hätten gemocht

Pluperfect

ich hatte gemocht
du hattest gemocht
er hatte gemocht
wir hatten gemocht
ihr hattet gemocht
sie hatten gemocht

Future	*Future Time*	
	(Fut. Subj.)	*(Pres. Conditional)*
ich werde mögen	werde mögen	würde mögen
du wirst mögen	werdest mögen	würdest mögen
er wird mögen	werde mögen	würde mögen
wir werden mögen	werden mögen	würden mögen
ihr werdet mögen	werdet mögen	würdet mögen
sie werden mögen	werden mögen	würden mögen

Future Perfect	*Future Perfect Time*	
	(Fut. Perf. Subj.)	*(Past Conditional)*
ich werde gemocht haben	werde gemocht haben	würde gemocht haben
du wirst gemocht haben	werdest gemocht haben	würdest gemocht haben
er wird gemocht haben	werde gemocht haben	würde gemocht haben
wir werden gemocht haben	werden gemocht haben	würden gemocht haben
ihr werdet gemocht haben	werdet gemocht haben	würdet gemocht haben
sie werden gemocht haben	werden gemocht haben	würden gemocht haben

99

müssen

to have to, must

PRINC. PARTS: müssen, mußte, gemußt (müssen when immediately preceded by an infinitive; see sprechen dürfen), muß

IMPERATIVE:

	INDICATIVE	SUBJUNCTIVE	
		PRIMARY	SECONDARY
		Present Time	
	Present	*(Pres. Subj.)*	*(Imperf. Subj.)*
ich	muß	müsse	müßte
du	mußt	müssest	müßtest
er	muß	müsse	müßte
wir	müssen	müssen	müßten
ihr	müßt	müsset	müßtet
sie	müssen	müssen	müßten

	Imperfect
ich	mußte
du	mußtest
er	mußte
wir	mußten
ihr	mußtet
sie	mußten

			Past Time	
	Perfect	*(Perf. Subj.)*	*(Pluperf. Subj.)*
ich	habe gemußt	habe gemußt	hätte gemußt
du	hast gemußt	habest gemußt	hättest gemußt
er	hat gemußt	habe gemußt	hätte gemußt
wir	haben gemußt	haben gemußt	hätten gemußt
ihr	habt gemußt	habet gemußt	hättet gemußt
sie	haben gemußt	haben gemußt	hätten gemußt

	Pluperfect
ich	hatte gemußt
du	hattest gemußt
er	hatte gemußt
wir	hatten gemußt
ihr	hattet gemußt
sie	hatten gemußt

			Future Time	
	Future	*(Fut. Subj.)*	*(Pres. Conditional)*
ich	werde müssen	werde müssen	würde müssen
du	wirst müssen	werdest müssen	würdest müssen
er	wird müssen	werde müssen	würde müssen
wir	werden müssen	werden müssen	würden müssen
ihr	werdet müssen	werdet müssen	würdet müssen
sie	werden müssen	werden müssen	würden müssen

			Future Perfect Time	
	Future Perfect	*(Fut. Perf. Subj.)*	*(Past Conditional)*
ich	werde gemußt haben	werde gemußt haben	würde gemußt haben
du	wirst gemußt haben	werdest gemußt haben	würdest gemußt haben
er	wird gemußt haben	werde gemußt haben	würde gemußt haben
wir	werden gemußt haben	werden gemußt haben	würden gemußt haben
ihr	werdet gemußt haben	werdet gemußt haben	würdet gemußt haben
sie	werden gemußt haben	werden gemußt haben	würden gemußt haben

nehmen

PRINC. PARTS: nehmen, nahm, genommen, nimmt
IMPERATIVE: nimm!, nehmt!, nehmen Sie!

to take

INDICATIVE	SUBJUNCTIVE	
	PRIMARY	SECONDARY

Present Time

	Present	(*Pres. Subj.*)	(*Imperf. Subj.*)
ich	nehme	nehme	nähme
du	nimmst	nehmest	nähmest
er	nimmt	nehme	nähme
wir	nehmen	nehmen	nähmen
ihr	nehmt	nehmet	nähmet
sie	nehmen	nehmen	nähmen

	Imperfect
ich	nahm
du	nahmst
er	nahm
wir	nahmen
ihr	nahmt
sie	nahmen

Past Time

	Perfect	(*Perf. Subj.*)	(*Pluperf. Subj.*)
ich	habe genommen	habe genommen	hätte genommen
du	hast genommen	habest genommen	hättest genommen
er	hat genommen	habe genommen	hätte genommen
wir	haben genommen	haben genommen	hätten genommen
ihr	habt genommen	habet genommen	hättet genommen
sie	haben genommen	haben genommen	hätten genommen

	Pluperfect
ich	hatte genommen
du	hattest genommen
er	hatte genommen
wir	hatten genommen
ihr	hattet genommen
sie	hatten genommen

Future Time

	Future	(*Fut. Subj.*)	(*Pres. Conditional*)
ich	werde nehmen	werde nehmen	würde nehmen
du	wirst nehmen	werdest nehmen	würdest nehmen
er	wird nehmen	werde nehmen	würde nehmen
wir	werden nehmen	werden nehmen	würden nehmen
ihr	werdet nehmen	werdet nehmen	würdet nehmen
sie	werden nehmen	werden nehmen	würden nehmen

Future Perfect Time

	Future Perfect	(*Fut. Perf. Subj.*)	(*Past Conditional*)
ich	werde genommen haben	werde genommen haben	würde genommen haben
du	wirst genommen haben	werdest genommen haben	würdest genommen haben
er	wird genommen haben	werde genommen haben	würde genommen haben
wir	werden genommen haben	werden genommen haben	würden genommen haben
ihr	werdet genommen haben	werdet genommen haben	würdet genommen haben
sie	werden genommen haben	werden genommen haben	würden genommen haben

nennen

to name, call

PRINC. PARTS: nennen, nannte, genannt, nennt
IMPERATIVE: nenne!, nennt!, nennen Sie!

	INDICATIVE		SUBJUNCTIVE	
			PRIMARY	SECONDARY
			Present Time	
	Present		(*Pres. Subj.*)	(*Imperf. Subj.*)
ich	nenne		nenne	nennte
du	nennst		nennest	nenntest
er	nennt		nenne	nennte
wir	nennen		nennen	nennten
ihr	nennt		nennet	nenntet
sie	nennen		nennen	nennten
	Imperfect			
ich	nannte			
du	nanntest			
er	nannte			
wir	nannten			
ihr	nanntet			
sie	nannten			
			Past Time	
	Perfect		(*Perf. Subj.*)	(*Pluperf. Subj.*)
ich	habe genannt		habe gennant	hätte genannt
du	hast genannt		habest genannt	hättest genannt
er	hat genannt		habe genannt	hätte genannt
wir	haben genannt		haben genannt	hätten genannt
ihr	habt genannt		habet genannt	hättet genannt
sie	haben genannt		haben genannt	hätten genannt
	Pluperfect			
ich	hatte genannt			
du	hattest genannt			
er	hatte genannt			
wir	hatten genannt			
ihr	hattet genannt			
sie	hatten genannt			
			Future Time	
	Future		(*Fut. Subj.*)	(*Pres. Conditional*)
ich	werde nennen		werde nennen	würde nennen
du	wirst nennen		werdest nennen	würdest nennen
er	wird nennen		werde nennen	würde nennen
wir	werden nennen		werden nennen	würden nennen
ihr	werdet nennen		werdet nennen	würdet nennen
sie	werden nennen		werden nennen	würden nennen
			Future Perfect Time	
	Future Perfect		(*Fut. Perf. Subj.*)	(*Past Conditional*)
ich	werde genannt haben		werde genannt haben	würde genannt haben
du	wirst genannt haben		werdest genannt haben	würdest genannt haben
er	wird genannt haben		werde genannt haben	würde genannt haben
wir	werden genannt haben		werden genannt haben	würden genannt haben
ihr	werdet genannt haben		werdet genannt haben	würdet genannt haben
sie	werden genannt haben		werden genannt haben	würden genannt haben

102

pfeifen
to whistle

	INDICATIVE		SUBJUNCTIVE	
			PRIMARY	SECONDARY
			Present Time	
	Present		*(Pres. Subj.)*	*(Imperf. Subj.)*
ich	pfeife		pfeife	pfiffe
du	pfeifst		pfeifest	pfiffest
er	pfeift		pfeife	pfiffe
wir	pfeifen		pfeifen	pfiffen
ihr	pfeift		pfeifet	pfiffet
sie	pfeifen		pfeifen	pfiffen

	Imperfect
ich	pfiff
du	pfiffst
er	pfiff
wir	pfiffen
ihr	pfifft
sie	pfiffen

			Past Time	
	Perfect		*(Perf. Subj.)*	*(Pluperf. Subj.)*
ich	habe gepfiffen		habe gepfiffen	hätte gepfiffen
du	hast gepfiffen		habest gepfiffen	hättest gepfiffen
er	hat gepfiffen		habe gepfiffen	hätte gepfiffen
wir	haben gepfiffen		haben gepfiffen	hätten gepfiffen
ihr	habt gepfiffen		habet gepfiffen	hättet gepfiffen
sie	haben gepfiffen		haben gepfiffen	hätten gepfiffen

	Pluperfect
ich	hatte gepfiffen
du	hattest gepfiffen
er	hatte gepfiffen
wir	hatten gepfiffen
ihr	hattet gepfiffen
sie	hatten gepfiffen

			Future Time	
	Future		*(Fut. Subj.)*	*(Pres. Conditional)*
ich	werde pfeifen		werde pfeifen	würde pfeifen
du	wirst pfeifen		werdest pfeifen	würdest pfeifen
er	wird pfeifen		werde pfeifen	würde pfeifen
wir	werden pfeifen		werden pfeifen	würden pfeifen
ihr	werdet pfeifen		werdet pfeifen	würdet pfeifen
sie	werden pfeifen		werden pfeifen	würden pfeifen

			Future Perfect Time	
	Future Perfect		*(Fut. Perf. Subj.)*	*(Past Conditional)*
ich	werde gepfiffen haben		werde gepfiffen haben	würde gepfiffen haben
du	wirst gepfiffen haben		werdest gepfiffen haben	würdest gepfiffen haben
er	wird gepfiffen haben		werde gepfiffen haben	würde gepfiffen haben
wir	werden gepfiffen haben		werden gepfiffen haben	würden gepfiffen haben
ihr	werdet gepfiffen haben		werdet gepfiffen haben	würdet gepfiffen haben
sie	werden gepfiffen haben		werden gepfiffen haben	würden gepfiffen haben

preisen

to praise, commend

PRINC. PARTS: preisen, pries, gepriesen, preist
IMPERATIVE: preise!, preist!, preisen Sie!

	INDICATIVE		SUBJUNCTIVE	
			PRIMARY	SECONDARY
			Present Time	
	Present		*(Pres. Subj.)*	*(Imperf. Subj.)*
ich	preise		preise	priese
du	preist		preisest	priesest
er	preist		preise	priese
wir	preisen		preisen	priesen
ihr	preist		preiset	prieset
sie	preisen		preisen	priesen

	Imperfect
ich	pries
du	priesest
er	pries
wir	priesen
ihr	priest
sie	priesen

				Past Time	
	Perfect		*(Perf. Subj.)*	*(Pluperf. Subj.)*
ich	habe gepriesen		habe gepriesen	hätte gepriesen
du	hast gepriesen		habest gepriesen	hättest gepriesen
er	hat gepriesen		habe gepriesen	hätte gepriesen
wir	haben gepriesen		haben gepriesen	hätten gepriesen
ihr	habt gepriesen		habet gepriesen	hättet gepriesen
sie	haben gepriesen		haben gepriesen	hätten gepriesen

	Pluperfect
ich	hatte gepriesen
du	hattest gepriesen
er	hatte gepriesen
wir	hatten gepriesen
ihr	hattet gepriesen
sie	hatten gepriesen

				Future Time	
	Future		*(Fut. Subj.)*	*(Pres. Conditional)*
ich	werde preisen		werde preisen	würde preisen
du	wirst preisen		werdest preisen	würdest preisen
er	wird preisen		werde preisen	würde preisen
wir	werden preisen		werden preisen	würden preisen
ihr	werdet preisen		werdet preisen	würdet preisen
sie	werden preisen		werden preisen	würden preisen

				Future Perfect Time	
	Future Perfect		*(Fut. Perf. Subj.)*	*(Past Conditional)*
ich	werde gepriesen haben		werde gepriesen haben	würde gepriesen haben
du	wirst gepriesen haben		werdest gepriesen haben	würdest gepriesen haben
er	wird gepriesen haben		werde gepriesen haben	würde gepriesen haben
wir	werden gepriesen haben		werden gepriesen haben	würden gepriesen haben
ihr	werdet gepriesen haben		werdet gepriesen haben	würdet gepriesen haben
sie	werden gepriesen haben		werden gepriesen haben	würden gepriesen haben

PRINC. PARTS: quellen,* quoll, ist gequollen, quillt
IMPERATIVE: quill!, quellt!, quellen Sie!**

to gush, spring from

	INDICATIVE	SUBJUNCTIVE	
		PRIMARY	SECONDARY
		Present Time	
	Present	*(Pres. Subj.)*	*(Imperf. Subj.)*
ich	quelle	quelle	quölle
du	quillst	quellest	quöllest
er	quillt	quelle	quölle
wir	quellen	quellen	quöllen
ihr	quellt	quellet	quöllet
sie	quellen	quellen	quöllen

	Imperfect
ich	quoll
du	quollst
er	quoll
wir	quollen
ihr	quollt
sie	quollen

			Past Time	
	Perfect	*(Perf. Subj.)*	*(Pluperf. Subj.)*
ich	bin gequollen	sei gequollen	wäre gequollen
du	bist gequollen	seiest gequollen	wärest gequollen
er	ist gequollen	sei gequollen	wäre gequollen
wir	sind gequollen	seien gequollen	wären gequollen
ihr	seid gequollen	seiet gequollen	wäret gequollen
sie	sind gequollen	seien gequollen	wären gequollen

	Pluperfect
ich	war gequollen
du	warst gequollen
er	war gequollen
wir	waren gequollen
ihr	wart gequollen
sie	waren gequollen

			Future Time	
	Future	*(Fut. Subj.)*	*(Pres. Conditional)*
ich	werde quellen	werde quellen	würde quellen
du	wirst quellen	werdest quellen	würdest quellen
er	wird quellen	werde quellen	würde quellen
wir	werden quellen	werden quellen	würden quellen
ihr	werdet quellen	werdet quellen	würdet quellen
sie	werden quellen	werden quellen	würden quellen

			Future Perfect Time	
	Future Perfect	*(Fut. Perf. Subj.)*	*(Past Conditional)*
ich	werde gequollen sein	werde gequollen sein	würde gequollen sein
du	wirst gequollen sein	werdest gequollen sein	würdest gequollen sein
er	wird gequollen sein	werde gequollen sein	würde gequollen sein
wir	werden gequollen sein	werden gequollen sein	würden gequollen sein
ihr	werdet gequollen sein	werdet gequollen sein	würdet gequollen sein
sie	werden gequollen sein	werden gequollen sein	würden gequollen sein

* Forms other than the third person are infrequently found.
** The imperative is unusual.

raten

to advise, guess

PRINC. PARTS: raten, riet, geraten, rät
IMPERATIVE: rate!, ratet!, raten Sie!

	INDICATIVE	SUBJUNCTIVE	
		PRIMARY	SECONDARY
		Present Time	
	Present	*(Pres. Subj.)*	*(Imperf. Subj.)*
ich	rate	rate	riete
du	rätst	ratest	rietest
er	rät	rate	riete
wir	raten	raten	rieten
ihr	ratet	ratet	rietet
sie	raten	raten	rieten

	Imperfect
ich	riet
du	rietest
er	riet
wir	rieten
ihr	rietet
sie	rieten

			Past Time	
	Perfect	*(Perf. Subj.)*	*(Pluperf. Subj.)*
ich	habe geraten	habe geraten	hätte geraten
du	hast geraten	habest geraten	hättest geraten
er	hat geraten	habe geraten	hätte geraten
wir	haben geraten	haben geraten	hätten geraten
ihr	habt geraten	habet geraten	hättet geraten
sie	haben geraten	haben geraten	hätten geraten

	Pluperfect
ich	hatte geraten
du	hattest geraten
er	hatte geraten
wir	hatten geraten
ihr	hattet geraten
sie	hatten geraten

			Future Time	
	Future	*(Fut. Subj.)*	*(Pres. Conditional)*
ich	werde raten	werde raten	würde raten
du	wirst raten	werdest raten	würdest raten
er	wird raten	werde raten	würde raten
wir	werden raten	werden raten	würden raten
ihr	werdet raten	werdet raten	würdet raten
sie	werden raten	werden raten	würden raten

			Future Perfect Time	
	Future Perfect	*(Fut. Perf. Subj.)*	*(Past Conditional)*
ich	werde geraten haben	werde geraten haben	würde geraten haben
du	wirst geraten haben	werdest geraten haben	würdest geraten haben
er	wird geraten haben	werde geraten haben	würde geraten haben
wir	werden geraten haben	werden geraten haben	würden geraten haben
ihr	werdet geraten haben	werdet geraten haben	würdet geraten haben
sie	werden geraten haben	werden geraten haben	würden geraten haben

PRINC. PARTS: regnen,* regnete, geregnet, regnet
IMPERATIVE: regne!, regnet!, regnen Sie! **

	INDICATIVE	SUBJUNCTIVE	
		PRIMARY	SECONDARY
		Present Time	
	Present	*(Pres. Subj.)*	*(Imperf. Subj.)*
ich du es wir ihr sie	regnet	regne	regnete
	Imperfect		
ich du es wir ihr sie	regnete		
		Past Time	
	Perfect	*(Perf. Subj.)*	*(Pluperf. Subj.)*
ich du es wir ihr sie	hat geregnet	habe geregnet	hätte geregnet
	Pluperfect		
ich du es wir ihr sie	hatte geregnet		
		Future Time	
	Future	*(Fut. Subj.)*	*(Pres. Conditional)*
ich du es wir ihr sie	wird regnen	werde regnen	würde regnen
		Future Perfect Time	
	Future Perfect	*(Fut. Perf. Subj.)*	*(Past Conditional)*
ich du es wir ihr sie	wird geregnet haben	werde geregnet haben	würde geregnet haben

* Impersonal verb. Forms other than the third person singular will not be found, except perhaps in poetry. The same is true of the Eng. verb 'to rain.'
** The imperative of this verb is as unusual as in English.

reiben

to rub

PRINC. PARTS: reiben, rieb, gerieben, reibt
IMPERATIVE: reibe!, reibt!, reiben Sie!

	INDICATIVE	SUBJUNCTIVE	
		PRIMARY	SECONDARY
		Present Time	
	Present	*(Pres. Subj.)*	*(Imperf. Subj.)*
ich	reibe	reibe	riebe
du	reibst	reibest	riebest
er	reibt	reibe	riebe
wir	reiben	reiben	rieben
ihr	reibt	reibet	riebet
sie	reiben	reiben	rieben

	Imperfect
ich	rieb
du	riebst
er	rieb
wir	rieben
ihr	riebt
sie	rieben

		Past Time	
	Perfect	*(Perf. Subj.)*	*(Pluperf. Subj.)*
ich	habe gerieben	habe gerieben	hätte gerieben
du	hast gerieben	habest gerieben	hättest gerieben
er	hat gerieben	habe gerieben	hätte gerieben
wir	haben gerieben	haben gerieben	hätten gerieben
ihr	habt gerieben	habet gerieben	hättet gerieben
sie	haben gerieben	haben gerieben	hätten gerieben

	Pluperfect
ich	hatte gerieben
du	hattest gerieben
er	hatte gerieben
wir	hatten gerieben
ihr	hattet gerieben
sie	hatten gerieben

		Future Time	
	Future	*(Fut. Subj.)*	*(Pres. Conditional)*
ich	werde reiben	werde reiben	würde reiben
du	wirst reiben	werdest reiben	würdest reiben
er	wird reiben	werde reiben	würde reiben
wir	werden reiben	werden reiben	würden reiben
ihr	werdet reiben	werdet reiben	würdet reiben
sie	werden reiben	werden reiben	würden reiben

		Future Perfect Time	
	Future Perfect	*(Fut. Perf. Subj.)*	*(Past Conditional)*
ich	werde gerieben haben	werde gerieben haben	würde gerieben haben
du	wirst gerieben haben	werdest gerieben haben	würdest gerieben haben
er	wird gerieben haben	werde gerieben haben	würde gerieben haben
wir	werden gerieben haben	werden gerieben haben	würden gerieben haben
ihr	werdet gerieben haben	werdet gerieben haben	würdet gerieben haben
sie	werden gerieben haben	werden gerieben haben	würden gerieben haben

PRINC. PARTS: reißen, riß, gerissen, reißt
IMPERATIVE: reiße!, reißt!, reißen Sie!

to tear, rip

INDICATIVE		SUBJUNCTIVE	
		PRIMARY	SECONDARY

Present Time

	Present	*(Pres. Subj.)*	*(Imperf. Subj.)*
ich	reiße	reiße	risse
du	reißt	reißest	rissest
er	reißt	reiße	risse
wir	reißen	reißen	rissen
ihr	reißt	reißet	risset
sie	reißen	reißen	rissen

	Imperfect
ich	riß
du	rissest
er	riß
wir	rissen
ihr	rißt
sie	rissen

Past Time

	Perfect	*(Perf. Subj.)*	*(Pluperf. Subj.)*
ich	habe gerissen	habe gerissen	hätte gerissen
du	hast gerissen	habest gerissen	hättest gerissen
er	hat gerissen	habe gerissen	hätte gerissen
wir	haben gerissen	haben gerissen	hätten gerissen
ihr	habt gerissen	habet gerissen	hättet gerissen
sie	haben gerissen	haben gerissen	hätten gerissen

	Pluperfect
ich	hatte gerissen
du	hattest gerissen
er	hatte gerissen
wir	hatten gerissen
ihr	hattet gerissen
sie	hatten gerissen

Future Time

	Future	*(Fut. Subj.)*	*(Pres. Conditional)*
ich	werde reißen	werde reißen	würde reißen
du	wirst reißen	werdest reißen	würdest reißen
er	wird reißen	werde reißen	würde reißen
wir	werden reißen	werden reißen	würden reißen
ihr	werdet reißen	werdet reißen	würdet reißen
sie	werden reißen	werden reißen	würden reißen

Future Perfect Time

	Future Perfect	*(Fut. Perf. Subj.)*	*(Past Conditional)*
ich	werde gerissen haben	werde gerissen haben	würde gerissen haben
du	wirst gerissen haben	werdest gerissen haben	würdest gerissen haben
er	wird gerissen haben	werde gerissen haben	würde gerissen haben
wir	werden gerissen haben	werden gerissen haben	würden gerissen haben
ihr	werdet gerissen haben	werdet gerissen haben	würdet gerissen haben
sie	werden gerissen haben	werden gerissen haben	würden gerissen haben

109

reiten

to ride (on horse)

PRINC. PARTS: reiten, ritt, ist geritten, reitet
IMPERATIVE: reite!, reitet!, reiten Sie!

	INDICATIVE	SUBJUNCTIVE	
		PRIMARY	SECONDARY
		Present Time	
	Present	*(Pres. Subj.)*	*(Imperf. Subj.)*
ich	reite	reite	ritte
du	reitest	reitest	rittest
er	reitet	reite	ritte
wir	reiten	reiten	ritten
ihr	reitet	reitet	rittet
sie	reiten	reiten	ritten

	Imperfect
ich	ritt
du	rittest
er	ritt
wir	ritten
ihr	rittet
sie	ritten

	Perfect	*(Perf. Subj.)*	*Past Time* *(Pluperf. Subj.)*
ich	bin geritten	sei geritten	wäre geritten
du	bist geritten	seiest geritten	wärest geritten
er	ist geritten	sei geritten	wäre geritten
wir	sind geritten	seien geritten	wären geritten
ihr	seid geritten	seiet geritten	wäret geritten
sie	sind geritten	seien geritten	wären geritten

	Pluperfect
ich	war geritten
du	warst geritten
er	war geritten
wir	waren geritten
ihr	wart geritten
sie	waren geritten

	Future	*(Fut. Subj.)*	*Future Time* *(Pres. Conditional)*
ich	werde reiten	werde reiten	würde reiten
du	wirst reiten	werdest reiten	würdest reiten
er	wird reiten	werde reiten	würde reiten
wir	werden reiten	werden reiten	würden reiten
ihr	werdet reiten	werdet reiten	würdet reiten
sie	werden reiten	werden reiten	würden reiten

	Future Perfect	*(Fut. Perf. Subj.)*	*Future Perfect Time* *(Past Conditional)*
ich	werde geritten sein	werde geritten sein	würde geritten sein
du	wirst geritten sein	werdest geritten sein	würdest geritten sein
er	wird geritten sein	werde geritten sein	würde geritten sein
wir	werden geritten sein	werden geritten sein	würden geritten sein
ihr	werdet geritten sein	werdet geritten sein	würdet geritten sein
sie	werden geritten sein	werden geritten sein	würden geritten sein

rennen

PRINC. PARTS: rennen, rannte, ist gerannt, rennt
IMPERATIVE: renne!, rennt!, rennen Sie!

to run, race

	INDICATIVE	SUBJUNCTIVE	
		PRIMARY	SECONDARY

Present Time

	Present	*(Pres. Subj.)*	*(Imperf. Subj.)*
ich	renne	renne	rennte
du	rennst	rennest	renntest
er	rennt	renne	rennte
wir	rennen	rennen	rennten
ihr	rennt	rennet	renntet
sie	rennen	rennen	rennten

	Imperfect
ich	rannte
du	ranntest
er	rannte
wir	rannten
ihr	ranntet
sie	rannten

Past Time

	Perfect	*(Perf. Subj.)*	*(Pluperf. Subj.)*
ich	bin gerannt	sei gerannt	wäre gerannt
du	bist gerannt	seiest gerannt	wärest gerannt
er	ist gerannt	sei gerannt	wäre gerannt
wir	sind gerannt	seien gerannt	wären gerannt
ihr	seid gerannt	seiet gerannt	wäret gerannt
sie	sind gerannt	seien gerannt	wären gerannt

	Pluperfect
ich	war gerannt
du	warst gerannt
er	war gerannt
wir	waren gerannt
ihr	wart gerannt
sie	waren gerannt

Future Time

	Future	*(Fut. Subj.)*	*(Pres. Conditional)*
ich	werde rennen	werde rennen	würde rennen
du	wirst rennen	werdest rennen	würdest rennen
er	wird rennen	werde rennen	würde rennen
wir	werden rennen	werden rennen	würden rennen
ihr	werdet rennen	werdet rennen	würdet rennen
sie	werden rennen	werden rennen	würden rennen

Future Perfect Time

	Future Perfect	*(Fut. Perf. Subj.)*	*(Past Conditional)*
ich	werde gerannt sein	werde gerannt sein	würde gerannt sein
du	wirst gerannt sein	werdest gerannt sein	würdest gerannt sein
er	wird gerannt sein	werde gerannt sein	würde gerannt sein
wir	werden gerannt sein	werden gerannt sein	würden gerannt sein
ihr	werdet gerannt sein	werdet gerannt sein	würdet gerannt sein
sie	werden gerannt sein	werden gerannt sein	würden gerannt sein

111

riechen

to smell

PRINC. PARTS: riechen, roch, gerochen, riecht
IMPERATIVE: rieche!, riecht!, riechen Sie!

	INDICATIVE	SUBJUNCTIVE	
		PRIMARY	SECONDARY
		Present Time	
	Present	*(Pres. Subj.)*	*(Imperf. Subj.)*
ich	rieche	rieche	röche
du	riechst	riechest	röchest
er	riecht	rieche	röche
wir	riechen	riechen	röchen
ihr	riecht	riechet	röchet
sie	riechen	riechen	röchen
	Imperfect		
ich	roch		
du	rochst		
er	roch		
wir	rochen		
ihr	rocht		
sie	rochen		
		Past Time	
	Perfect	*(Perf. Subj.)*	*(Pluperf. Subj.)*
ich	habe gerochen	habe gerochen	hätte gerochen
du	hast gerochen	habest gerochen	hättest gerochen
er	hat gerochen	habe gerochen	hätte gerochen
wir	haben gerochen	haben gerochen	hätten gerochen
ihr	habt gerochen	habet gerochen	hättet gerochen
sie	haben gerochen	haben gerochen	hätten gerochen
	Pluperfect		
ich	hatte gerochen		
du	hattest gerochen		
er	hatte gerochen		
wir	hatten gerochen		
ihr	hattet gerochen		
sie	hatten gerochen		
		Future Time	
	Future	*(Fut. Subj.)*	*(Pres. Conditional)*
ich	werde riechen	werde riechen	würde riechen
du	wirst riechen	werdest riechen	würdest riechen
er	wird riechen	werde riechen	würde riechen
wir	werden riechen	werden riechen	würden riechen
ihr	werdet riechen	werdet riechen	würdet riechen
sie	werden riechen	werden riechen	würden riechen
		Future Perfect Time	
	Future Perfect	*(Fut. Perf. Subj.)*	*(Past Conditional)*
ich	werde gerochen haben	werde gerochen haben	würde gerochen haben
du	wirst gerochen haben	werdest gerochen haben	würdest gerochen haben
er	wird gerochen haben	werde gerochen haben	würde gerochen haben
wir	werden gerochen haben	werden gerochen haben	würden gerochen haben
ihr	werdet gerochen haben	werdet gerochen haben	würdet gerochen haben
sie	werden gerochen haben	werden gerochen haben	würden gerochen haben

PRINC. PARTS: ringen, rang, gerungen, ringt
IMPERATIVE: ringe!, ringt!, ringen Sie!

to struggle, wrestle, wring

	INDICATIVE		SUBJUNCTIVE	
		PRIMARY	SECONDARY	
			Present Time	
	Present	*(Pres. Subj.)*	*(Imperf. Subj.)*	
ich	ringe	ringe	ränge	
du	ringst	ringest	rängest	
er	ringt	ringe	ränge	
wir	ringen	ringen	rängen	
ihr	ringt	ringet	ränget	
sie	ringen	ringen	rängen	

	Imperfect
ich	rang
du	rangst
er	rang
wir	rangen
ihr	rangt
sie	rangen

			Past Time	
	Perfect	*(Perf. Subj.)*	*(Pluperf. Subj.)*	
ich	habe gerungen	habe gerungen	hätte gerungen	
du	hast gerungen	habest gerungen	hättest gerungen	
er	hat gerungen	habe gerungen	hätte gerungen	
wir	haben gerungen	haben gerungen	hätten gerungen	
ihr	habt gerungen	habet gerungen	hättet gerungen	
sie	haben gerungen	haben gerungen	hätten gerungen	

	Pluperfect
ich	hatte gerungen
du	hattest gerungen
er	hatte gerungen
wir	hatten gerungen
ihr	hattet gerungen
sie	hatten gerungen

			Future Time	
	Future	*(Fut. Subj.)*	*(Pres. Conditional)*	
ich	werde ringen	werde ringen	würde ringen	
du	wirst ringen	werdest ringen	würdest ringen	
er	wird ringen	werde ringen	würde ringen	
wir	werden ringen	werden ringen	würden ringen	
ihr	werdet ringen	werdet ringen	würdet ringen	
sie	werden ringen	werden ringen	würden ringen	

			Future Perfect Time	
	Future Perfect	*(Fut. Perf. Subj.)*	*(Past Conditional)*	
ich	werde gerungen haben	werde gerungen haben	würde gerungen haben	
du	wirst gerungen haben	werdest gerungen haben	würdest gerungen haben	
er	wird gerungen haben	werde gerungen haben	würde gerungen haben	
wir	werden gerungen haben	werden gerungen haben	würden gerungen haben	
ihr	werdet gerungen haben	werdet gerungen haben	würdet gerungen haben	
sie	werden gerungen haben	werden gerungen haben	würden gerungen haben	

rinnen

to run (of liquids), flow, drip

PRINC. PARTS: rinnen,* rann, ist geronnen,**
rinnt
IMPERATIVE: rinne!, rinnt!, rinnen Sie!

	INDICATIVE	SUBJUNCTIVE	
		PRIMARY	SECONDARY
		Present Time	
	Present	*(Pres. Subj.)*	*(Imperf. Subj.)*
ich	rinne	rinne	rönne
du	rinnst	rinnest	rönnest
er	rinnt	rinne	rönne
wir	rinnen	rinnen	rönnen
ihr	rinnt	rinnet	rönnet
sie	rinnen	rinnen	rönnen
	Imperfect		
ich	rann		
du	rannst		
er	rann		
wir	rannen		
ihr	rannt		
sie	rannen		
		Past Time	
	Perfect	*(Perf. Subj.)*	*(Pluperf. Subj.)*
ich	bin geronnen	sei geronnen	wäre geronnen
du	bist geronnen	seiest geronnen	wärest geronnen
er	ist geronnen	sei geronnen	wäre geronnen
wir	sind geronnen	seien geronnen	wären geronnen
ihr	seid geronnen	seiet geronnen	wäret geronnen
sie	sind geronnen	seien geronnen	wären geronnen
	Pluperfect		
ich	war geronnen		
du	warst geronnen		
er	war geronnen		
wir	waren geronnen		
ihr	wart geronnen		
sie	waren geronnen		
		Future Time	
	Future	*(Fut. Subj.)*	*(Pres. Conditional)*
ich	werde rinnen	werde rinnen	würde rinnen
du	wirst rinnen	werdest rinnen	würdest rinnen
er	wird rinnen	werde rinnen	würde rinnen
wir	werden rinnen	werden rinnen	würden rinnen
ihr	werdet rinnen	werdet rinnen	würdet rinnen
sie	werden rinnen	werden rinnen	würden rinnen
		Future Perfect Time	
	Future Perfect	*(Fut. Perf. Subj.)*	*(Past Conditional)*
ich	werde geronnen sein	werde geronnen sein	würde geronnen sein
du	wirst geronnen sein	werdest geronnen sein	würdest geronnen sein
er	wird geronnen sein	werde geronnen sein	würde geronnen sein
wir	werden geronnen sein	werden geronnen sein	würden geronnen sein
ihr	werdet geronnen sein	werdet geronnen sein	würdet geronnen sein
sie	werden geronnen sein	werden geronnen sein	würden geronnen sein

* Forms other than the third person are infrequently found.
** The perfect tenses use **haben** as the auxiliary verb when **rinnen** means *to leak.*

rufen

to call, shout

INDICATIVE	SUBJUNCTIVE	
	PRIMARY	SECONDARY

Present Time

	Present	*(Pres. Subj.)*	*(Imperf. Subj.)*
ich	rufe	rufe	riefe
du	rufst	rufest	riefest
er	ruft	rufe	riefe
wir	rufen	rufen	riefen
ihr	ruft	rufet	riefet
sie	rufen	rufen	riefen

	Imperfect
ich	rief
du	riefst
er	rief
wir	riefen
ihr	rieft
sie	riefen

Past Time

	Perfect	*(Perf. Subj.)*	*(Pluperf. Subj.)*
ich	habe gerufen	habe gerufen	hätte gerufen
du	hast gerufen	habest gerufen	hättest gerufen
er	hat gerufen	habe gerufen	hätte gerufen
wir	haben gerufen	haben gerufen	hätten gerufen
ihr	habt gerufen	habet gerufen	hättet gerufen
sie	haben gerufen	haben gerufen	hätten gerufen

	Pluperfect
ich	hatte gerufen
du	hattest gerufen
er	hatte gerufen
wir	hatten gerufen
ihr	hattet gerufen
sie	hatten gerufen

Future Time

	Future	*(Fut. Subj.)*	*(Pres. Conditional)*
ich	werde rufen	werde rufen	würde rufen
du	wirst rufen	werdest rufen	würdest rufen
er	wird rufen	werde rufen	würde rufen
wir	werden rufen	werden rufen	würden rufen
ihr	werdet rufen	werdet rufen	würdet rufen
sie	werden rufen	werden rufen	würden rufen

Future Perfect Time

	Future Perfect	*(Fut. Perf. Subj.)*	*(Past Conditional)*
ich	werde gerufen haben	werde gerufen haben	würde gerufen haben
du	wirst gerufen haben	werdest gerufen haben	würdest gerufen haben
er	wird gerufen haben	werde gerufen haben	würde gerufen haben
wir	werden gerufen haben	werden gerufen haben	würden gerufen haben
ihr	werdet gerufen haben	werdet gerufen haben	würdet gerufen haben
sie	werden gerufen haben	werden gerufen haben	würden gerufen haben

sagen

to say, tell, speak

PRINC. PARTS: sagen, sagte, gesagt, sagt
IMPERATIVE: sage!, sagt!, sagen Sie!

	INDICATIVE		SUBJUNCTIVE	
			PRIMARY	SECONDARY
			Present Time	
	Present		*(Pres. Subj.)*	*(Imperf. Subj.)*
ich	sage		sage	sagte
du	sagst		sagest	sagtest
er	sagt		sage	sagte
wir	sagen		sagen	sagten
ihr	sagt		saget	sagtet
sie	sagen		sagen	sagten
	Imperfect			
ich	sagte			
du	sagtest			
er	sagte			
wir	sagten			
ihr	sagtet			
sie	sagten			
			Past Time	
	Perfect		*(Perf. Subj.)*	*(Pluperf. Subj.)*
ich	habe gesagt		habe gesagt	hätte gesagt
du	hast gesagt		habest gesagt	hättest gesagt
er	hat gesagt		habe gesagt	hätte gesagt
wir	haben gesagt		haben gesagt	hätten gesagt
ihr	habt gesagt		habet gesagt	hättet gesagt
sie	haben gesagt		haben gesagt	hätten gesagt
	Pluperfect			
ich	hatte gesagt			
du	hattest gesagt			
er	hatte gesagt			
wir	hatten gesagt			
ihr	hattet gesagt			
sie	hatten gesagt			
			Future Time	
	Future		*(Fut. Subj.)*	*(Pres. Conditional)*
ich	werde sagen		werde sagen	würde sagen
du	wirst sagen		werdest sagen	würdest sagen
er	wird sagen		werde sagen	würde sagen
wir	werden sagen		werden sagen	würden sagen
ihr	werdet sagen		werdet sagen	würdet sagen
sie	werden sagen		werden sagen	würden sagen
			Future Perfect Time	
	Future Perfect		*(Fut. Perf. Subj.)*	*(Past Conditional)*
ich	werde gesagt haben		werde gesagt haben	würde gesagt haben
du	wirst gesagt haben		werdest gesagt haben	würdest gesagt haben
er	wird gesagt haben		werde gesagt haben	würde gesagt haben
wir	werden gesagt haben		werden gesagt haben	würden gesagt haben
ihr	werdet gesagt haben		werdet gesagt haben	würdet gesagt haben
sie	werden gesagt haben		werden gesagt haben	würden gesagt haben

PRINC. PARTS: saufen, soff, gesoffen, säuft
IMPERATIVE: saufe!, sauft!, saufen Sie!

to drink (of animals),
drink to excess

INDICATIVE	SUBJUNCTIVE	
	PRIMARY	SECONDARY
	Present Time	
Present	(*Pres. Subj.*)	(*Imperf. Subj.*)
ich saufe	saufe	söffe
du säufst	saufest	söffest
er säuft	saufe	söffe
wir saufen	saufen	söffen
ihr sauft	saufet	söffet
sie saufen	saufen	söffen

Imperfect
ich soff
du soffst
er soff
wir soffen
ihr sofft
sie soffen

	Past Time	
Perfect	(*Perf. Subj.*)	(*Pluperf. Subj.*)
ich habe gesoffen	habe gesoffen	hätte gesoffen
du hast gesoffen	habest gesoffen	hättest gesoffen
er hat gesoffen	habe gesoffen	hätte gesoffen
wir haben gesoffen	haben gesoffen	hätten gesoffen
ihr habt gesoffen	habet gesoffen	hättet gesoffen
sie haben gesoffen	haben gesoffen	hätten gesoffen

Pluperfect
ich hatte gesoffen
du hattest gesoffen
er hatte gesoffen
wir hatten gesoffen
ihr hattet gesoffen
sie hatten gesoffen

	Future Time	
Future	(*Fut. Subj.*)	(*Pres. Conditional*)
ich werde saufen	werde saufen	würde saufen
du wirst saufen	werdest saufen	würdest saufen
er wird saufen	werde saufen	würde saufen
wir werden saufen	werden saufen	würden saufen
ihr werdet saufen	werdet saufen	würdet saufen
sie werden saufen	werden saufen	würden saufen

	Future Perfect Time	
Future Perfect	(*Fut. Perf. Subj.*)	(*Past Conditional*)
ich werde gesoffen haben	werde gesoffen haben	würde gesoffen haben
du wirst gesoffen haben	werdest gesoffen haben	würdest gesoffen haben
er wird gesoffen haben	werde gesoffen haben	würde gesoffen haben
wir werden gesoffen haben	werden gesoffen haben	würden gesoffen haben
ihr werdet gesoffen haben	werdet gesoffen haben	würdet gesoffen haben
sie werden gesoffen haben	werden gesoffen haben	würden gesoffen haben

117

saugen

to suck, absorb

PRINC. PARTS: saugen,* sog, gesogen, saugt
IMPERATIVE: sauge!, saugt!, saugen Sie!

	INDICATIVE		SUBJUNCTIVE	
			PRIMARY	SECONDARY
			Present Time	
	Present		*(Pres. Subj.)*	*(Imperf. Subj.)*
ich	sauge		sauge	söge
du	saugst		saugest	sögest
er	saugt		sauge	söge
wir	saugen		saugen	sögen
ihr	saugt		sauget	söget
sie	saugen		saugen	sögen
	Imperfect			
ich	sog			
du	sogst			
er	sog			
wir	sogen			
ihr	sogt			
sie	sogen			
			Past Time	
	Perfect		*(Perf. Subj.)*	*(Pluperf. Subj.)*
ich	habe gesogen		habe gesogen	hätte gesogen
du	hast gesogen		habest gesogen	hättest gesogen
er	hat gesogen		habe gesogen	hätte gesogen
wir	haben gesogen		haben gesogen	hätten gesogen
ihr	habt gesogen		habet gesogen	hättet gesogen
sie	haben gesogen		haben gesogen	hätten gesogen
	Pluperfect			
ich	hatte gesogen			
du	hattest gesogen			
er	hatte gesogen			
wir	hatten gesogen			
ihr	hattet gesogen			
sie	hatten gesogen			
			Future Time	
	Future		*(Fut. Subj.)*	*(Pres. Conditional)*
ich	werde saugen		werde saugen	würde saugen
du	wirst saugen		werdest saugen	würdest saugen
er	wird saugen		werde saugen	würde saugen
wir	werden saugen		werden saugen	würden saugen
ihr	werdet saugen		werdet saugen	würdet saugen
sie	werden saugen		werden saugen	würden saugen
			Future Perfect Time	
	Future Perfect		*(Fut. Perf. Subj.)*	*(Past Conditional)*
ich	werde gesogen haben		werde gesogen haben	würde gesogen haben
du	wirst gesogen haben		werdest gesogen haben	würdest gesogen haben
er	wird gesogen haben		werde gesogen haben	würde gesogen haben
wir	werden gesogen haben		werden gesogen haben	würden gesogen haben
ihr	werdet gesogen haben		werdet gesogen haben	würdet gesogen haben
sie	werden gesogen haben		werden gesogen haben	würden gesogen haben

* The weak forms of **saugen** are sometimes found. PRINC. PARTS: saugen, saugte, gesaugt, saugt.

PRINC. PARTS: schaffen, schuf, geschaffen, schafft
IMPERATIVE: schaffe!, schafft!, schaffen Sie!

INDICATIVE		SUBJUNCTIVE	
		PRIMARY	SECONDARY
		Present Time	
	Present	*(Pres. Subj.)*	*(Imperf. Subj.)*
ich	schaffe	schaffe	schüfe
du	schaffst	schaffest	schüfest
er	schafft	schaffe	schüfe
wir	schaffen	schaffen	schüfen
ihr	schafft	schaffet	schüfet
sie	schaffen	schaffen	schüfen
	Imperfect		
ich	schuf		
du	schufst		
er	schuf		
wir	schufen		
ihr	schuft		
sie	schufen		
		Past Time	
	Perfect	*(Perf. Subj.)*	*(Pluperf. Subj.)*
ich	habe geschaffen	habe geschaffen	hätte geschaffen
du	hast geschaffen	habest geschaffen	hättest geschaffen
er	hat geschaffen	habe geschaffen	hätte geschaffen
wir	haben geschaffen	haben geschaffen	hätten geschaffen
ihr	habt geschaffen	habet geschaffen	hättet geschaffen
sie	haben geschaffen	haben geschaffen	hätten geschaffen
	Pluperfect		
ich	hatte geschaffen		
du	hattest geschaffen		
er	hatte geschaffen		
wir	hatten geschaffen		
ihr	hattet geschaffen		
sie	hatten geschaffen		
		Future Time	
	Future	*(Fut. Subj.)*	*(Pres. Conditional)*
ich	werde schaffen	werde schaffen	würde schaffen
du	wirst schaffen	werdest schaffen	würdest schaffen
er	wird schaffen	werde schaffen	würde schaffen
wir	werden schaffen	werden schaffen	würden schaffen
ihr	werdet schaffen	werdet schaffen	würdet schaffen
sie	werden schaffen	werden schaffen	würden schaffen
		Future Perfect Time	
	Future Perfect	*(Fut. Perf. Subj.)*	*(Past Conditional)*
ich	werde geschaffen haben	werde geschaffen haben	würde geschaffen haben
du	wirst geschaffen haben	werdest geschaffen haben	würdest geschaffen haben
er	wird geschaffen haben	werde geschaffen haben	würde geschaffen haben
wir	werden geschaffen haben	werden geschaffen haben	würden geschaffen haben
ihr	werdet geschaffen haben	werdet geschaffen haben	würdet geschaffen haben
sie	werden geschaffen haben	werden geschaffen haben	würden geschaffen haben

* In the meaning, *to do, work, accomplish*, **schaffen** is weak. PRINC. PARTS: schaffen, schaffte, geschafft, schafft.

scheiden

to separate, part,
divide, go away

PRINC. PARTS: scheiden, schied, geschieden, scheidet
IMPERATIVE: scheide!, scheidet!, scheiden Sie!

INDICATIVE	SUBJUNCTIVE	
	PRIMARY	SECONDARY

	Present	(Pres. Subj.)	(Imperf. Subj.)
		Present Time	
ich	scheide	scheide	schiede
du	scheidest	scheidest	schiedest
er	scheidet	scheide	schiede
wir	scheiden	scheiden	schieden
ihr	scheidet	scheidet	schiedet
sie	scheiden	scheiden	schieden

	Imperfect
ich	schied
du	schiedest
er	schied
wir	schieden
ihr	schiedet
sie	schieden

	Perfect	(Perf. Subj.)	(Pluperf. Subj.)
		Past Time	
ich	habe geschieden	habe geschieden	hätte geschieden
du	hast geschieden	habest geschieden	hättest geschieden
er	hat geschieden	habe geschieden	hätte geschieden
wir	haben geschieden	haben geschieden	hätten geschieden
ihr	habt geschieden	habet geschieden	hättet geschieden
sie	haben geschieden	haben geschieden	hätten geschieden

	Pluperfect
ich	hatte geschieden
du	hattest geschieden
er	hatte geschieden
wir	hatten geschieden
ihr	hattet geschieden
sie	hatten geschieden

	Future	(Fut. Subj.)	(Pres. Conditional)
		Future Time	
ich	werde scheiden	werde scheiden	würde scheiden
du	wirst scheiden	werdest scheiden	würdest scheiden
er	wird scheiden	werde scheiden	würde scheiden
wir	werden scheiden	werden scheiden	würden scheiden
ihr	werdet scheiden	werdet scheiden	würdet scheiden
sie	werden scheiden	werden scheiden	würden scheiden

	Future Perfect	(Fut. Perf. Subj.)	(Past Conditional)
		Future Perfect Time	
ich	werde geschieden haben	werde geschieden haben	würde geschieden haben
du	wirst geschieden haben	werdest geschieden haben	würdest geschieden haben
er	wird geschieden haben	werde geschieden haben	würde geschieden haben
wir	werden geschieden haben	werden geschieden haben	würden geschieden haben
ihr	werdet geschieden haben	werdet geschieden haben	würdet geschieden haben
sie	werden geschieden haben	werden geschieden haben	würden geschieden haben

PRINC. PARTS: scheinen, schien, geschienen, scheint
IMPERATIVE: scheine!, scheint!, scheinen Sie!

to shine, seem

	INDICATIVE	SUBJUNCTIVE	
		PRIMARY	SECONDARY
	Present	*Present Time*	
		(*Pres. Subj.*)	(*Imperf. Subj.*)
ich	scheine	scheine	schiene
du	scheinst	scheinest	schienest
er	scheint	scheine	schiene
wir	scheinen	scheinen	schienen
ihr	scheint	scheinet	schienet
sie	scheinen	scheinen	schienen
	Imperfect		
ich	schien		
du	schienst		
er	schien		
wir	schienen		
ihr	schient		
sie	schienen		
	Perfect	*Past Time*	
		(*Perf. Subj.*)	(*Pluperf. Subj.*)
ich	habe geschienen	habe geschienen	hätte geschienen
du	hast geschienen	habest geschienen	hättest geschienen
er	hat geschienen	habe geschienen	hätte geschienen
wir	haben geschienen	haben geschienen	hätten geschienen
ihr	habt geschienen	habet geschienen	hättet geschienen
sie	haben geschienen	haben geschienen	hätten geschienen
	Pluperfect		
ich	hatte geschienen		
du	hattest geschienen		
er	hatte geschienen		
wir	haben geschienen		
ihr	habt geschienen		
sie	haben geschienen		
	Future	*Future Time*	
		(*Fut. Subj.*)	(*Pres. Conditional*)
ich	werde scheinen	werde scheinen	würde scheinen
du	wirst scheinen	werdest scheinen	würdest scheinen
er	wird scheinen	werde scheinen	würde scheinen
wir	werden scheinen	werden scheinen	würden scheinen
ihr	werdet scheinen	werdet scheinen	würdet scheinen
sie	werden scheinen	werden scheinen	würden scheinen
	Future Perfect	*Future Perfect Time*	
		(*Fut. Perf. Subj.*)	(*Past Conditional*)
ich	werde geschienen haben	werde geschienen haben	würde geschienen haben
du	wirst geschienen haben	werdest geschienen haben	würdest geschienen haben
er	wird geschienen haben	werde geschienen haben	würde geschienen haben
wir	werden geschienen haben	werden geschienen haben	würden geschienen haben
ihr	werdet geschienen haben	werdet geschienen haben	würdet geschienen haben
sie	werden geschienen haben	werden geschienen haben	würden geschienen haben

schelten

to scold, reproach

PRINC. PARTS: schelten, schalt, gescholten, schilt
IMPERATIVE: schilt!, scheltet!, schelten Sie!

INDICATIVE	SUBJUNCTIVE	
	PRIMARY	SECONDARY

	Present	(*Pres. Subj.*)	(*Imperf. Subj.*)
ich	schelte	schelte	schölte
du	schiltst	scheltest	schöltest
er	schilt	schelte	schölte
wir	schelten	schelten	schölten
ihr	scheltet	scheltet	schöltet
sie	schelten	schelten	schölten

Present Time

	Imperfect
ich	schalt
du	schaltest
er	schalt
wir	schalten
ihr	schaltet
sie	schalten

Past Time

	Perfect	(*Perf. Subj.*)	(*Pluperf. Subj.*)
ich	habe gescholten	habe gescholten	hätte gescholten
du	hast gescholten	habest gescholten	hättest gescholten
er	hat gescholten	habe gescholten	hätte gescholten
wir	haben gescholten	haben gescholten	hätten gescholten
ihr	habt gescholten	habet gescholten	hättet gescholten
sie	haben gescholten	haben gescholten	hätten gescholten

	Pluperfect
ich	hatte gescholten
du	hattest gescholten
er	hatte gescholten
wir	hatten gescholten
ihr	hattet gescholten
sie	hatten gescholten

Future Time

	Future	(*Fut. Subj.*)	(*Pres. Conditional*)
ich	werde schelten	werde schelten	würde schelten
du	wirst schelten	werdest schelten	würdest schelten
er	wird schelten	werde schelten	würde schelten
wir	werden schelten	werden schelten	würden schelten
ihr	werdet schelten	werdet schelten	würdet schelten
sie	werden schelten	werden schelten	würden schelten

Future Perfect Time

	Future Perfect	(*Fut. Perf. Subj.*)	(*Past Conditional*)
ich	werde gescholten haben	werde gescholten haben	würde gescholten haben
du	wirst gescholten haben	werdest gescholten haben	würdest gescholten haben
er	wird gescholten haben	werde gescholten haben	würde gescholten haben
wir	werden gescholten haben	werden gescholten haben	würden gescholten haben
ihr	werdet gescholten haben	werdet gescholten haben	würdet gescholten haben
sie	werden gescholten haben	werden gescholten haben	würden gescholten haben

schieben

PRINC. PARTS: schieben, schob, geschoben, schiebt
IMPERATIVE: schiebe!, schiebt!, schieben Sie!

*to push, shove,
move, profiteer*

INDICATIVE	SUBJUNCTIVE	
	PRIMARY	SECONDARY

Present Time

	Present	(*Pres. Subj.*)	(*Imperf. Subj.*)
ich	schiebe	schiebe	schöbe
du	schiebst	schiebest	schöbest
er	schiebt	schiebe	schöbe
wir	schieben	schieben	schöben
ihr	schiebt	schiebet	schöbet
sie	schieben	schieben	schöben

	Imperfect
ich	schob
du	schobst
er	schob
wir	schoben
ihr	schobt
sie	schoben

Past Time

	Perfect	(*Perf. Subj.*)	(*Pluperf. Subj.*)
ich	habe geschoben	habe geschoben	hätte geschoben
du	hast geschoben	habest geschoben	hättest geschoben
er	hat geschoben	habe geschoben	hätte geschoben
wir	haben geschoben	haben geschoben	hätten geschoben
ihr	habt geschoben	habet geschoben	hättet geschoben
sie	haben geschoben	haben geschoben	hätten geschoben

	Pluperfect
ich	hatte geschoben
du	hattest geschoben
er	hatte geschoben
wir	hatten geschoben
ihr	hattet geschoben
sie	hatten geschoben

Future Time

	Future	(*Fut. Subj.*)	(*Pres. Conditional*)
ich	werde schieben	werde schieben	würde schieben
du	wirst schieben	werdest schieben	würdest schieben
er	wird schieben	werde schieben	würde schieben
wir	werden schieben	werden schieben	würden schieben
ihr	werdet schieben	werdet schieben	würdet schieben
sie	werden schieben	werden schieben	würden schieben

Future Perfect Time

	Future Perfect	(*Fut. Perf. Subj.*)	(*Past Conditional*)
ich	werde geschoben haben	werde geschoben haben	würde geschoben haben
du	wirst geschoben haben	werdest geschoben haben	würdest geschoben haben
er	wird geschoben haben	werde geschoben haben	würde geschoben haben
wir	werden geschoben haben	werden geschoben haben	würden geschoben haben
ihr	werdet geschoben haben	werdet geschoben haben	würdet geschoben haben
sie	werden geschoben haben	werden geschoben haben	würden geschoben haben

schießen

to shoot

PRINC. PARTS: schießen, schoß, geschossen, schießt
IMPERATIVE: schieße!, schießt!, schießen Sie!

INDICATIVE	SUBJUNCTIVE	
	PRIMARY	SECONDARY

	Present	*Present Time* (*Pres. Subj.*)	(*Imperf. Subj.*)
ich	schieße	schieße	schösse
du	schießt	schießest	schössest
er	schießt	schieße	schösse
wir	schießen	schießen	schössen
ihr	schießt	schießet	schösset
sie	schießen	schießen	schössen

	Imperfect
ich	schoß
du	schossest
er	schoß
wir	schossen
ihr	schoßt
sie	schossen

	Perfect	*Past Time* (*Perf. Subj.*)	(*Pluperf. Subj.*)
ich	habe geschossen	habe geschossen	hätte geschossen
du	hast geschossen	habest geschossen	hättest geschossen
er	hat geschossen	habe geschossen	hätte geschossen
wir	haben geschossen	haben geschossen	hätten geschossen
ihr	habt geschossen	habet geschossen	hättet geschossen
sie	haben geschossen	haben geschossen	hätten geschossen

	Pluperfect
ich	hatte geschossen
du	hattest geschossen
er	hatte geschossen
wir	hatten geschossen
ihr	hattet geschossen
sie	hatten geschossen

	Future	*Future Time* (*Fut. Subj.*)	(*Pres. Conditional*)
ich	werde schießen	werde schießen	würde schießen
du	wirst schießen	werdest schießen	würdest schießen
er	wird schießen	werde schießen	würde schießen
wir	werden schießen	werden schießen	würden schießen
ihr	werdet schießen	werdet schießen	würdet schießen
sie	werden schießen	werden schießen	würden schießen

	Future Perfect	*Future Perfect Time* (*Fut. Perf. Subj.*)	(*Past Conditional*)
ich	werde geschossen haben	werde geschossen haben	würde geschossen haben
du	wirst geschossen haben	werdest geschossen haben	würdest geschossen haben
er	wird geschossen haben	werde geschossen haben	würde geschossen haben
wir	werden geschossen haben	werden geschossen haben	würden geschossen haben
ihr	werdet geschossen haben	werdet geschossen haben	würdet geschossen haben
sie	werden geschossen haben	werden geschossen haben	würden geschossen haben

PRINC. PARTS: schlafen, schlief, geschlafen, schläft
IMPERATIVE: schlafe!, schlaft!, schlafen Sie!

INDICATIVE		SUBJUNCTIVE	
		PRIMARY	SECONDARY
		Present Time	
	Present	*(Pres. Subj.)*	*(Imperf. Subj.)*
ich	schlafe	schlafe	schliefe
du	schläfst	schlafest	schliefest
er	schläft	schlafe	schliefe
wir	schlafen	schlafen	schliefen
ihr	schlaft	schlafet	schliefet
sie	schlafen	schlafen	schliefen
	Imperfect		
ich	schlief		
du	schliefst		
er	schlief		
wir	schliefen		
ihr	schlieft		
sie	schliefen		
		Past Time	
	Perfect	*(Perf. Subj.)*	*(Pluperf. Subj.)*
ich	habe geschlafen	habe geschlafen	hätte geschlafen
du	hast geschlafen	habest geschlafen	hättest geschlafen
er	hat geschlafen	habe geschlafen	hätte geschlafen
wir	haben geschlafen	haben geschlafen	hätten geschlafen
ihr	habt geschlafen	habet geschlafen	hättet geschlafen
sie	haben geschlafen	haben geschlafen	hätten geschlafen
	Pluperfect		
ich	hatte geschlafen		
du	hattest geschlafen		
er	hatte geschlafen		
wir	hatten geschlafen		
ihr	hattet geschlafen		
sie	hatten geschlafen		
		Future Time	
	Future	*(Fut. Subj.)*	*(Pres. Conditional)*
ich	werde schlafen	werde schlafen	würde schlafen
du	wirst schlafen	werdest schlafen	würdest schlafen
er	wird schlafen	werde schlafen	würde schlafen
wir	werden schlafen	werden schlafen	würden schlafen
ihr	werdet schlafen	werdet schlafen	würdet schlafen
sie	werden schlafen	werden schlafen	würden schlafen
		Future Perfect Time	
	Future Perfect	*(Fut. Perf. Subj.)*	*(Past Conditional)*
ich	werde geschlafen haben	werde geschlafen haben	würde geschlafen haben
du	wirst geschlafen haben	werdest geschlafen haben	würdest geschlafen haben
er	wird geschlafen haben	werde geschlafen haben	würde geschlafen haben
wir	werden geschlafen haben	werden geschlafen haben	würden geschlafen haben
ihr	werdet geschlafen haben	werdet geschlafen haben	würdet geschlafen haben
sie	werden geschlafen haben	werden geschlafen haben	würden geschlafen haben

schlagen

to hit, beat, strike

PRINC. PARTS: schlagen, schlug, geschlagen, schlägt
IMPERATIVE: schlage!, schlagt!, schlagen Sie!

	INDICATIVE	SUBJUNCTIVE	
		PRIMARY	SECONDARY
		Present Time	
	Present	*(Pres. Subj.)*	*(Imperf. Subj.)*
ich	schlage	schlage	schlüge
du	schlägst	schlagest	schlügest
er	schlägt	schlage	schlüge
wir	schlagen	schlagen	schlügen
ihr	schlagt	schlaget	schlüget
sie	schlagen	schlagen	schlügen
	Imperfect		
ich	schlug		
du	schlugst		
er	schlug		
wir	schlugen		
ihr	schlugt		
sie	schlugen		
		Past Time	
	Perfect	*(Perf. Subj.)*	*(Pluperf. Subj.)*
ich	habe geschlagen	habe geschlagen	hätte geschlagen
du	hast geschlagen	habest geschlagen	hättest geschlagen
er	hat geschlagen	habe geschlagen	hätte geschlagen
wir	haben geschlagen	haben geschlagen	hätten geschlagen
ihr	habt geschlagen	habet geschlagen	hättet geschlagen
sie	haben geschlagen	haben geschlagen	hätten geschlagen
	Pluperfect		
ich	hatte geschlagen		
du	hattest geschlagen		
er	hatte geschlagen		
wir	hatten geschlagen		
ihr	hattet geschlagen		
sie	hatten geschlagen		
		Future Time	
	Future	*(Fut. Subj.)*	*(Pres. Conditional)*
ich	werde schlagen	werde schlagen	würde schlagen
du	wirst schlagen	werdest schlagen	würdest schlagen
er	wird schlagen	werde schlagen	würde schlagen
wir	werden schlagen	werden schlagen	würden schlagen
ihr	werdet schlagen	werdet schlagen	würdet schlagen
sie	werden schlagen	werden schlagen	würden schlagen
		Future Perfect Time	
	Future Perfect	*(Fut. Perf. Subj.)*	*(Past Conditional)*
ich	werde geschlagen haben	werde geschlagen haben	würde geschlagen haben
du	wirst geschlagen haben	werdest geschlagen haben	würdest geschlagen haben
er	wird geschlagen haben	werde geschlagen haben	würde geschlagen haben
wir	werden geschlagen haben	werden geschlagen haben	würden geschlagen haben
ihr	werdet geschlagen haben	werdet geschlagen haben	würdet geschlagen haben
sie	werden geschlagen haben	werden geschlagen haben	würden geschlagen haben

PRINC. PARTS: schleichen, schlich, ist geschlichen, schleicht
IMPERATIVE: schleiche!, schleicht!, schleichen Sie!

to sneak, creep

INDICATIVE	SUBJUNCTIVE	
	PRIMARY	SECONDARY
	Present Time	
Present	*(Pres. Subj.)*	*(Imperf. Subj.)*
ich schleiche	schleiche	schliche
du schleichst	schleichest	schlichest
er schleicht	schleiche	schliche
wir schleichen	schleichen	schlichen
ihr schleicht	schleicht	schlichet
sie schleichen	schleichen	schlichen

Imperfect
ich schlich
du schlichst
er schlich
wir schlichen
ihr schlicht
sie schlichen

		Past Time	
Perfect	*(Perf. Subj.)*	*(Pluperf. Subj.)*
ich bin geschlichen	sei geschlichen	wäre geschlichen
du bist geschlichen	seiest geschlichen	wärest geschlichen
er ist geschlichen	sei geschlichen	wäre geschlichen
wir sind geschlichen	seien geschlichen	wären geschlichen
ihr seid geschlichen	seiet geschlichen	wäret geschlichen
sie sind geschlichen	seien geschlichen	wären geschlichen

Pluperfect
ich war geschlichen
du warst geschlichen
er war geschlichen
wir waren geschlichen
ihr wart geschlichen
sie waren geschlichen

		Future Time	
Future	*(Fut. Subj.)*	*(Pres. Conditional)*
ich werde schleichen	werde schleichen	würde schleichen
du wirst schleichen	werdest schleichen	würdest schleichen
er wird schleichen	werde schleichen	würde schleichen
wir werden schleichen	werden schleichen	würden schleichen
ihr werdet schleichen	werdet schleichen	würdet schleichen
sie werden schleichen	werden schleichen	würden schleichen

	Future Perfect Time	
Future Perfect	*(Fut. Perf. Subj.)*	*(Past Conditional)*
ich werde geschlichen sein	werde geschlichen sein	würde geschlichen sein
du wirst geschlichen sein	werdest geschlichen sein	würdest geschlichen sein
er wird geschlichen sein	werde geschlichen sein	würde geschlichen sein
wir werden geschlichen sein	werden geschlichen sein	würden geschlichen sein
ihr werdet geschlichen sein	werdet geschlichen sein	würdet geschlichen sein
sie werden geschlichen sein	werden geschlichen sein	würden geschlichen sein

127

schleifen

to grind, polish, slide*

PRINC. PARTS: schleifen, schliff, geschliffen, schleift
IMPERATIVE: schleife!, schleift!, schleifen Sie!

INDICATIVE	SUBJUNCTIVE	
	PRIMARY	SECONDARY
	Present Time	
Present	*(Pres. Subj.)*	*(Imperf. Subj.)*
ich schleife	schleife	schliffe
du schleifst	schleifest	schliffest
er schleift	schleife	schliffe
wir schleifen	schleifen	schliffen
ihr schleift	schleifet	schliffet
sie schleifen	schleifen	schliffen
Imperfect		
ich schliff		
du schliffst		
er schliff		
wir schliffen		
ihr schlifft		
sie schliffen		
	Past Time	
Perfect	*(Perf. Subj.)*	*(Pluperf. Subj.)*
ich habe geschliffen	habe geschliffen	hätte geschliffen
du hast geschliffen	habest geschliffen	hättest geschliffen
er hat geschliffen	habe geschliffen	hätte geschliffen
wir haben geschliffen	haben geschliffen	hätten geschliffen
ihr habt geschliffen	habet geschliffen	hättet geschliffen
sie haben geschliffen	haben geschliffen	hätten geschliffen
Pluperfect		
ich hatte geschliffen		
du hattest geschliffen		
er hatte geschliffen		
wir hatten geschliffen		
ihr hattet geschliffen		
sie hatten geschliffen		
	Future Time	
Future	*(Fut. Subj.)*	*(Pres. Conditional)*
ich werde schleifen	werde schleifen	würde schleifen
du wirst schleifen	werdest schleifen	würdest schleifen
er wird schleifen	werde schleifen	würde schleifen
wir werden schleifen	werden schleifen	würden schleifen
ihr werdet schleifen	werdet schleifen	würdet schleifen
sie werden schleifen	werden schleifen	würden schleifen
	Future Perfect Time	
Future Perfect	*(Fut. Perf. Subj.)*	*(Past Conditional)*
ich werde geschliffen haben	werde geschliffen haben	würde geschliffen haben
du wirst geschliffen haben	werdest geschliffen haben	würdest geschliffen haben
er wird geschliffen haben	werde geschliffen haben	würde geschliffen haben
wir werden geschliffen haben	werden geschliffen haben	würden geschliffen haben
ihr werdet geschliffen haben	werdet geschliffen haben	würdet geschliffen haben
sie werden geschliffen haben	werden geschliffen haben	würden geschliffen haben

* schleifen is weak in the meaning *to drag, to dismantle.* PRINC. PARTS: schleifen, schleifte, geschleift, schleift.

PRINC. PARTS: schließen, schloß, geschlossen,
schließt
IMPERATIVE: schließe!, schließt!, schließen Sie! *to close, conclude, shut, lock*

INDICATIVE		SUBJUNCTIVE	
		PRIMARY	SECONDARY
		Present Time	
	Present	(*Pres. Subj.*)	(*Imperf. Subj.*)
ich	schließe	schließe	schlösse
du	schließt	schließest	schlössest
er	schließt	schließe	schlösse
wir	schließen	schließen	schlössen
ihr	schließt	schließet	schlösset
sie	schließen	schließen	schlössen

	Imperfect
ich	schloß
du	schlossest
er	schloß
wir	schlossen
ihr	schloßt
sie	schlossen

	Perfect	*Past Time*	
		(*Perf. Subj.*)	(*Pluperf. Subj.*)
ich	habe geschlossen		
du	hast geschlossen	habe geschlossen	hätte geschlossen
er	hat geschlossen	habest geschlossen	hättest geschlossen
wir	haben geschlossen	habe geschlossen	hätte geschlossen
ihr	habt geschlossen	haben geschlossen	hätten geschlossen
sie	haben geschlossen	habet geschlossen	hättet geschlossen
		haben geschlossen	hätten geschlossen

	Pluperfect
ich	hatte geschlossen
du	hattest geschlossen
er	hatte geschlossen
wir	hatten geschlossen
ihr	hattet geschlossen
sie	hatten geschlossen

	Future	*Future Time*	
		(*Fut. Subj.*)	(*Pres. Conditional*)
ich	werde schließen	werde schließen	würde schließen
du	wirst schließen	werdest schließen	würdest schließen
er	wird schließen	werde schließen	würde schließen
wir	werden schließen	werden schließen	würden schließen
ihr	werdet schließen	werdet schließen	würdet schließen
sie	werden schließen	werden schließen	würden schließen

	Future Perfect	*Future Perfect Time*	
		(*Fut. Perf. Subj.*)	(*Past Conditional*)
ich	werde geschlossen haben	werde geschlossen haben	würde geschlossen haben
du	wirst geschlossen haben	werdest geschlossen haben	würdest geschlossen haben
er	wird geschlossen haben	werde geschlossen haben	würde geschlossen haben
wir	werden geschlossen haben	werden geschlossen haben	würden geschlossen haben
ihr	werdet geschlossen haben	werdet geschlossen haben	würdet geschlossen haben
sie	werden geschlossen haben	werden geschlossen haben	würden geschlossen haben

129

schlingen

to gulp, devour, weave

PRINC. PARTS: schlingen, schlang, geschlungen, schlingt
IMPERATIVE: schlinge!, schlingt!, schlingen Sie!

INDICATIVE		SUBJUNCTIVE	
		PRIMARY	SECONDARY
		Present Time	
Present		*(Pres. Subj.)*	*(Imperf. Subj.)*
ich	schlinge	schlinge	schlänge
du	schlingst	schlingest	schlängest
er	schlingt	schlinge	schlänge
wir	schlingen	schlingen	schlängen
ihr	schlingt	schlinget	schlänget
sie	schlingen	schlingen	schlängen

	Imperfect
ich	schlang
du	schlangst
er	schlang
wir	schlangen
ihr	schlangt
sie	schlangen

Perfect		*Past Time*	
		(Perf. Subj.)	*(Pluperf. Subj.)*
ich	habe geschlungen	habe geschlungen	hätte geschlungen
du	hast geschlungen	habest geschlungen	hättest geschlungen
er	hat geschlungen	habe geschlungen	hätte geschlungen
wir	haben geschlungen	haben geschlungen	hätten geschlungen
ihr	habt geschlungen	habet geschlungen	hättet geschlungen
sie	haben geschlungen	haben geschlungen	hätten geschlungen

	Pluperfect
ich	hatte geschlungen
du	hattest geschlungen
er	hatte geschlungen
wir	hatten geschlungen
ihr	hattet geschlungen
sie	hatten geschlungen

Future		*Future Time*	
		(Fut. Subj.)	*(Pres. Conditional)*
ich	werde schlingen	werde schlingen	würde schlingen
du	wirst schlingen	werdest schlingen	würdest schlingen
er	wird schlingen	werde schlingen	würde schlingen
wir	werden schlingen	werden schlingen	würden schlingen
ihr	werdet schlingen	werdet schlingen	würdet schlingen
sie	werden schlingen	werden schlingen	würden schlingen

Future Perfect		*Future Perfect Time*	
		(Fut. Perf. Subj.)	*(Past Conditional)*
ich	werde geschlungen haben	werde geschlungen haben	würde geschlungen haben
du	wirst geschlungen haben	werdest geschlungen haben	würdest geschlungen haben
er	wird geschlungen haben	werde geschlungen haben	würde geschlungen haben
wir	werden geschlungen haben	werden geschlungen haben	würden geschlungen haben
ihr	werdet geschlungen haben	werdet geschlungen haben	würdet geschlungen haben
sie	werden geschlungen haben	werden geschlungen haben	würden geschlungen haben

PRINC. PARTS: schmeißen, schmiß, geschmissen, schmeißt
IMPERATIVE: schmeiße!, schmeißt!, schmeißen Sie!

to fling, hurl

INDICATIVE	SUBJUNCTIVE	
	PRIMARY	SECONDARY

Present Time

	Present	*(Pres. Subj.)*	*(Imperf. Subj.)*
ich	schmeiße	schmeiße	schmisse
du	schmeißt	schmeißest	schmissest
er	schmeißt	schmeiße	schmisse
wir	schmeißen	schmeißen	schmissen
ihr	schmeißt	schmeißet	schmisset
sie	schmeißen	schmeißen	schmissen

	Imperfect
ich	schmiß
du	schmissest
er	schmiß
wir	schmissen
ihr	schmißt
sie	schmissen

Past Time

	Perfect	*(Perf. Subj.)*	*(Pluperf. Subj.)*
ich	habe geschmissen	habe geschmissen	hätte geschmissen
du	hast geschmissen	habest geschmissen	hättest geschmissen
er	hat geschmissen	habe geschmissen	hätte geschmissen
wir	haben geschmissen	haben geschmissen	hätten geschmissen
ihr	habt geschmissen	habet geschmissen	hättet geschmissen
sie	haben geschmissen	haben geschmissen	hätten geschmissen

	Pluperfect
ich	hatte geschmissen
du	hattest geschmissen
er	hatte geschmissen
wir	hatten geschmissen
ihr	hattet geschmissen
sie	hatten geschmissen

Future Time

	Future	*(Fut. Subj.)*	*(Pres. Conditional)*
ich	werde schmeißen	werde schmeißen	würde schmeißen
du	wirst schmeißen	werdest schmeißen	würdest schmeißen
er	wird schmeißen	werde schmeißen	würde schmeißen
wir	werden schmeißen	werden schmeißen	würden schmeißen
ihr	werdet schmeißen	werdet schmeißen	würdet schmeißen
sie	werden schmeißen	werden schmeißen	würden schmeißen

Future Perfect Time

	Future Perfect	*(Fut. Perf. Subj.)*	*(Past Conditional)*
ich	werde geschmissen haben	werde geschmissen haben	würde geschmissen haben
du	wirst geschmissen haben	werdest geschmissen haben	würdest geschmissen haben
er	wird geschmissen haben	werde geschmissen haben	würde geschmissen haben
wir	werden geschmissen haben	werden geschmissen haben	würden geschmissen haben
ihr	werdet geschmissen haben	werdet geschmissen haben	würdet geschmissen haben
sie	werden geschmissen haben	werden geschmissen haben	würden geschmissen haben

schmelzen
to melt

PRINC. PARTS: schmelzen, schmolz, *ist geschmolzen, schmilzt
IMPERATIVE: schmilz!, schmelzt!, schmelzen Sie!

INDICATIVE	SUBJUNCTIVE	
	PRIMARY	SECONDARY

Present Time

	Present	(*Pres. Subj.*)	(*Imperf. Subj.*)
ich	schmelze	schmelze	schmölze
du	schmilzt	schmelzest	schmölzest
er	schmilzt	schmelze	schmölze
wir	schmelzen	schmelzen	schmölzen
ihr	schmelzt	schmelzet	schmölzet
sie	schmelzen	schmelzen	schmölzen

	Imperfect
ich	schmolz
du	schmolzest
er	schmolz
wir	schmolzen
ihr	schmolzt
sie	schmolzen

Past Time

	Perfect	(*Perf. Subj.*)	(*Pluperf. Subj.*)
ich	bin geschmolzen		wäre geschmolzen
du	bist geschmolzen	sei geschmolzen	wärest geschmolzen
er	ist geschmolzen	seiest geschmolzen	wäre geschmolzen
wir	sind geschmolzen	sei geschmolzen	wären geschmolzen
ihr	seid geschmolzen	seien geschmolzen	wäret geschmolzen
sie	sind geschmolzen	seiet geschmolzen	wären geschmolzen
		seien geschmolzen	

	Pluperfect
ich	war geschmolzen
du	warst geschmolzen
er	war geschmolzen
wir	waren geschmolzen
ihr	wart geschmolzen
sie	waren geschmolzen

Future Time

	Future	(*Fut. Subj.*)	(*Pres. Conditional*)
ich	werde schmelzen	werde schmelzen	würde schmelzen
du	wirst schmelzen	werdest schmelzen	würdest schmelzen
er	wird schmelzen	werde schmelzen	würde schmelzen
wir	werden schmelzen	werden schmelzen	würden schmelzen
ihr	werdet schmelzen	werdet schmelzen	würdet schmelzen
sie	werden schmelzen	werden schmelzen	würden schmelzen

Future Perfect Time

	Future Perfect	(*Fut. Perf. Subj.*)	(*Past Conditional*)
ich	werde geschmolzen sein	werde geschmolzen sein	würde geschmolzen sein
du	wirst geschmolzen sein	werdest geschmolzen sein	würdest geschmolzen sein
er	wird geschmolzen sein	werde geschmolzen sein	würde geschmolzen sein
wir	werden geschmolzen sein	werden geschmolzen sein	würden geschmolzen sein
ihr	werdet geschmolzen sein	werdet geschmolzen sein	würdet geschmolzen sein
sie	werden geschmolzen sein	werden geschmolzen sein	würden geschmolzen sein

* schmelzen can also be used transitively. Its auxiliary in the perfect tenses is then **haben**.

PRINC. PARTS: schneiden, schnitt, geschnitten, schneidet
IMPERATIVE: schneide!, schneidet!, schneiden Sie!

INDICATIVE	SUBJUNCTIVE	
	PRIMARY	SECONDARY
	Present Time	
Present	(*Pres. Subj.*)	(*Imperf. Subj.*)
ich schneide	schneide	schnitte
du schneidest	schneidest	schnittest
er schneidet	schneide	schnitte
wir schneiden	schneiden	schnitten
ihr schneidet	schneidet	schnittet
sie schneiden	schneiden	schnitten

Imperfect
ich schnitt
du schnittst
er schnitt
wir schnitten
ihr schnittet
sie schnitten

Perfect	*Past Time*	
	(*Perf. Subj.*)	(*Pluperf. Subj.*)
ich habe geschnitten	habe geschnitten	hätte geschnitten
du hast geschnitten	habest geschnitten	hättest geschnitten
er hat geschnitten	habe geschnitten	hätte geschnitten
wir haben geschnitten	haben geschnitten	hätten geschnitten
ihr habt geschnitten	habet geschnitten	hättet geschnitten
sie haben geschnitten	haben geschnitten	hätten geschnitten

Pluperfect
ich hatte geschnitten
du hattest geschnitten
er hatte geschnitten
wir hatten geschnitten
ihr hattet geschnitten
sie hatten geschnitten

Future	*Future Time*	
	(*Fut. Subj.*)	(*Pres. Conditional*)
ich werde schneiden	werde schneiden	würde schneiden
du wirst schneiden	werdest schneiden	würdest schneiden
er wird schneiden	werde schneiden	würde schneiden
wir werden schneiden	werden schneiden	würden schneiden
ihr werdet schneiden	werdet schneiden	würdet schneiden
sie werden schneiden	werden schneiden	würden schneiden

	Future Perfect Time	
Future Perfect	(*Fut. Perf. Subj.*)	(*Past Conditional*)
ich werde geschnitten haben	werde geschnitten haben	würde geschnitten haben
du wirst geschnitten haben	werdest geschnitten haben	würdest geschnitten haben
er wird geschnitten haben	werde geschnitten haben	würde geschnitten haben
wir werden geschnitten haben	werden geschnitten haben	würden geschnitten haben
ihr werdet geschnitten haben	werdet geschnitten haben	würdet geschnitten haben
sie werden geschnitten haben	werden geschnitten haben	würden geschnitten haben

schneien

to snow

PRINC. PARTS: schneien*, schneite, geschneit, es schneit
IMPERATIVE: schneie!, schneit!, schneien Sie! **

	INDICATIVE	SUBJUNCTIVE	
		PRIMARY	SECONDARY
		Present Time	
	Present	*(Pres. Subj.)*	*(Imperf. Subj.)*
ich			
du			
es	schneit	schneie	schneite
wir			
ihr			
sie			
	Imperfect		
ich			
du			
es	schneite		
wir			
ihr			
sie			
		Past Time	
	Perfect	*(Perf. Subj.)*	*(Pluperf. Subj.)*
ich			
du			
es	hat geschneit	habe geschneit	hätte geschneit
wir			
ihr			
sie			
	Pluperfect		
ich			
du			
es	hatte geschneit		
wir			
ihr			
sie			
		Future Time	
	Future	*(Fut. Subj.)*	*(Pres. Conditional)*
ich			
du			
es	wird schneien	werde schneien	würde schneien
wir			
ihr			
sie			
		Future Perfect Time	
	Future Perfect	*(Fut. Perf. Subj.)*	*(Past Conditional)*
ich			
du			
es	wird geschneit haben	werde geschneit haben	würde geschneit haben
wir			
ihr			
sie			

* Impersonal verb. Forms other than the third person singular of this verb are rarely found, except in poetry.
** The imperative *snow* of this verb is as unusual as in English.

PRINC. PARTS: schreiben, schrieb, geschrieben, schreibt
IMPERATIVE: schreibe!, schreibt!, schreiben Sie!

to write

INDICATIVE	SUBJUNCTIVE	
	PRIMARY	SECONDARY

Present Time

	Present	(*Pres. Subj.*)	(*Imperf. Subj.*)
ich	schreibe	schreibe	schriebe
du	schreibst	schreibest	schriebest
er	schreibt	schreibe	schriebe
wir	schreiben	schreiben	schrieben
ihr	schreibt	schreibet	schriebet
sie	schreiben	schreiben	schrieben

	Imperfect
ich	schrieb
du	schriebst
er	schrieb
wir	schrieben
ihr	schriebt
sie	schrieben

Past Time

	Perfect	(*Perf. Subj.*)	(*Pluperf. Subj.*)
ich	habe geschrieben	habe geschrieben	hätte geschrieben
du	hast geschrieben	habest geschrieben	hättest geschrieben
er	hat geschrieben	habe geschrieben	hätte geschrieben
wir	haben geschrieben	haben geschrieben	hätten geschrieben
ihr	habt geschrieben	habet geschrieben	hättet geschrieben
sie	haben geschrieben	haben geschrieben	hätten geschrieben

	Pluperfect
ich	hatte geschrieben
du	hattest geschrieben
er	hatte geschrieben
wir	hatten geschrieben
ihr	hattet geschrieben
sie	hatten geschrieben

Future Time

	Future	(*Fut. Subj.*)	(*Pres. Conditional*)
ich	werde schreiben	werde schreiben	würde schreiben
du	wirst schreiben	werdest schreiben	würdest schreiben
er	wird schreiben	werde schreiben	würde schreiben
wir	werden schreiben	werden schreiben	würden schreiben
ihr	werdet schreiben	werdet schreiben	würdet schreiben
sie	werden schreiben	werden schreiben	würden schreiben

Future Perfect Time

	Future Perfect	(*Fut. Perf. Subj.*)	(*Past Conditional*)
ich	werde geschrieben haben	werde geschrieben haben	würde geschrieben haben
du	wirst geschrieben haben	werdest geschrieben haben	würdest geschrieben haben
er	wird geschrieben haben	werde geschrieben haben	würde geschrieben haben
wir	werden geschrieben haben	werden geschrieben haben	würden geschrieben haben
ihr	werdet geschrieben haben	werdet geschrieben haben	würdet geschrieben haben
sie	werden geschrieben haben	werden geschrieben haben	wurden geschrieben haben

schreien

to shout, scream, shriek, cry

PRINC. PARTS: schreien, schrie, geschrieen, schreit
IMPERATIVE: schreie!, schreit!, schreien Sie!

INDICATIVE	SUBJUNCTIVE	
	PRIMARY	SECONDARY

Present Time

	Present	(*Pres. Subj.*)	(*Imperf. Subj.*)
ich	schreie	schreie	schriee
du	schreist	schreiest	schrieest
er	schreit	schreie	schriee
wir	schreien	schreien	schrieen
ihr	schreit	schreiet	schrieet
sie	schreien	schreien	schrieen

	Imperfect
ich	schrie
du	schriest
er	schrie
wir	schrieen
ihr	schriet
sie	schrieen

Past Time

	Perfect	(*Perf. Subj.*)	(*Pluperf. Subj.*)
ich	habe geschrieen	habe geschrieen	hätte geschrieen
du	hast geschrieen	habest geschrieen	hättest geschrieen
er	hat geschrieen	habe geschrieen	hätte geschrieen
wir	haben geschrieen	haben geschrieen	hätten geschrieen
ihr	habt geschrieen	habet geschrieen	hättet geschrieen
sie	haben geschrieen	haben geschrieen	hätten geschrieen

	Pluperfect
ich	hatte geschrieen
du	hattest geschrieen
er	hatte geschrieen
wir	hatten geschrieen
ihr	hattet geschrieen
sie	hatten geschrieen

Future Time

	Future	(*Fut. Subj.*)	(*Pres. Conditional*)
ich	werde schreien	werde schreien	würde schreien
du	wirst schreien	werdest schreien	würdest schreien
er	wird schreien	werde schreien	würde schreien
wir	werden schreien	werden schreien	würden schreien
ihr	werdet schreien	werdet schreien	würdet schreien
sie	werden schreien	werden schreien	würden schreien

Future Perfect Time

	Future Perfect	(*Fut. Perf. Subj.*)	(*Past Conditional*)
ich	werde geschrieen haben	werde geschrieen haben	würde geschrieen haben
du	wirst geschrieen haben	werdest geschrieen haben	würdest geschrieen haben
er	wird geschrieen haben	werde geschrieen haben	würde geschrieen haben
wir	werden geschrieen haben	werden geschrieen haben	würden geschrieen haben
ihr	werdet geschrieen haben	werdet geschrieen haben	würdet geschrieen haben
sie	werden geschrieen haben	werden geschrieen haben	würden geschrieen haben

PRINC. PARTS: schreiten, schritt, ist geschritten, schreitet
IMPERATIVE: schreite!, schreitet!, schreiten Sie!

to stride, step, walk

INDICATIVE	SUBJUNCTIVE	
	PRIMARY	SECONDARY
	Present Time	
Present	(*Pres. Subj.*)	(*Imperf. Subj.*)
ich schreite	schreite	schritte
du schreitest	schreitest	schrittest
er schreitet	schreite	schritte
wir schreiten	schreiten	schritten
ihr schreitet	schreitet	schrittet
sie schreiten	schreiten	schritten

Imperfect
ich schritt
du schrittest
er schritt
wir schritten
ihr schrittet
sie schritten

	Past Time	
Perfect	(*Perf. Subj.*)	(*Pluperf. Subj.*)
ich bin geschritten	sei geschritten	wäre geschritten
du bist geschritten	seiest geschritten	wärest geschritten
er ist geschritten	sei geschritten	wäre geschritten
wir sind geschritten	seien geschritten	wären geschritten
ihr seid geschritten	seiet geschritten	wäret geschritten
sie sind geschritten	seien geschritten	wären geschritten

Pluperfect
ich war geschritten
du warst geschritten
er war geschritten
wir waren geschritten
ihr wart geschritten
sie waren geschritten

	Future Time	
Future	(*Fut. Subj.*)	(*Pres. Conditional*)
ich werde schreiten	werde schreiten	würde schreiten
du wirst schreiten	werdest schreiten	würdest schreiten
er wird schreiten	werde schreiten	würde schreiten
wir werden schreiten	werden schreiten	würden schreiten
ihr werdet schreiten	werdet schreiten	würdet schreiten
sie werden schreiten	werden schreiten	würden schreiten

	Future Perfect Time	
Future Perfect	(*Fut. Perf. Subj.*)	(*Past Conditional*)
ich werde geschritten sein	werde geschritten sein	würde geschritten sein
du wirst geschritten sein	werdest geschritten sein	würdest geschritten sein
er wird geschritten sein	werde geschritten sein	würde geschritten sein
wir werden geschritten sein	werden geschritten sein	würden geschritten sein
ihr werdet geschritten sein	werdet geschritten sein	würdet geschritten sein
sie werden geschritten sein	werden geschritten sein	würden geschritten sein

137

schweigen

to be silent

PRINC. PARTS: schweigen, schwieg, geschwiegen, schweigt
IMPERATIVE: schweige!, schweigt!, schweigen Sie!

INDICATIVE	SUBJUNCTIVE	
	PRIMARY	SECONDARY

Present Time

Present	*(Pres. Subj.)*	*(Imperf. Subj.)*
ich schweige	schweige	schwiege
du schweigst	schweigest	schwiegest
er schweigt	schweige	schwiege
wir schweigen	schweigen	schwiegen
ihr schweigt	schweiget	schwieget
sie schweigen	schweigen	schwiegen

Imperfect
ich schwieg
du schwiegst
er schwieg
wir schwiegen
ihr schwiegt
sie schwiegen

Past Time

Perfect	*(Perf. Subj.)*	*(Pluperf. Subj.)*
ich habe geschwiegen	habe geschwiegen	hätte geschwiegen
du hast geschwiegen	habest geschwiegen	hättest geschwiegen
er hat geschwiegen	habe geschwiegen	hätte geschwiegen
wir haben geschwiegen	haben geschwiegen	hätten geschwiegen
ihr habt geschwiegen	habet geschwiegen	hättet geschwiegen
sie haben geschwiegen	haben geschwiegen	hätten geschwiegen

Pluperfect
ich hatte geschwiegen
du hattest geschwiegen
er hatte geschwiegen
wir hatten geschwiegen
ihr hattet geschwiegen
sie hatten geschwiegen

Future Time

Future	*(Fut. Subj.)*	*(Pres. Conditional)*
ich werde schweigen	werde schweigen	würde schweigen
du wirst schweigen	werdest schweigen	würdest schweigen
er wird schweigen	werde schweigen	würde schweigen
wir werden schweigen	werden schweigen	würden schweigen
ihr werdet schweigen	werdet schweigen	würdet schweigen
sie werden schweigen	werden schweigen	würden schweigen

Future Perfect Time

Future Perfect	*(Fut. Perf. Subj.)*	*(Past Conditional)*
ich werde geschwiegen haben	werde geschwiegen haben	würde geschwiegen haben
du wirst geschwiegen haben	werdest geschwiegen haben	würdest geschwiegen haben
er wird geschwiegen haben	werde geschwiegen haben	würde geschwiegen haben
wir werden geschwiegen haben	werden geschwiegen haben	würden geschwiegen haben
ihr werdet geschwiegen haben	werdet geschwiegen haben	würdet geschwiegen haben
sie werden geschwiegen haben	werden geschwiegen haben	würden geschwiegen haben

schwellen

PRINC. PARTS: schwellen, schwoll, ist geschwollen, schwillt
IMPERATIVE: schwill!, schwellt!, schwellen Sie!

*to swell, rise,
increase in size*

	INDICATIVE	PRIMARY	SUBJUNCTIVE	SECONDARY
			Present Time	
	Present	*(Pres. Subj.)*		*(Imperf. Subj.)*
ich	schwelle	schwelle		schwölle
du	schwillst	schwellest		schwöllest
er	schwillt	schwelle		schwölle
wir	schwellen	schwellen		schwöllen
ihr	schwellt	schwellet		schwöllet
sie	schwellen	schwellen		schwöllen

	Imperfect
ich	schwoll
du	schwollst
er	schwoll
wir	schwollen
ihr	schwollt
sie	schwollen

	Perfect	*(Perf. Subj.)*	*Past Time*	*(Pluperf. Subj.)*
ich	bin geschwollen	sei geschwollen		wäre geschwollen
du	bist geschwollen	seiest geschwollen		wärest geschwollen
er	ist geschwollen	sei geschwollen		wäre geschwollen
wir	sind geschwollen	seien geschwollen		wären geschwollen
ihr	seid geschwollen	seiet geschwollen		wäret geschwollen
sie	sind geschwollen	seien geschwollen		wären geschwollen

	Pluperfect
ich	war geschwollen
du	warst geschwollen
er	war geschwollen
wir	waren geschwollen
ihr	wart geschwollen
sie	waren geschwollen

	Future	*(Fut. Subj.)*	*Future Time*	*(Pres. Conditional)*
ich	werde schwellen	werde schwellen		würde schwellen
du	wirst schwellen	werdest schwellen		würdest schwellen
er	wird schwellen	werde schwellen		würde schwellen
wir	werden schwellen	werden schwellen		würden schwellen
ihr	werdet schwellen	werdet schwellen		würdet schwellen
sie	werden schwellen	werden schwellen		würden schwellen

	Future Perfect	*(Fut. Perf. Subj.)*	*Future Perfect Time*	*(Past Conditional)*
ich	werde geschwollen sein	werde geschwollen sein		würde geschwollen sein
du	wirst geschwollen sein	werdest geschwollen sein		würdest geschwollen sein
er	wird geschwollen sein	werde geschwollen sein		würde geschwollen sein
wir	werden geschwollen sein	werden geschwollen sein		würden geschwollen sein
ihr	werdet geschwollen sein	werdet geschwollen sein		würdet geschwollen sein
sie	werden geschwollen sein	werden geschwollen sein		würden geschwollen sein

139

schwimmen

to swim, float

PRINC. PARTS: schwimmen, schwamm, ist geschwommen, schwimmt

IMPERATIVE: schwimme!, schwimmt!, schwimmen Sie!

INDICATIVE		SUBJUNCTIVE	
		PRIMARY	SECONDARY
		Present Time	
	Present	*(Pres. Subj.)*	*(Imperf. Subj.)*
ich	schwimme	schwimme	schwömme
du	schwimmst	schwimmest	schwömmest
er	schwimmt	schwimme	schwömme
wir	schwimmen	schwimmen	schwömmen
ihr	schwimmt	schwimmet	schwömmet
sie	schwimmen	schwimmen	schwömmen
	Imperfect		
ich	schwamm		
du	schwammst		
er	schwamm		
wir	schwammen		
ihr	schwammt		
sie	schwammen		
		Past Time	
	Perfect	*(Perf. Subj.)*	*(Pluperf. Subj.)*
ich	bin geschwommen	sei geschwommen	wäre geschwommen
du	bist geschwommen	seiest geschwommen	wärest geschwommen
er	ist geschwommen	sei geschwommen	wäre geschwommen
wir	sind geschwommen	seien geschwommen	wären geschwommen
ihr	seid geschwommen	seiet geschwommen	wäret geschwommen
sie	sind geschwommen	seien geschwommen	wären geschwommen
	Pluperfect		
ich	war geschwommen		
du	warst geschwommen		
er	war geschwommen		
wir	waren geschwommen		
ihr	wart geschwommen		
sie	waren geschwommen		
		Future Time	
	Future	*(Fut. Subj.)*	*(Pres. Conditional)*
ich	werde schwimmen	werde schwimmen	würde schwimmen
du	wirst schwimmen	werdest schwimmen	würdest schwimmen
er	wird schwimmen	werde schwimmen	würde schwimmen
wir	werden schwimmen	werden schwimmen	würden schwimmen
ihr	werdet schwimmen	werdet schwimmen	würdet schwimmen
sie	werden schwimmen	werden schwimmen	würden schwimmen
		Future Perfect Time	
	Future Perfect	*(Fut. Perf. Subj.)*	*(Past Conditional)*
ich	werde geschwommen sein	werde geschwommen sein	würde geschwommen sein
du	wirst geschwommen sein	werdest geschwommen sein	würdest geschwommen sein
er	wird geschwommen sein	werde geschwommen sein	würde geschwommen sein
wir	werden geschwommen sein	werden geschwommen sein	würden geschwommen sein
ihr	werdet geschwommen sein	werdet geschwommen sein	würdet geschwommen sein
sie	werden geschwommen sein	werden geschwommen sein	würden geschwommen sein

PRINC. PARTS: schwinden,* schwand, ist geschwunden,
schwindet
IMPERATIVE: schwinde!, schwindet!, schwinden Sie!**   *to disappear, dwindle*

schwinden

INDICATIVE	SUBJUNCTIVE	
	PRIMARY	SECONDARY
	Present Time	
Present	*(Pres. Subj.)*	*(Imperf. Subj.)*
ich schwinde	schwinde	schwände
du schwindest	schwindest	schwändest
er schwindet	schwinde	schwände
wir schwinden	schwinden	schwänden
ihr schwindet	schwindet	schwändet
sie schwinden	schwinden	schwänden

Imperfect
ich schwand
du schwandest
er schwand
wir schwanden
ihr schwandet
sie schwanden

	Past Time	
Perfect	*(Perf. Subj.)*	*(Pluperf. Subj.)*
ich bin geschwunden	sei geschwunden	wäre geschwunden
du bist geschwunden	seiest geschwunden	wärest geschwunden
er ist geschwunden	sei geschwunden	wäre geschwunden
wir sind geschwunden	seien geschwunden	wären geschwunden
ihr seid geschwunden	seiet geschwunden	wäret geschwunden
sie sind geschwunden	seien geschwunden	wären geschwunden

Pluperfect
ich war geschwunden
du warst geschwunden
er war geschwunden
wir waren geschwunden
ihr wart geschwunden
sie waren geschwunden

	Future Time	
Future	*(Fut. Subj.)*	*(Pres. Conditional)*
ich werde schwinden	werde schwinden	würde schwinden
du wirst schwinden	werdest schwinden	würdest schwinden
er wird schwinden	werde schwinden	würde schwinden
wir werden schwinden	werden schwinden	würden schwinden
ihr werdet schwinden	werdet schwinden	würdet schwinden
sie werden schwinden	werden schwinden	würden schwinden

	Future Perfect Time	
Future Perfect	*(Fut. Perf. Subj.)*	*(Past Conditional)*
ich werde geschwunden sein	werde geschwunden sein	würde geschwunden sein
du wirst geschwunden sein	werdest geschwunden sein	würdest geschwunden sein
er wird geschwunden sein	werde geschwunden sein	würde geschwunden sein
wir werden geschwunden sein	werden geschwunden sein	würden geschwunden sein
ihr werdet geschwunden sein	werdet geschwunden sein	würdet geschwunden sein
sie werden geschwunden sein	werden geschwunden sein	würden geschwunden sein

* Forms other than the third person are infrequently found.
** The imperative is unusual.

schwingen

to swing

PRINC. PARTS: schwingen, schwang, geschwungen, schwingt
IMPERATIVE: schwinge!, schwingt!, schwingen Sie!

INDICATIVE	SUBJUNCTIVE	
	PRIMARY	SECONDARY

Present Time

	Present	(*Pres. Subj.*)	(*Imperf. Subj.*)
ich	schwinge	schwinge	schwänge
du	schwingst	schwingest	schwängest
er	schwingt	schwinge	schwänge
wir	schwingen	schwingen	schwängen
ihr	schwingt	schwinget	schwänget
sie	schwingen	schwingen	schwängen

	Imperfect
ich	schwang
du	schwangst
er	schwang
wir	schwangen
ihr	schwangt
sie	schwangen

Past Time

	Perfect	(*Perf. Subj.*)	(*Pluperf. Subj.*)
ich	habe geschwungen	habe geschwungen	hätte geschwungen
du	hast geschwungen	habest geschwungen	hättest geschwungen
er	hat geschwungen	habe geschwungen	hätte geschwungen
wir	haben geschwungen	haben geschwungen	hätten geschwungen
ihr	habt geschwungen	habet geschwungen	hättet geschwungen
sie	haben geschwungen	haben geschwungen	hätten geschwungen

	Pluperfect
ich	hatte geschwungen
du	hattest geschwungen
er	hatte geschwungen
wir	hatten geschwungen
ihr	hattet geschwungen
sie	hatten geschwungen

Future Time

	Future	(*Fut. Subj.*)	(*Pres. Conditional*)
ich	werde schwingen	werde schwingen	würde schwingen
du	wirst schwingen	werdest schwingen	würdest schwingen
er	wird schwingen	werde schwingen	würde schwingen
wir	werden schwingen	werden schwingen	würden schwingen
ihr	werdet schwingen	werdet schwingen	würdet schwingen
sie	werden schwingen	werden schwingen	würden schwingen

Future Perfect Time

	Future Perfect	(*Fut. Perf. Subj.*)	(*Past Conditional*)
ich	werde geschwungen haben	werde geschwungen haben	würde geschwungen haben
du	wirst geschwungen haben	werdest geschwungen haben	würdest geschwungen haben
er	wird geschwungen haben	werde geschwungen haben	würde geschwungen haben
wir	werden geschwungen haben	werden geschwungen haben	würden geschwungen haben
ihr	werdet geschwungen haben	werdet geschwungen haben	würdet geschwungen haben
sie	werden geschwungen haben	werden geschwungen haben	würden geschwungen haben

PRINC. PARTS: schwören, schwur, geschworen, schwört
IMPERATIVE: schwöre!, schwört!, schwören Sie!

to curse, swear

INDICATIVE		SUBJUNCTIVE	
		PRIMARY	SECONDARY
		Present Time	
	Present	*(Pres. Subj.)*	*(Imperf. Subj.)*
ich	schwöre	schwöre	schwüre
du	schwörst	schwörest	schwürest
er	schwört	schwöre	schwüre
wir	schwören	schwören	schwüren
ihr	schwört	schwöret	schwüret
sie	schwören	schwören	schwüren

	Imperfect		
ich	schwur	schwor
du	schwurst	schworst
er	schwur	*or* schwor
wir	schwuren	schworen
ihr	schwurt	schwort
sie	schwuren	schworen

	Perfect	*(Perf. Subj.)*	*(Pluperf. Subj.)*
		Past Time	
ich	habe geschworen	habe geschworen	hätte geschworen
du	hast geschworen	habest geschworen	hättest geschworen
er	hat geschworen	habe geschworen	hätte geschworen
wir	haben geschworen	haben geschworen	hätten geschworen
ihr	habt geschworen	habet geschworen	hättet geschworen
sie	haben geschworen	haben geschworen	hätten geschworen

	Pluperfect		
ich	hatte geschworen
du	hattest geschworen
er	hatte geschworen
wir	hatten geschworen
ihr	hattet geschworen
sie	hatten geschworen

	Future	*(Fut. Subj.)*	*(Pres. Conditional)*
		Future Time	
ich	werde schwören	werde schwören	würde schwören
du	wirst schwören	werdest schwören	würdest schwören
er	wird schwören	werde schwören	würde schwören
wir	werden schwören	werden schwören	würden schwören
ihr	werdet schwören	werdet schwören	würdet schwören
sie	werden schwören	werden schwören	würden schwören

	Future Perfect	*(Fut. Perf. Subj.)*	*(Past Conditional)*
		Future Perfect Time	
ich	werde geschworen haben	werde geschworen haben	würde geschworen haben
du	wirst geschworen haben	werdest geschworen haben	würdest geschworen haben
er	wird geschworen haben	werde geschworen haben	würde geschworen haben
wir	werden geschworen haben	werden geschworen haben	würden geschworen haben
ihr	werdet geschworen haben	werdet geschworen haben	würdet geschworen haben
sie	werden geschworen haben	werden geschworen haben	würden geschworen haben

sehen

to see, realize

PRINC. PARTS: sehen, sah, gesehen, sieht
IMPERATIVE: sieh!, seht!, sehen Sie!

	INDICATIVE	SUBJUNCTIVE	
		PRIMARY	SECONDARY

Present Time

	Present	*(Pres. Subj.)*	*(Imperf. Subj.)*
ich	sehe	sehe	sähe
du	siehst	sehest	sähest
er	sieht	sehe	sähe
wir	sehen	sehen	sähen
ihr	seht	sehet	sähet
sie	sehen	sehen	sähen

	Imperfect
ich	sah
du	sahst
er	sah
wir	sahen
ihr	saht
sie	sahen

Past Time

	Perfect	*(Perf. Subj.)*	*(Pluperf. Subj.)*
ich	habe gesehen	habe gesehen	hätte gesehen
du	hast gesehen	habest gesehen	hättest gesehen
er	hat gesehen	habe gesehen	hätte gesehen
wir	haben gesehen	haben gesehen	hätten gesehen
ihr	habt gesehen	habet gesehen	hättet gesehen
sie	haben gesehen	haben gesehen	hätten gesehen

	Pluperfect
ich	hatte gesehen
du	hattest gesehen
er	hatte gesehen
wir	hatten gesehen
ihr	hattet gesehen
sie	hatten gesehen

Future Time

	Future	*(Fut. Subj.)*	*(Pres. Conditional)*
ich	werde sehen	werde sehen	würde sehen
du	wirst sehen	werdest sehen	würdest sehen
er	wird sehen	werde sehen	würde sehen
wir	werden sehen	werden sehen	würden sehen
ihr	werdet sehen	werdet sehen	würdet sehen
sie	werden sehen	werden sehen	würden sehen

Future Perfect Time

	Future Perfect	*(Fut. Perf. Subj.)*	*(Past Conditional)*
ich	werde gesehen haben	werde gesehen haben	würde gesehen haben
du	wirst gesehen haben	werdest gesehen haben	würdest gesehen haben
er	wird gesehen haben	werde gesehen haben	würde gesehen haben
wir	werden gesehen haben	werden gesehen haben	würden gesehen haben
ihr	werdet gesehen haben	werdet gesehen haben	würdet gesehen haben
sie	werden gesehen haben	werden gesehen haben	würden gesehen haben

144

PRINC. PARTS: sein, war, ist gewesen, ist
IMPERATIVE: \sei!, seid!, seien Sie!

*to be, have**

INDICATIVE		SUBJUNCTIVE	
		PRIMARY	SECONDARY
		Present Time	
	Present	*(Pres. Subj.)*	*(Imperf. Subj.)*
ich	bin	sei	wäre
du	bist	seist	wärest
er	ist	sei	wäre
wir	sind	seien	wären
ihr	seid	seiet	wäret
sie	sind	seien	wären

	Imperfect
ich	war
du	warst
er	war
wir	waren
ihr	wart
sie	waren

			Past Time	
	Perfect	*(Perf. Subj.)*	*(Pluperf. Subj.)*
ich	bin gewesen	sei gewesen	wäre gewesen
du	bist gewesen	seiest gewesen	wärest gewesen
er	ist gewesen	sei gewesen	wäre gewesen
wir	sind gewesen	seien gewesen	wären gewesen
ihr	seid gewesen	seiet gewesen	wäret gewesen
sie	sind gewesen	seien gewesen	wären gewesen

	Pluperfect
ich	war gewesen
du	warst gewesen
er	war gewesen
wir	waren gewesen
ihr	wart gewesen
sie	waren gewesen

			Future Time	
	Future	*(Fut. Subj.)*	*(Pres. Conditional)*
ich	werde sein	werde sein	würde sein
du	wirst sein	werdest sein	würdest sein
er	wird sein	werde sein	würde sein
wir	werden sein	werden sein	würden sein
ihr	werdet sein	werdet sein	würdet sein
sie	werden sein	werden sein	würden sein

			Future Perfect Time	
	Future Perfect	*(Fut. Perf. Subj.)*	*(Past Conditional)*
ich	werde gewesen sein	werde gewesen sein	würde gewesen sein
du	wirst gewesen sein	werdest gewesen sein	würdest gewesen sein
er	wird gewesen sein	werde gewesen sein	würde gewesen sein
wir	werden gewesen sein	werden gewesen sein	würden gewesen sein
ihr	werdet gewesen sein	werdet gewesen sein	würdet gewesen sein
sie	werden gewesen sein	werden gewesen sein	würden gewesen sein

* When used as auxiliary verb in compound tenses with verbs that do not take a direct object.

senden

to send, transmit

PRINC. PARTS: senden*, sandte, gesandt, sendet
IMPERATIVE: sende!, sendet!, senden Sie!

INDICATIVE	SUBJUNCTIVE	
	PRIMARY	SECONDARY

Present Time

	Present	*(Pres. Subj.)*	*(Imperf. Subj.)*
ich	sende	sende	sendete
du	sendest	sendest	sendetest
er	sendet	sende	sendete
wir	senden	senden	sendeten
ihr	sendet	sendet	sendetet
sie	senden	senden	sendeten

	Imperfect
ich	sandte
du	sandtest
er	sandte
wir	sandten
ihr	sandtet
sie	sandten

Past Time

	Perfect	*(Perf. Subj.)*	*(Pluperf. Subj.)*
ich	habe gesandt	habe gesandt	hätte gesandt
du	hast gesandt	habest gesandt	hättest gesandt
er	hat gesandt	habe gesandt	hätte gesandt
wir	haben gesandt	haben gesandt	hätten gesandt
ihr	habt gesandt	habet gesandt	hättet gesandt
sie	haben gesandt	haben gesandt	hätten gesandt

	Pluperfect
ich	hatte gesandt
du	hattest gesandt
er	hatte gesandt
wir	hatten gesandt
ihr	hattet gesandt
sie	hatten gesandt

Future Time

	Future	*(Fut. Subj.)*	*(Pres. Conditional)*
ich	werde senden	werde senden	würde senden
du	wirst senden	werdest senden	würdest senden
er	wird senden	werde senden	würde senden
wir	werden senden	werden senden	würden senden
ihr	werdet senden	werdet senden	würdet senden
sie	werden senden	werden senden	würden senden

Future Perfect Time

	Future Perfect	*(Fut. Perf. Subj.)*	*(Past Conditional)*
ich	werde gesandt haben	werde gesandt haben	würde gesandt haben
du	wirst gesandt haben	werdest gesandt haben	würdest gesandt haben
er	wird gesandt haben	werde gesandt haben	würde gesandt haben
wir	werden gesandt haben	werden gesandt haben	würden gesandt haben
ihr	werdet gesandt haben	werdet gesandt haben	würdet gesandt haben
sie	werden gesandt haben	werden gesandt haben	würden gesandt haben

* The weak forms of the past tense **sendete**, etc. and of the past participle **gesendet** are also found.

PRINC. PARTS: sich setzen, setzte sich, hat sich gesetzt, setzt sich
IMPERATIVE: setze dich!, setzt euch!, setzen Sie sich!

	INDICATIVE	SUBJUNCTIVE	
		PRIMARY	SECONDARY
		Present Time	
	Present	(*Pres. Subj.*)	(*Imperf. Subj.*)
ich	setze mich	setze mich	setzte mich
du	setzt dich	setzest dich	setztest dich
er	setzt sich	setze sich	setzte sich
wir	setzen uns	setzen uns	setzten uns
ihr	setzt euch	setzet euch	setztet euch
sie	setzen sich	setzen sich	setzten sich

	Imperfect
ich	setzte mich
du	setztest dich
er	setzte sich
wir	setzten uns
ihr	setztet euch
sie	setzten sich

			Past Time	
	Perfect	(*Perf. Subj.*)	(*Pluperf. Subj.*)
ich	habe mich gesetzt	habe mich gesetzt	hätte mich gesetzt
du	hast dich gesetzt	habest dich gesetzt	hättest dich gesetzt
er	hat sich gesetzt	habe sich gesetzt	hätte sich gesetzt
wir	haben uns gesetzt	haben uns gesetzt	hätten uns gesetzt
ihr	habt euch gesetzt	habet euch gesetzt	hättet euch gesetzt
sie	haben sich gesetzt	haben sich gesetzt	hätten sich gesetzt

	Pluperfect
ich	hatte mich gesetzt
du	hattest dich gesetzt
er	hatte sich gesetzt
wir	hatten uns gesetzt
ihr	hattet euch gesetzt
sie	hatten sich gesetzt

		Future Time	
	Future	(*Fut. Subj.*)	(*Pres. Conditional*)
ich	werde mich setzen	werde mich setzen	würde mich setzen
du	wirst dich setzen	werdest dich setzen	würdest dich setzen
er	wird sich setzen	werde sich setzen	würde sich setzen
wir	werden uns setzen	werden uns setzen	würden uns setzen
ihr	werdet euch setzen	werdet euch setzen	würdet euch setzen
sie	werden sich setzen	werden sich setzen	würden sich setzen

		Future Perfect Time	
	Future Perfect	(*Fut. Perf. Subj.*)	(*Past Conditional*)
ich	werde mich gesetzt haben	werde mich gesetzt haben	würde mich gesetzt haben
du	wirst dich gesetzt haben	werdest dich gesetzt haben	würdest dich gesetzt haben
er	wird sich gesetzt haben	werde sich gesetzt haben	würde sich gesetzt haben
wir	werden uns gesetzt haben	werden uns gesetzt haben	würden uns gesetzt haben
ihr	werdet euch gesetzt haben	werdet euch gesetzt haben	würdet euch gesetzt haben
sie	werden sich gesetzt haben	werden sich gesetzt haben	würden sich gesetzt haben

sieden

to boil, seethe, simmer

PRINC. PARTS: sieden, sott *or* siedete, gesotten, siedet
IMPERATIVE: siede!, siedet!, sieden Sie!

	INDICATIVE		SUBJUNCTIVE		
			PRIMARY	SECONDARY	

Present Time

	Present		*(Pres. Subj.)*	*(Imperf. Subj.)*	
ich	siede		siede	sötte	siedete
du	siedest		siedest	söttest	siedetest
er	siedet		siede	sötte	siedete
wir	sieden		sieden	sötten *or*	siedeten
ihr	siedet		siedet	söttet	siedetet
sie	sieden		sieden	sötten	siedeten

	Imperfect	
ich	sott	siedete
du	sottest	siedetest
er	sott *or*	siedete
wir	sotten	siedeten
ihr	sottet	siedetet
sie	sotten	siedeten

Past Time

	Perfect	*(Perf. Subj.)*	*(Pluperf. Subj.)*
ich	habe gesotten	habe gesotten	hätte gesotten
du	hast gesotten	habest gesotten	hättest gesotten
er	hat gesotten	habe gesotten	hätte gesotten
wir	haben gesotten	haben gesotten	hätten gesotten
ihr	habt gesotten	habet gesotten	hättet gesotten
sie	haben gesotten	haben gesotten	hätten gesotten

	Pluperfect
ich	hatte gesotten
du	hattest gesotten
er	hatte gesotten
wir	hatten gesotten
ihr	hattet gesotten
sie	hatten gesotten

Future Time

	Future	*(Fut. Subj.)*	*(Pres. Conditional)*
ich	werde sieden	werde sieden	würde sieden
du	wirst sieden	werdest sieden	würdest sieden
er	wird sieden	werde sieden	würde sieden
wir	werden sieden	werden sieden	würden sieden
ihr	werdet sieden	werdet sieden	würdet sieden
sie	werden sieden	werden sieden	würden sieden

Future Perfect Time

	Future Perfect	*(Fut. Perf. Subj.)*	*(Past Conditional)*
ich	werde gesotten haben	werde gesotten haben	würde gesotten haben
du	wirst gesotten haben	werdest gesotten haben	würdest gesotten haben
er	wird gesotten haben	werde gesotten haben	würde gesotten haben
wir	werden gesotten haben	werden gesotten haben	würden gesotten haben
ihr	werdet gesotten haben	werdet gesotten haben	würdet gesotten haben
sie	werden gesotten haben	werden gesotten haben	würden gesotten haben

PRINC. PARTS: singen, sang, gesungen, singt
IMPERATIVE: singe!, singt!, singen Sie!

INDICATIVE	SUBJUNCTIVE	
	PRIMARY	SECONDARY

		Present Time	
	Present	*(Pres. Subj.)*	*(Imperf. Subj.)*
ich	singe	singe	sänge
du	singst	singest	sängest
er	singt	singe	sänge
wir	singen	singen	sängen
ihr	singt	singet	sänget
sie	singen	singen	sängen

	Imperfect
ich	sang
du	sangst
er	sang
wir	sangen
ihr	sangt
sie	sangen

		Past Time	
	Perfect	*(Perf. Subj.)*	*(Pluperf. Subj.)*
ich	habe gesungen	habe gesungen	hätte gesungen
du	hast gesungen	habest gesungen	hättest gesungen
er	hat gesungen	habe gesungen	hätte gesungen
wir	haben gesungen	haben gesungen	hätten gesungen
ihr	habt gesungen	habet gesungen	hättet gesungen
sie	haben gesungen	haben gesungen	hätten gesungen

	Pluperfect
ich	hatte gesungen
du	hattest gesungen
er	hatte gesungen
wir	hatten gesungen
ihr	hattet gesungen
sie	hatten gesungen

		Future Time	
	Future	*(Fut. Subj.)*	*(Pres. Conditional)*
ich	werde singen	werde singen	würde singen
du	wirst singen	werdest singen	würdest singen
er	wird singen	werde singen	würde singen
wir	werden singen	werden singen	würden singen
ihr	werdet singen	werdet singen	würdet singen
sie	werden singen	werden singen	würden singen

		Future Perfect Time	
	Future Perfect	*(Fut. Perf. Subj.)*	*(Past Conditional)*
ich	werde gesungen haben	werde gesungen haben	würde gesungen haben
du	wirst gesungen haben	werdest gesungen haben	würdest gesungen haben
er	wird gesungen haben	werde gesungen haben	würde gesungen haben
wir	werden gesungen haben	werden gesungen haben	würden gesungen haben
ihr	werdet gesungen haben	werdet gesungen haben	würdet gesungen haben
sie	werden gesungen haben	werden gesungen haben	würden gesungen haben

149

sinken

to sink

PRINC. PARTS: sinken, sank, ist gesunken, sinkt
IMPERATIVE: sinke!, sinkt!, sinken Sie!

INDICATIVE	SUBJUNCTIVE	
	PRIMARY	SECONDARY
	Present Time	
Present	*(Pres. Subj.)*	*(Imperf. Subj.)*
ich sinke	sinke	sänke
du sinkst	sinkest	sänkest
er sinkt	sinke	sänke
wir sinken	sinken	sänken
ihr sinkt	sinket	sänket
sie sinken	sinken	sänken

Imperfect
ich sank
du sankst
er sank
wir sanken
ihr sankt
sie sanken

	Past Time	
Perfect	*(Perf. Subj.)*	*(Pluperf. Subj.)*
ich bin gesunken	sei gesunken	wäre gesunken
du bist gesunken	seiest gesunken	wärest gesunken
er ist gesunken	sei gesunken	wäre gesunken
wir sind gesunken	seien gesunken	wären gesunken
ihr seid gesunken	seiet gesunken	wäret gesunken
sie sind gesunken	seien gesunken	wären gesunken

Pluperfect
ich war gesunken
du warst gesunken
er war gesunken
wir waren gesunken
ihr wart gesunken
sie waren gesunken

	Future Time	
Future	*(Fut. Subj.)*	*(Pres. Conditional)*
ich werde sinken	werde sinken	würde sinken
du wirst sinken	werdest sinken	würdest sinken
er wird sinken	werde sinken	würde sinken
wir werden sinken	werden sinken	würden sinken
ihr werdet sinken	werdet sinken	würdet sinken
sie werden sinken	werden sinken	würden sinken

	Future Perfect Time	
Future Perfect	*(Fut. Perf. Subj.)*	*(Past Conditional)*
ich werde gesunken sein	werde gesunken sein	würde gesunken sein
du wirst gesunken sein	werdest gesunken sein	würdest gesunken sein
er wird gesunken sein	werde gesunken sein	würde gesunken sein
wir werden gesunken sein	werden gesunken sein	würden gesunken sein
ihr werdet gesunken sein	werdet gesunken sein	würdet gesunken sein
sie werden gesunken sein	werden gesunken sein	würden gesunken sein

sinnen

PRINC. PARTS: sinnen, sann, gesonnen, sinnt
IMPERATIVE: sinne!, sinnt!, sinnen Sie!

to think, reflect, plan

	INDICATIVE		SUBJUNCTIVE	
		PRIMARY		SECONDARY
			Present Time	
	Present	*(Pres. Subj.)*		*(Imperf. Subj.)*
ich	sinne	sinne	sänne	sönne
du	sinnst	sinnest	sännest	sönnest
er	sinnt	sinne	sänne *or*	sönne
wir	sinnen	sinnen	sännen	sönnen
ihr	sinnt	sinnet	sännet	sönnet
sie	sinnen	sinnen	sännen	sönnen

	Imperfect
ich	sann
du	sannst
er	sann
wir	sannen
ihr	sannt
sie	sannen

			Past Time	
	Perfect	*(Perf. Subj.)*		*(Pluperf. Subj.)*
ich	habe gesonnen	habe gesonnen		hätte gesonnen
du	hast gesonnen	habest gesonnen		hättest gesonnen
er	hat gesonnen	habe gesonnen		hätte gesonnen
wir	haben gesonnen	haben gesonnen		hätten gesonnen
ihr	habt gesonnen	habet gesonnen		hättet gesonnen
sie	haben gesonnen	haben gesonnen		hätten gesonnen

	Pluperfect
ich	hatte gesonnen
du	hattest gesonnen
er	hatte gesonnen
wir	hatten gesonnen
ihr	hattet gesonnen
sie	hatten gesonnen

			Future Time	
	Future	*(Fut. Subj.)*		*(Pres. Conditional)*
ich	werde sinnen	werde sinnen		würde sinnen
du	wirst sinnen	werdest sinnen		würdest sinnen
er	wird sinnen	werde sinnen		würde sinnen
wir	werden sinnen	werden sinnen		würden sinnen
ihr	werdet sinnen	werdet sinnen		würdet sinnen
sie	werden sinnen	werden sinnen		würden sinnen

			Future Perfect Time	
	Future Perfect	*(Fut. Perf. Subj.)*		*(Past Conditional)*
ich	werde gesonnen haben	werde gesonnen haben		würde gesonnen haben
du	wirst gesonnen haben	werdest gesonnen haben		würdest gesonnen haben
er	wird gesonnen haben	werde gesonnen haben		würde gesonnen haben
wir	werden gesonnen haben	werden gesonnen haben		würden gesonnen haben
ihr	werdet gesonnen haben	werdet gesonnen haben		würdet gesonnen haben
sie	werden gesonnen haben	werden gesonnen haben		würden gesonnen haben

151

sitzen

to sit

PRINC. PARTS: sitzen, saß, gesessen, sitzt
IMPERATIVE: sitze!, sitzt!, sitzen Sie!

INDICATIVE		SUBJUNCTIVE	
		PRIMARY	SECONDARY
		Present Time	
	Present	*(Pres. Subj.)*	*(Imperf. Subj.)*
ich	sitze	sitze	säße
du	sitzt	sitzest	säßest
er	sitzt	sitze	säße
wir	sitzen	sitzen	säßen
ihr	sitzt	sitzet	säßet
sie	sitzen	sitzen	säßen

	Imperfect
ich	saß
du	saßest
er	saß
wir	saßen
ihr	saßt
sie	saßen

		Past Time	
	Perfect	*(Perf. Subj.)*	*(Pluperf. Subj.)*
ich	habe gesessen	habe gesessen	hätte gesessen
du	hast gesessen	habest gesessen	hättest gesessen
er	hat gesessen	habe gesessen	hätte gesessen
wir	haben gesessen	haben gesessen	hätten gesessen
ihr	habt gesessen	habet gesessen	hättet gesessen
sie	haben gesessen	haben gesessen	hätten gesessen

	Pluperfect
ich	hatte gesessen
du	hattest gesessen
er	hatte gesessen
wir	hatten gesessen
ihr	hattet gesessen
sie	hatten gesessen

		Future Time	
	Future	*(Fut. Subj.)*	*(Pres. Conditional)*
ich	werde sitzen	werde sitzen	würde sitzen
du	wirst sitzen	werdest sitzen	würdest sitzen
er	wird sitzen	werde sitzen	würde sitzen
wir	werden sitzen	werden sitzen	würden sitzen
ihr	werdet sitzen	werdet sitzen	würdet sitzen
sie	werden sitzen	werden sitzen	würden sitzen

		Future Perfect Time	
	Future Perfect	*(Fut. Perf. Subj.)*	*(Past Conditional)*
ich	werde gesessen haben	werde gesessen haben	würde gesessen haben
du	wirst gesessen haben	werdest gesessen haben	würdest gesessen haben
er	wird gesessen haben	werde gesessen haben	würde gesessen haben
wir	werden gesessen haben	werden gesessen haben	würden gesessen haben
ihr	werdet gesessen haben	werdet gesessen haben	würdet gesessen haben
sie	werden gesessen haben	werden gesessen haben	würden gesessen haben

PRINC. PARTS: sollen, sollte, gesollt (sollen
when immediately preceded by
another infinitive; see sprechen
dürfen), soll

IMPERATIVE:

*to be, be supposed to, ought,
be said to, be expected to*

	INDICATIVE	SUBJUNCTIVE	
		PRIMARY	SECONDARY
		Present Time	
	Present	*(Pres. Subj.)*	*(Imperf. Subj.)*
ich	soll	solle	sollte
du	sollst	sollest	solltest
er	soll	solle	sollte
wir	sollen	sollen	sollten
ihr	sollt	sollet	solltet
sie	sollen	sollen	sollten

	Imperfect
ich	sollte
du	solltest
er	sollte
wir	sollten
ihr	solltet
sie	sollten

	Perfect	*(Perf. Subj.)*	*(Pluperf. Subj.)*
			Past Time
ich	habe gesollt	habe gesollt	hätte gesollt
du	hast gesollt	habest gesollt	hättest gesollt
er	hat gesollt	habe gesollt	hätte gesollt
wir	haben gesollt	haben gesollt	hätten gesollt
ihr	habt gesollt	habet gesollt	hättet gesollt
sie	haben gesollt	haben gesollt	hätten gesollt

	Pluperfect
ich	hatte gesollt
du	hattest gesollt
er	hatte gesollt
wir	hatten gesollt
ihr	hattet gesollt
sie	hatten gesollt

	Future	*(Fut. Subj.)*	*(Pres. Conditional)*
		Future Time	
ich	werde sollen	werde sollen	würde sollen
du	wirst sollen	werdest sollen	würdest sollen
er	wird sollen	werde sollen	würde sollen
wir	werden sollen	werden sollen	würden sollen
ihr	werdet sollen	werdet sollen	würdet sollen
sie	werden sollen	werden sollen	würden sollen

	Future Perfect	*(Fut. Perf. Subj.)*	*(Past Conditional)*
		Future Perfect Time	
ich	werde gesollt haben	werde gesollt haben	würde gesollt haben
du	wirst gesollt haben	werdest gesollt haben	würdest gesollt haben
er	wird gesollt haben	werde gesollt haben	würde gesollt haben
wir	werden gesollt haben	werden gesollt haben	würden gesollt haben
ihr	werdet gesollt haben	werdet gesollt haben	würdet gesollt haben
sie	werden gesollt haben	werden gesollt haben	würden gesollt haben

153

spalten

to split, cleave

PRINC. PARTS: spalten, spaltete, gespalten*, spaltet
IMPERATIVE: spalte!, spaltet!, spalten Sie!

	INDICATIVE		SUBJUNCTIVE	
			PRIMARY	SECONDARY
			Present Time	
	Present		*(Pres. Subj.)*	*(Imperf. Subj.)*
ich	spalte		spalte	spaltete
du	spaltest		spaltest	spaltetest
er	spaltet		spalte	spaltete
wir	spalten		spalten	spalteten
ihr	spaltet		spaltet	spaltetet
sie	spalten		spalten	spalteten

	Imperfect
ich	spaltete
du	spaltetest
er	spaltete
wir	spalteten
ihr	spaltetet
sie	spalteten

			Past Time	
	Perfect		*(Perf. Subj.)*	*(Pluperf. Subj.)*
ich	habe gespalten		habe gespalten	hätte gespalten
du	hast gespalten		habest gespalten	hättest gespalten
er	hat gespalten		habe gespalten	hätte gespalten
wir	haben gespalten		haben gespalten	hätten gespalten
ihr	habt gespalten		habet gespalten	hättet gespalten
sie	haben gespalten		haben gespalten	hätten gespalten

	Pluperfect
ich	hatte gespalten
du	hattest gespalten
er	hatte gespalten
wir	hatten gespalten
ihr	hattet gespalten
sie	hatten gespalten

			Future Time	
	Future		*(Fut. Subj.)*	*(Pres. Conditional)*
ich	werde spalten		werde spalten	würde spalten
du	wirst spalten		werdest spalten	würdest spalten
er	wird spalten		werde spalten	würde spalten
wir	werden spalten		werden spalten	würden spalten
ihr	werdet spalten		werdet spalten	würdet spalten
sie	werden spalten		werden spalten	würden spalten

			Future Perfect Time	
	Future Perfect		*(Fut. Perf. Subj.)*	*(Past Conditional)*
ich	werde gespalten haben		werde gespalten haben	würde gespalten haben
du	wirst gespalten haben		werdest gespalten haben	würdest gespalten haben
er	wird gespalten haben		werde gespalten haben	würde gespalten haben
wir	werden gespalten haben		werden gespalten haben	würden gespalten haben
ihr	werdet gespalten haben		werdet gespalten haben	würdet gespalten haben
sie	werden gespalten haben		werden gespalten haben	würden gespalten haben

154   * The form **gespaltet** is also found for the past participle.

PRINC. PARTS: spielen, spielte, gespielt, spielt
IMPERATIVE: spiele!, spielt!, spielen Sie!

to play

| INDICATIVE | SUBJUNCTIVE | |
| | PRIMARY | SECONDARY |

Present Time

Present	(*Pres. Subj.*)	(*Imperf. Subj.*)
ich spiele	spiele	spielte
du spielst	spielest	spieltest
er spielt	spiele	spielte
wir spielen	spielen	spielten
ihr spielt	spielet	spieltet
sie spielen	spielen	spielten

Imperfect
ich spielte
du spieltest
er spielte
wir spielten
ihr spieltet
sie spielten

Past Time

Perfect	(*Perf. Subj.*)	(*Pluperf. Subj.*)
ich habe gespielt	habe gespielt	hätte gespielt
du hast gespielt	habest gespielt	hättest gespielt
er hat gespielt	habe gespielt	hätte gespielt
wir haben gespielt	haben gespielt	hätten gespielt
ihr habt gespielt	habet gespielt	hättet gespielt
sie haben gespielt	haben gespielt	hätten gespielt

Pluperfect
ich hatte gespielt
du hattest gespielt
er hatte gespielt
wir hatten gespielt
ihr hattet gespielt
sie hatten gespielt

Future Time

Future	(*Fut. Subj.*)	(*Pres. Conditional*)
ich werde spielen	werde spielen	würde spielen
du wirst spielen	werdest spielen	würdest spielen
er wird spielen	werde spielen	würde spielen
wir werden spielen	werden spielen	würden spielen
ihr werdet spielen	werdet spielen	würdet spielen
sie werden spielen	werden spielen	würden spielen

Future Perfect Time

Future Perfect	(*Fut. Perf. Subj.*)	(*Past Conditional*)
ich werde gespielt haben	werde gespielt haben	würde gespielt haben
du wirst gespielt haben	werdest gespielt haben	würdest gespielt haben
er wird gespielt haben	werde gespielt haben	würde gespielt haben
wir werden gespielt haben	werden gespielt haben	würden gespielt haben
ihr werdet gespielt haben	werdet gespielt haben	würdet gespielt haben
sie werden gespielt haben	werden gespielt haben	würden gespielt haben

spinnen

to spin

PRINC. PARTS: spinnen, spann, gesponnen, spinnt
IMPERATIVE: spinne!, spinnt!, spinnen Sie!

	INDICATIVE	SUBJUNCTIVE	
		PRIMARY	SECONDARY
		Present Time	
	Present	*(Pres. Subj.)*	*(Imperf. Subj.)*
ich	spinne	spinne	spönne
du	spinnst	spinnest	spönnest
er	spinnt	spinne	spönne
wir	spinnen	spinnen	spönnen
ihr	spinnt	spinnet	spönnet
sie	spinnen	spinnen	spönnen
	Imperfect		
ich	spann		
du	spannst		
er	spann		
wir	spannen		
ihr	spannt		
sie	spannen		
		Past Time	
	Perfect	*(Perf. Subj.)*	*(Pluperf. Subj.)*
ich	habe gesponnen	habe gesponnen	hätte gesponnen
du	hast gesponnen	habest gesponnen	hättest gesponnen
er	hat gesponnen	habe gesponnen	hätte gesponnen
wir	haben gesponnen	haben gesponnen	hätten gesponnen
ihr	habt gesponnen	habet gesponnen	hättet gesponnen
sie	haben gesponnen	haben gesponnen	hätten gesponnen
	Pluperfect		
ich	hatte gesponnen		
du	hattest gesponnen		
er	hatte gesponnen		
wir	hatten gesponnen		
ihr	hattet gesponnen		
sie	hatten gesponnen		
		Future Time	
	Future	*(Fut. Subj.)*	*(Pres. Conditional)*
ich	werde spinnen	werde spinnen	würde spinnen
du	wirst spinnen	werdest spinnen	würdest spinnen
er	wird spinnen	werde spinnen	würde spinnen
wir	werden spinnen	werden spinnen	würden spinnen
ihr	werdet spinnen	werdet spinnen	würdet spinnen
sie	werden spinnen	werden spinnen	würden spinnen
		Future Perfect Time	
	Future Perfect	*(Fut. Perf. Subj.)*	*(Past Conditional)*
ich	werde gesponnen haben	werde gesponnen haben	würde gesponnen haben
du	wirst gesponnen haben	werdest gesponnen haben	würdest gesponnen haben
er	wird gesponnen haben	werde gesponnen haben	würde gesponnen haben
wir	werden gesponnen haben	werden gesponnen haben	würden gesponnen haben
ihr	werdet gesponnen haben	werdet gesponnen haben	würdet gesponnen haben
sie	werden gesponnen haben	werden gesponnen haben	würden gesponnen haben

PRINC. PARTS: sprechen, sprach, gesprochen, spricht
IMPERATIVE: sprich!, sprecht!, sprechen Sie!

to speak, talk

INDICATIVE	SUBJUNCTIVE	
	PRIMARY	SECONDARY
	Present Time	
Present	*(Pres. Subj.)*	*(Imperf. Subj.)*
ich spreche	spreche	spräche
du sprichst	sprechest	sprächest
er spricht	spreche	spräche
wir sprechen	sprechen	sprächen
ihr sprecht	sprechet	sprächet
sie sprechen	sprechen	sprächen

Imperfect
ich sprach
du sprachst
er sprach
wir sprachen
ihr spracht
sie sprachen

	Past Time	
Perfect	*(Perf. Subj.)*	*(Pluperf. Subj.)*
ich habe gesprochen	habe gesprochen	hätte gesprochen
du hast gesprochen	habest gesprochen	hättest gesprochen
er hat gesprochen	habe gesprochen	hätte gesprochen
wir haben gesprochen	haben gesprochen	hätten gesprochen
ihr habt gesprochen	habet gesprochen	hättet gesprochen
sie haben gesprochen	haben gesprochen	hätten gesprochen

Pluperfect
ich hatte gesprochen
du hattest gesprochen
er hatte gesprochen
wir hatten gesprochen
ihr hattet gesprochen
sie hatten gesprochen

	Future Time	
Future	*(Fut. Subj.)*	*(Pres. Conditional)*
ich werde sprechen	werde sprechen	würde sprechen
du wirst sprechen	werdest sprechen	würdest sprechen
er wird sprechen	werde sprechen	würde sprechen
wir werden sprechen	werden sprechen	würden sprechen
ihr werdet sprechen	werdet sprechen	würdet sprechen
sie werden sprechen	werden sprechen	würden sprechen

	Future Perfect Time	
Future Perfect	*(Fut. Perf. Subj.)*	*(Past Conditional)*
ich werde gesprochen haben	werde gesprochen haben	würde gesprochen haben
du wirst gesprochen haben	werdest gesprochen haben	würdest gesprochen haben
er wird gesprochen haben	werde gesprochen haben	würde gesprochen haben
wir werden gesprochen haben	werden gesprochen haben	würden gesprochen haben
ihr werdet gesprochen haben	werdet gesprochen haben	würdet gesprochen haben
sie werden gesprochen haben	werden gesprochen haben	würden gesprochen haben

sprechen dürfen

to be allowed to speak

PRINC. PARTS: sprechen dürfen, durfte sprechen, hat sprechen dürfen, darf sprechen

IMPERATIVE:

	INDICATIVE	SUBJUNCTIVE	
		PRIMARY	SECONDARY
	Present	*(Pres. Subj.)*	*(Imperf. Subj.)*
ich	darf sprechen	dürfe sprechen	dürfte sprechen
du	darfst sprechen	dürfest sprechen	dürftest sprechen
er	darf sprechen	dürfe sprechen	dürfte sprechen
wir	dürfen sprechen	dürfen sprechen	dürften sprechen
ihr	dürft sprechen	dürfet sprechen	dürftet sprechen
sie	dürfen sprechen	dürfen sprechen	dürften sprechen

	Imperfect
ich	durfte sprechen
du	durftest sprechen
er	durfte sprechen
wir	durften sprechen
ihr	durftet sprechen
sie	durften sprechen

Past Time

	Perfect	*(Perf. Subj.)*	*(Pluperf. Subj.)*
ich	habe sprechen dürfen	habe sprechen dürfen	hätte sprechen dürfen
du	hast sprechen dürfen	habest sprechen durfen	hättest sprechen dürfen
er	hat sprechen dürfen	habe sprechen dürfen	hätte sprechen dürfen
wir	haben sprechen dürfen	haben sprechen dürfen	hätten sprechen dürfen
ihr	habt sprechen dürfen	habet sprechen dürfen	hättet sprechen dürfen
sie	haben sprechen dürfen	haben sprechen dürfen	hätten sprechen dürfen

	Pluperfect
ich	hatte sprechen dürfen
du	hattest sprechen dürfen
er	hatte sprechen dürfen
wir	hatten sprechen dürfen
ihr	hattet sprechen dürfen
sie	hatten sprechen dürfen

Future Time

	Future	*(Fut. Subj.)*	*(Pres. Conditional)*
ich	werde sprechen dürfen	werde sprechen dürfen	würde sprechen dürfen
du	wirst sprechen dürfen	werdest sprechen dürfen	würdest sprechen dürfen
er	wird sprechen dürfen	werde sprechen dürfen	würde sprechen dürfen
wir	werden sprechen dürfen	werden sprechen dürfen	würden sprechen dürfen
ihr	werdet sprechen dürfen	werdet sprechen dürfen	würdet sprechen dürfen
sie	werden sprechen dürfen	werden sprechen dürfen	würden sprechen dürfen

Future Perfect Time

	Future Perfect	*(Fut. Perf. Subj.)*	*(Past Conditional)*
ich	werde haben sprechen dürfen	werde haben sprechen dürfen	würde haben sprechen dürfen
du	wirst haben sprechen dürfen	werdest haben sprechen dürfen	würdest haben sprechen dürfen
er	wird haben sprechen dürfen	werde haben sprechen dürfen	würde haben sprechen dürfen
wir	werden haben sprechen dürfen	werden haben sprechen dürfen	würden haben sprechen dürfen
ihr	werdet haben sprechen dürfen	werdet haben sprechen dürfen	würdet haben sprechen dürfen
sie	werden haben sprechen dürfen	werden haben sprechen dürfen	würden haben sprechen dürfen

PRINC. PARTS: sprießen,* sproß, ist gesprossen, sprießt
IMPERATIVE: sprieße!, sprießt!, sprießen Sie!**

to sprout, bud

	INDICATIVE	SUBJUNCTIVE	
		PRIMARY	SECONDARY
		Present Time	
	Present	(*Pres. Subj.*)	(*Imperf. Subj.*)
ich	sprieße	sprieße	sprösse
du	sprießt	sprießest	sprössest
er	sprießt	sprieße	sprösse
wir	sprießen	sprießen	sprössen
ihr	sprießt	sprießet	sprösset
sie	sprießen	sprießen	sprössen
	Imperfect		
ich	sproß		
du	sprossest		
er	sproß		
wir	sprossen		
ihr	sproßt		
sie	sprossen		
		Past Time	
	Perfect	(*Perf. Subj.*)	(*Pluperf. Subj.*)
ich	bin gesprossen	sei gesprossen	wäre gesprossen
du	bist gesprossen	seiest gesprossen	wärest gesprossen
er	ist gesprossen	sei gesprossen	wäre gesprossen
wir	sind gesprossen	seien gesprossen	wären gesprossen
ihr	seid gesprossen	seiet gesprossen	wäret gesprossen
sie	sind gesprossen	seien gesprossen	wären gesprossen
	Pluperfect		
ich	war gesprossen		
du	warst gesprossen		
er	war gesprossen		
wir	waren gesprossen		
ihr	wart gesprossen		
sie	waren gesprossen		
		Future Time	
	Future	(*Fut. Subj.*)	(*Pres. Conditional*)
ich	werde sprießen	werde sprießen	würde sprießen
du	wirst sprießen	werdest sprießen	würdest sprießen
er	wird sprießen	werde sprießen	würde sprießen
wir	werden sprießen	werden sprießen	würden sprießen
ihr	werdet sprießen	werdet sprießen	würdet sprießen
sie	werden sprießen	werden sprießen	würden sprießen
		Future Perfect Time	
	Future Perfect	(*Fut. Perf. Subj.*)	(*Past Conditional*)
ich	werde gesprossen sein	werde gesprossen sein	würde gesprossen sein
du	wirst gesprossen sein	werdest gesprossen sein	würdest gesprossen sein
er	wird gesprossen sein	werde gesprossen sein	würde gesprossen sein
wir	werden gesprossen sein	werden gesprossen sein	würden gesprossen sein
ihr	werdet gesprossen sein	werdet gesprossen sein	würdet gesprossen sein
sie	werden gesprossen sein	werden gesprossen sein	würden gesprossen sein

* Forms other than the third person are infrequently found.
** The imperative is unusual.

springen

to jump, leap, spring

PRINC. PARTS: springen, sprang, ist gesprungen, springt
IMPERATIVE: springe!, springt!, springen Sie!

INDICATIVE	SUBJUNCTIVE	
	PRIMARY	SECONDARY
		Present Time
Present	*(Pres. Subj.)*	*(Imperf. Subj.)*
ich springe	springe	spränge
du springst	springest	sprängest
er springt	springe	spränge
wir springen	springen	sprängen
ihr springt	springet	spränget
sie springen	springen	sprängen

Imperfect
ich sprang
du sprangst
er sprang
wir sprangen
ihr sprangt
sie sprangen

		Past Time
Perfect	*(Perf. Subj.)*	*(Pluperf. Subj.)*
ich bin gesprungen	sei gesprungen	wäre gesprungen
du bist gesprungen	seiest gesprungen	wärest gesprungen
er ist gesprungen	sei gesprungen	wäre gesprungen
wir sind gesprungen	seien gesprungen	wären gesprungen
ihr seid gesprungen	seiet gesprungen	wäret gesprungen
sie sind gesprungen	seien gesprungen	wären gesprungen

Pluperfect
ich war gesprungen
du warst gesprungen
er war gesprungen
wir waren gesprungen
ihr wart gesprungen
sie waren gesprungen

		Future Time
Future	*(Fut. Subj.)*	*(Pres. Conditional)*
ich werde springen	werde springen	würde springen
du wirst springen	werdest springen	würdest springen
er wird springen	werde springen	würde springen
wir werden springen	werden springen	würden springen
ihr werdet springen	werdet springen	würdet springen
sie werden springen	werden springen	würden springen

		Future Perfect Time
Future Perfect	*(Fut. Perf. Subj.)*	*(Past Conditional)*
ich werde gesprungen sein	werde gesprungen sein	würde gesprungen sein
du wirst gesprungen sein	werdest gesprungen sein	würdest gesprungen sein
er wird gesprungen sein	werde gesprungen sein	würde gesprungen sein
wir werden gesprungen sein	werden gesprungen sein	würden gesprungen sein
ihr werdet gesprungen sein	werdet gesprungen sein	würdet gesprungen sein
sie werden gesprungen sein	werden gesprungen sein	würden gesprungen sein

PRINC. PARTS: stechen, stach, gestochen, sticht
IMPERATIVE: stich!, stecht!, stechen Sie!

to sting, prick, stab

	INDICATIVE	SUBJUNCTIVE	
		PRIMARY	SECONDARY
		Present Time	
	Present	*(Pres. Subj.)*	*(Imperf. Subj.)*
ich	steche	steche	stäche
du	stichst	stechest	stächest
er	sticht	steche	stäche
wir	stechen	stechen	stächen
ihr	stecht	stechet	stächet
sie	stechen	stechen	stächen

	Imperfect
ich	stach
du	stachst
er	stach
wir	stachen
ihr	stacht
sie	stachen

			Past Time	
	Perfect	*(Perf. Subj.)*	*(Pluperf. Subj.)*
ich	habe gestochen	habe gestochen	hätte gestochen
du	hast gestochen	habest gestochen	hättest gestochen
er	hat gestochen	habe gestochen	hätte gestochen
wir	haben gestochen	haben gestochen	hätten gestochen
ihr	habt gestochen	habet gestochen	hättet gestochen
sie	haben gestochen	haben gestochen	hätten gestochen

	Pluperfect
ich	hatte gestochen
du	hattest gestochen
er	hatte gestochen
wir	hatten gestochen
ihr	hattet gestochen
sie	hatten gestochen

			Future Time	
	Future	*(Fut. Subj.)*	*(Pres. Conditional)*
ich	werde stechen	werde stechen	würde stechen
du	wirst stechen	werdest stechen	würdest stechen
er	wird stechen	werde stechen	würde stechen
wir	werden stechen	werden stechen	würden stechen
ihr	werdet stechen	werdet stechen	würdet stechen
sie	werden stechen	werden stechen	würden stechen

			Future Perfect Time	
	Future Perfect	*(Fut. Perf. Subj.)*	*(Past Conditional)*
ich	werde gestochen haben	werde gestochen haben	würde gestochen haben
du	wirst gestochen haben	werdest gestochen haben	würdest gestochen haben
er	wird gestochen haben	werde gestochen haben	würde gestochen haben
wir	werden gestochen haben	werden gestochen haben	würden gestochen haben
ihr	werdet gestochen haben	werdet gestochen haben	würdet gestochen haben
sie	werden gestochen haben	werden gestochen haben	würden gestochen haben

stehen

to stand, be located

PRINC. PARTS: stehen, stand, gestanden, steht
IMPERATIVE: stehe!, steht!, stehen Sie!

	INDICATIVE		SUBJUNCTIVE	
			PRIMARY	SECONDARY
			Present Time	
	Present		*(Pres. Subj.)*	*(Imperf. Subj.)*
ich	stehe		stehe	stände stünde
du	stehst		stehest	ständest stündest
er	steht		stehe	stände *or* stünde
wir	stehen		stehen	ständen stünden
ihr	steht		stehet	ständet stündet
sie	stehen		stehen	ständen stünden

	Imperfect
ich	stand
du	standst
er	stand
wir	standen
ihr	standet
sie	standen

			Past Time	
	Perfect		*(Perf. Subj.)*	*(Pluperf. Subj.)*
ich	habe gestanden		habe gestanden	hätte gestanden
du	hast gestanden		habest gestanden	hättest gestanden
er	hat gestanden		habe gestanden	hätte gestanden
wir	haben gestanden		haben gestanden	hätten gestanden
ihr	habt gestanden		habet gestanden	hättet gestanden
sie	haben gestanden		haben gestanden	hätten gestanden

	Pluperfect
ich	hatte gestanden
du	hattest gestanden
er	hatte gestanden
wir	hatten gestanden
ihr	hattet gestanden
sie	hatten gestanden

			Future Time	
	Future		*(Fut. Subj.)*	*(Pres. Conditional)*
ich	werde stehen		werde stehen	würde stehen
du	wirst stehen		werdest stehen	würdest stehen
er	wird stehen		werde stehen	würde stehen
wir	werden stehen		werden stehen	würden stehen
ihr	werdet stehen		werdet stehen	würdet stehen
sie	werden stehen		werden stehen	würden stehen

			Future Perfect Time	
	Future Perfect		*(Fut. Perf. Subj.)*	*(Past Conditional)*
ich	werde gestanden haben		werde gestanden haben	würde gestanden haben
du	wirst gestanden haben		werdest gestanden haben	würdest gestanden haben
er	wird gestanden haben		werde gestanden haben	würde gestanden haben
wir	werden gestanden haben		werden gestanden haben	würden gestanden haben
ihr	werdet gestanden haben		werdet gestanden haben	würdet gestanden haben
sie	werden gestanden haben		werden gestanden haben	würden gestanden haben

PRINC. PARTS: stehlen, stahl, gestohlen, stiehlt
IMPERATIVE: stiehl!, stehlt!, stehlen Sie!

to steal

INDICATIVE		SUBJUNCTIVE	
		PRIMARY	SECONDARY
		Present Time	
	Present	*(Pres. Subj.)*	*(Imperf. Subj.)*
ich	stehle	stehle	stöhle stähle
du	stiehlst	stehlest	stöhlest stählest
er	stiehlt	stehle	stöhle *or* stähle
wir	stehlen	stehlen	stöhlen stählen
ihr	stehlt	stehlet	stöhlet stählet
sie	stehlen	stehlen	stöhlen stählen

	Imperfect
ich	stahl
du	stahlst
er	stahl
wir	stahlen
ihr	stahlt
sie	stahlen

			Past Time	
	Perfect	*(Perf. Subj.)*	*(Pluperf. Subj.)*
ich	habe gestohlen	habe gestohlen	hätte gestohlen
du	hast gestohlen	habest gestohlen	hättest gestohlen
er	hat gestohlen	habe gestohlen	hätte gestohlen
wir	haben gestohlen	haben gestohlen	hätten gestohlen
ihr	habt gestohlen	habet gestohlen	hättet gestohlen
sie	haben gestohlen	haben gestohlen	hätten gestohlen

	Pluperfect
ich	hatte gestohlen
du	hattest gestohlen
er	hatte gestohlen
wir	hatten gestohlen
ihr	hattet gestohlen
sie	hatten gestohlen

		Future Time	
	Future	*(Fut. Subj.)*	*(Pres. Conditional)*
ich	werde stehlen	werde stehlen	würde stehlen
du	wirst stehlen	werdest stehlen	würdest stehlen
er	wird stehlen	werde stehlen	würde stehlen
wir	werden stehlen	werden stehlen	würden stehlen
ihr	werdet stehlen	werdet stehlen	würdet stehlen
sie	werden stehlen	werden stehlen	würden stehlen

		Future Perfect Time	
	Future Perfect	*(Fut. Perf. Subj.)*	*(Past Conditional)*
ich	werde gestohlen haben	werde gestohlen haben	würde gestohlen haben
du	wirst gestohlen haben	werdest gestohlen haben	würdest gestohlen haben
er	wird gestohlen haben	werde gestohlen haben	würde gestohlen haben
wir	werden gestohlen haben	werden gestohlen haben	würden gestohlen haben
ihr	werdet gestohlen haben	werdet gestohlen haben	würdet gestohlen haben
sie	werden gestohlen haben	werden gestohlen haben	würden gestohlen haben

steigen

to climb, increase, rise

PRINC. PARTS: steigen, stieg, ist gestiegen, steigt
IMPERATIVE: steige!, steigt!, steigen Sie!

INDICATIVE	SUBJUNCTIVE	
	PRIMARY	SECONDARY

Present Time

	Present	*(Pres. Subj.)*	*(Imperf. Subj.)*
ich	steige	steige	stiege
du	steigst	steigest	stiegest
er	steigt	steige	stiege
wir	steigen	steigen	stiegen
ihr	steigt	steiget	stieget
sie	steigen	steigen	stiegen

	Imperfect
ich	stieg
du	stiegst
er	stieg
wir	stiegen
ihr	stiegt
sie	stiegen

Past Time

	Perfect	*(Perf. Subj.)*	*(Pluperf. Subj.)*
ich	bin gestiegen	sei gestiegen	wäre gestiegen
du	bist gestiegen	seiest gestiegen	wärest gestiegen
er	ist gestiegen	sei gestiegen	wäre gestiegen
wir	sind gestiegen	seien gestiegen	wären gestiegen
ihr	seid gestiegen	seiet gestiegen	wäret gestiegen
sie	sind gestiegen	seien gestiegen	wären gestiegen

	Pluperfect
ich	war gestiegen
du	warst gestiegen
er	war gestiegen
wir	waren gestiegen
ihr	wart gestiegen
sie	waren gestiegen

Future Time

	Future	*(Fut. Subj.)*	*(Pres. Conditional)*
ich	werde steigen	werde steigen	würde steigen
du	wirst steigen	werdest steigen	würdest steigen
er	wird steigen	werde steigen	würde steigen
wir	werden steigen	werden steigen	würden steigen
ihr	werdet steigen	werdet steigen	würdet steigen
sie	werden steigen	werden steigen	würden steigen

Future Perfect Time

	Future Perfect	*(Fut. Perf. Subj.)*	*(Past Conditional)*
ich	werde gestiegen sein	werde gestiegen sein	würde gestiegen sein
du	wirst gestiegen sein	werdest gestiegen sein	würdest gestiegen sein
er	wird gestiegen sein	werde gestiegen sein	würde gestiegen sein
wir	werden gestiegen sein	werden gestiegen sein	würden gestiegen sein
ihr	werdet gestiegen sein	werdet gestiegen sein	würdet gestiegen sein
sie	werden gestiegen sein	werden gestiegen sein	würden gestiegen sein

164

stellen

PRINC. PARTS: stellen, stellte, gestellt, stellt
IMPERATIVE: stelle!, stellt!, stellen Sie!

to put, place

	INDICATIVE		SUBJUNCTIVE	
			PRIMARY	SECONDARY
			Present Time	
	Present		*(Pres. Subj.)*	*(Imperf. Subj.)*
ich	stelle		stelle	stellte
du	stellst		stellest	stelltest
er	stellt		stelle	stellte
wir	stellen		stellen	stellten
ihr	stellt		stellet	stelltet
sie	stellen		stellen	stellten
	Imperfect			
ich	stellte			
du	stelltest			
er	stellte			
wir	stellten			
ihr	stelltet			
sie	stellten			
			Past Time	
	Perfect		*(Perf. Subj.)*	*(Pluperf. Subj.)*
ich	habe gestellt		habe gestellt	hätte gestellt
du	hast gestellt		habest gestellt	hättest gestellt
er	hat gestellt		habe gestellt	hätte gestellt
wir	haben gestellt		haben gestellt	hätten gestellt
ihr	habt gestellt		habet gestellt	hättet gestellt
sie	haben gestellt		haben gestellt	hätten gestellt
	Pluperfect			
ich	hatte gestellt			
du	hattest gestellt			
er	hatte gestellt			
wir	hatten gestellt			
ihr	hattet gestellt			
sie	hatten gestellt			
			Future Time	
	Future		*(Fut. Subj.)*	*(Pres. Conditional)*
ich	werde stellen		werde stellen	würde stellen
du	wirst stellen		werdest stellen	würdest stellen
er	wird stellen		werde stellen	würde stellen
wir	werden stellen		werden stellen	würden stellen
ihr	werdet stellen		werdet stellen	würdet stellen
sie	werden stellen		werden stellen	würden stellen
			Future Perfect Time	
	Future Perfect		*(Fut. Perf. Subj.)*	*(Past Conditional)*
ich	werde gestellt haben		werde gestellt haben	würde gestellt haben
du	wirst gestellt haben		werdest gestellt haben	würdest gestellt haben
er	wird gestellt haben		werde gestellt haben	würde gestellt haben
wir	werden gestellt haben		werden gestellt haben	würden gestellt haben
ihr	werdet gestellt haben		werdet gestellt haben	würdet gestellt haben
sie	werden gestellt haben		werden gestellt haben	würden gestellt haben

sterben

to die

PRINC. PARTS: sterben, starb, ist gestorben, stirbt
IMPERATIVE: stirb!, sterbt!, sterben Sie!

	INDICATIVE	SUBJUNCTIVE	
		PRIMARY	SECONDARY
	Present	*Present Time* (*Pres. Subj.*)	(*Imperf. Subj.*)
ich	sterbe	sterbe	stürbe
du	stirbst	sterbest	stürbest
er	stirbt	sterbe	stürbe
wir	sterben	sterben	stürben
ihr	sterbt	sterbet	stürbet
sie	sterben	sterben	stürben

	Imperfect
ich	starb
du	starbst
er	starb
wir	starben
ihr	starbt
sie	starben

	Perfect	*Past Time* (*Perf. Subj.*)	(*Pluperf. Subj.*)
ich	bin gestorben	sei gestorben	wäre gestorben
du	bist gestorben	seiest gestorben	wärest gestorben
er	ist gestorben	sei gestorben	wäre gestorben
wir	sind gestorben	seien gestorben	wären gestorben
ihr	seid gestorben	seiet gestorben	wäret gestorben
sie	sind gestorben	seien gestorben	wären gestorben

	Pluperfect
ich	war gestorben
du	warst gestorben
er	war gestorben
wir	waren gestorben
ihr	wart gestorben
sie	waren gestorben

	Future	*Future Time* (*Fut. Subj.*)	(*Pres. Conditional*)
ich	werde sterben	werde sterben	würde sterben
du	wirst sterben	werdest sterben	würdest sterben
er	wird sterben	werde sterben	würde sterben
wir	werden sterben	werden sterben	würden sterben
ihr	werdet sterben	werdet sterben	würdet sterben
sie	werden sterben	werden sterben	würden sterben

	Future Perfect	*Future Perfect Time* (*Fut. Perf. Subj.*)	(*Past Conditional*)
ich	werde gestorben sein	werde gestorben sein	würde gestorben sein
du	wirst gestorben sein	werdest gestorben sein	würdest gestorben sein
er	wird gestorben sein	werde gestorben sein	würde gestorben sein
wir	werden gestorben sein	werden gestorben sein	würden gestorben sein
ihr	werdet gestorben sein	werdet gestorben sein	würdet gestorben sein
sie	werden gestorben sein	werden gestorben sein	würden gestorben sein

stoßen

to push, shove, thrust

INDICATIVE	SUBJUNCTIVE	
	PRIMARY	SECONDARY

Present Time

	Present	*(Pres. Subj.)*	*(Imperf. Subj.)*
ich	stoße	stoße	stieße
du	stößt	stoßest	stießest
er	stößt	stoße	stieße
wir	stoßen	stoßen	stießen
ihr	stoßt	stoßet	stießet
sie	stoßen	stoßen	stießen

	Imperfect
ich	stieß
du	stießest
er	stieß
wir	stießen
ihr	stießt
sie	stießen

Past Time

	Perfect	*(Perf. Subj.)*	*(Pluperf. Subj.)*
ich	habe gestoßen	habe gestoßen	hätte gestoßen
du	hast gestoßen	habest gestoßen	hättest gestoßen
er	hat gestoßen	habe gestoßen	hätte gestoßen
wir	haben gestoßen	haben gestoßen	hätten gestoßen
ihr	habt gestoßen	habet gestoßen	hättet gestoßen
sie	haben gestoßen	haben gestoßen	hätten gestoßen

	Pluperfect
ich	hatte gestoßen
du	hattest gestoßen
er	hatte gestoßen
wir	hatten gestoßen
ihr	hattet gestoßen
sie	hatten gestoßen

Future Time

	Future	*(Fut. Subj.)*	*(Pres. Conditional)*
ich	werde stoßen	werde stoßen	würde stoßen
du	wirst stoßen	werdest stoßen	würdest stoßen
er	wird stoßen	werde stoßen	würde stoßen
wir	werden stoßen	werden stoßen	würden stoßen
ihr	werdet stoßen	werdet stoßen	würdet stoßen
sie	werden stoßen	werden stoßen	würden stoßen

Future Perfect Time

	Future Perfect	*(Fut. Perf. Subj.)*	*(Past Conditional)*
ich	werde gestoßen haben	werde gestoßen haben	würde gestoßen haben
du	wirst gestoßen haben	werdest gestoßen haben	würdest gestoßen haben
er	wird gestoßen haben	werde gestoßen haben	würde gestoßen haben
wir	werden gestoßen haben	werden gestoßen haben	würden gestoßen haben
ihr	werdet gestoßen haben	werdet gestoßen haben	würdet gestoßen haben
sie	werden gestoßen haben	werden gestoßen haben	würden gestoßen haben

streichen

to strike, cancel, paint

PRINC. PARTS: streichen, strich, gestrichen, streicht
IMPERATIVE: streiche!, streicht!, streichen Sie!

	INDICATIVE	SUBJUNCTIVE	
		PRIMARY	SECONDARY
		Present Time	
	Present	*(Pres. Subj.)*	*(Imperf. Subj.)*
ich	streiche	streiche	striche
du	streichst	streichest	strichest
er	streicht	streiche	striche
wir	streichen	streichen	strichen
ihr	streicht	streichet	strichet
sie	streichen	streichen	strichen
	Imperfect		
ich	strich		
du	strichst		
er	strich		
wir	strichen		
ihr	stricht		
sie	strichen		
		Past Time	
	Perfect	*(Perf. Subj.)*	*(Pluperf. Subj.)*
ich	habe gestrichen	habe gestrichen	hätte gestrichen
du	hast gestrichen	habest gestrichen	hättest gestrichen
er	hat gestrichen	habe gestrichen	hätte gestrichen
wir	haben gestrichen	haben gestrichen	hätten gestrichen
ihr	habt gestrichen	habet gestrichen	hättet gestrichen
sie	haben gestrichen	haben gestrichen	hätten gestrichen
	Pluperfect		
ich	hatte gestrichen		
du	hattest gestrichen		
er	hatte gestrichen		
wir	hatten gestrichen		
ihr	hattet gestrichen		
sie	hatten gestrichen		
		Future Time	
	Future	*(Fut. Subj.)*	*(Pres. Conditional)*
ich	werde streichen	werde streichen	würde streichen
du	wirst streichen	werdest streichen	würdest streichen
er	wird streichen	werde streichen	würde streichen
wir	werden streichen	werden streichen	würden streichen
ihr	werdet streichen	werdet streichen	würdet streichen
sie	werden streichen	werden streichen	würden streichen
		Future Perfect Time	
	Future Perfect	*(Fut. Perf. Subj.)*	*(Past Conditional)*
ich	werde gestrichen haben	werde gestrichen haben	würde gestrichen haben
du	wirst gestrichen haben	werdest gestrichen haben	würdest gestrichen haben
er	wird gestrichen haben	werde gestrichen haben	würde gestrichen haben
wir	werden gestrichen haben	werden gestrichen haben	würden gestrichen haben
ihr	werdet gestrichen haben	werdet gestrichen haben	würdet gestrichen haben
sie	werden gestrichen haben	werden gestrichen haben	würden gestrichen haben

PRINC. PARTS: streiten, stritt, gestritten, streitet
IMPERATIVE: streite!, streitet!, streiten Sie!

to quarrel, dispute

	INDICATIVE	SUBJUNCTIVE	
		PRIMARY	SECONDARY
	Present	Present Time	
		(Pres. Subj.)	*(Imperf. Subj.)*
ich	streite	streite	stritte
du	streitest	streitest	strittest
er	streitet	streite	stritte
wir	streiten	streiten	stritten
ihr	streitet	streitet	strittet
sie	streiten	streiten	stritten

	Imperfect
ich	stritt
du	strittest
er	stritt
wir	stritten
ihr	strittet
sie	stritten

	Perfect	Past Time	
		(Perf. Subj.)	*(Pluperf. Subj.)*
ich	habe gestritten	habe gestritten	hätte gestritten
du	hast gestritten	habest gestritten	hättest gestritten
er	hat gestritten	habe gestritten	hätte gestritten
wir	haben gestritten	haben gestritten	hätten gestritten
ihr	habt gestritten	habet gestritten	hättet gestritten
sie	haben gestritten	haben gestritten	hätten gestritten

	Pluperfect
ich	hatte gestritten
du	hattest gestritten
er	hatte gestritten
wir	hatten gestritten
ihr	hattet gestritten
sie	hatten gestritten

	Future	Future Time	
		(Fut. Subj.)	*(Pres. Conditional)*
ich	werde streiten	werde streiten	würde streiten
du	wirst streiten	werdest streiten	würdest streiten
er	wird streiten	werde streiten	würde streiten
wir	werden streiten	werden streiten	würden streiten
ihr	werdet streiten	werdet streiten	würdet streiten
sie	werden streiten	werden streiten	würden streiten

	Future Perfect	Future Perfect Time	
		(Fut. Perf. Subj.)	*(Past Conditional)*
ich	werde gestritten haben	werde gestritten haben	würde gestritten haben
du	wirst gestritten haben	werdest gestritten haben	würdest gestritten haben
er	wird gestritten haben	werde gestritten haben	würde gestritten haben
wir	werden gestritten haben	werden gestritten haben	würden gestritten haben
ihr	werdet gestritten haben	werdet gestritten haben	würdet gestritten haben
sie	werden gestritten haben	werden gestritten haben	würden gestritten haben

studieren

to study, be at college

PRINC. PARTS: studieren, studierte, studiert,
studiert
IMPERATIVE: studiere!, studiert!, studieren Sie!

	INDICATIVE		SUBJUNCTIVE	
			PRIMARY	SECONDARY
			Present Time	
	Present		*(Pres. Subj.)*	*(Imperf. Subj.)*
ich	studiere		studiere	studierte
du	studierst		studierest	studiertest
er	studiert		studiere	studierte
wir	studieren		studieren	studierten
ihr	studiert		studieret	studiertet
sie	studieren		studieren	studierten
	Imperfect			
ich	studierte			
du	studiertest			
er	studierte			
wir	studierten			
ihr	studiertet			
sie	studierten			
			Past Time	
	Perfect		*(Perf. Subj.)*	*(Pluperf. Subj.)*
ich	habe studiert		habe studiert	hätte studiert
du	hast studiert		habest studiert	hättest studiert
er	hat studiert		habe studiert	hätte studiert
wir	haben studiert		haben studiert	hätten studiert
ihr	habt studiert		habet studiert	hättet studiert
sie	haben studiert		haben studiert	hätten studiert
	Pluperfect			
ich	hatte studiert			
du	hattest studiert			
er	hatte studiert			
wir	hatten studiert			
ihr	hattet studiert			
sie	hatten studiert			
			Future Time	
	Future		*(Fut. Subj.)*	*(Pres. Conditional)*
ich	werde studieren		werde studieren	würde studieren
du	wirst studieren		werdest studieren	würdest studieren
er	wird studieren		werde studieren	würde studieren
wir	werden studieren		werden studieren	würden studieren
ihr	werdet studieren		werdet studieren	würdet studieren
sie	werden studieren		werden studieren	würden studieren
			Future Perfect Time	
	Future Perfect		*(Fut. Perf. Subj.)*	*(Past Conditional)*
ich	werde studiert haben		werde studiert haben	würde studiert haben
du	wirst studiert haben		werdest studiert haben	würdest studiert haben
er	wird studiert haben		werde studiert haben	würde studiert haben
wir	werden studiert haben		werden studiert haben	würden studiert haben
ihr	werdet studiert haben		werdet studiert haben	würdet studiert haben
sie	werden studiert haben		werden studiert haben	würden studiert haben

170

PRINC. PARTS: suchen, suchte, gesucht, sucht
IMPERATIVE: suche!, sucht!, suchen Sie!

INDICATIVE		SUBJUNCTIVE	
		PRIMARY	SECONDARY
		Present Time	
	Present	(*Pres. Subj.*)	(*Imperf. Subj.*)
ich	suche	suche	suchte
du	suchst	suchest	suchtest
er	sucht	suche	suchte
wir	suchen	suchen	suchten
ihr	sucht	suchet	suchtet
sie	suchen	suchen	suchten

	Imperfect
ich	suchte
du	suchtest
er	suchte
wir	suchten
ihr	suchtet
sie	suchten

			Past Time	
	Perfect	(*Perf. Subj.*)	(*Pluperf. Subj.*)
ich	habe gesucht	habe gesucht	hätte gesucht
du	hast gesucht	habest gesucht	hättest gesucht
er	hat gesucht	habe gesucht	hätte gesucht
wir	haben gesucht	haben gesucht	hätten gesucht
ihr	habt gesucht	habet gesucht	hättet gesucht
sie	haben gesucht	haben gesucht	hätten gesucht

	Pluperfect
ich	hatte gesucht
du	hattest gesucht
er	hatte gesucht
wir	hatten gesucht
ihr	hattet gesucht
sie	hatten gesucht

			Future Time	
	Future	(*Fut. Subj.*)	(*Pres. Conditional*)
ich	werde suchen	werde suchen	würde suchen
du	wirst suchen	werdest suchen	würdest suchen
er	wird suchen	werde suchen	würde suchen
wir	werden suchen	werden suchen	würden suchen
ihr	werdet suchen	werdet suchen	würdet suchen
sie	werden suchen	werden suchen	würden suchen

			Future Perfect Time	
	Future Perfect	(*Fut. Perf. Subj.*)	(*Past Conditional*)
ich	werde gesucht haben	werde gesucht haben	würde gesucht haben
du	wirst gesucht haben	werdest gesucht haben	würdest gesucht haben
er	wird gesucht haben	werde gesucht haben	würde gesucht haben
wir	werden gesucht haben	werden gesucht haben	würden gesucht haben
ihr	werdet gesucht haben	werdet gesucht haben	würdet gesucht haben
sie	werden gesucht haben	werden gesucht haben	würden gesucht haben

171

tragen

to carry, bear, wear

PRINC. PARTS: tragen, trug, getragen, trägt
IMPERATIVE: trage!, tragt!, tragen Sie!

	INDICATIVE	PRIMARY	SUBJUNCTIVE SECONDARY

Present Time

	Present	*(Pres. Subj.)*	*(Imperf. Subj.)*
ich	trage	trage	trüge
du	trägst	tragest	trügest
er	trägt	trage	trüge
wir	tragen	tragen	trügen
ihr	tragt	traget	trüget
sie	tragen	tragen	trügen

	Imperfect
ich	trug
du	trugst
er	trug
wir	trugen
ihr	trugt
sie	trugen

Past Time

	Perfect	*(Perf. Subj.)*	*(Pluperf. Subj.)*
ich	habe getragen	habe getragen	hätte getragen
du	hast getragen	habest getragen	hättest getragen
er	hat getragen	habe getragen	hätte getragen
wir	haben getragen	haben getragen	hätten getragen
ihr	habt getragen	habet getragen	hättet getragen
sie	haben getragen	haben getragen	hätten getragen

	Pluperfect
ich	hatte getragen
du	hattest getragen
er	hatte getragen
wir	hatten getragen
ihr	hattet getragen
sie	hatten getragen

Future Time

	Future	*(Fut. Subj.)*	*(Pres. Conditional)*
ich	werde tragen	werde tragen	würde tragen
du	wirst tragen	werdest tragen	würdest tragen
er	wird tragen	werde tragen	würde tragen
wir	werden tragen	werden tragen	würden tragen
ihr	werdet tragen	werdet tragen	würdet tragen
sie	werden tragen	werden tragen	würden tragen

Future Perfect Time

	Future Perfect	*(Fut. Perf. Subj.)*	*(Past Conditional)*
ich	werde getragen haben	werde getragen haben	würde getragen haben
du	wirst getragen haben	werdest getragen haben	würdest getragen haben
er	wird getragen haben	werde getragen haben	würde getragen haben
wir	werden getragen haben	werden getragen haben	würden getragen haben
ihr	werdet getragen haben	werdet getragen haben	würdet getragen haben
sie	werden getragen haben	werden getragen haben	würden getragen haben

172

PRINC. PARTS: treffen, traf, getroffen, trifft
IMPERATIVE: triff!, trefft!, treffen Sie!

to meet, hit

INDICATIVE	SUBJUNCTIVE	
	PRIMARY	SECONDARY
	Present Time	
Present	*(Pres. Subj.)*	*(Imperf. Subj.)*
ich treffe	treffe	träfe
du triffst	treffest	träfest
er trifft	treffe	träfe
wir treffen	treffen	träfen
ihr trefft	treffet	träfet
sie treffen	treffen	träfen

Imperfect
ich traf
du trafst
er traf
wir trafen
ihr traft
sie trafen

		Past Time	
Perfect	*(Perf. Subj.)*	*(Pluperf. Subj.)*
ich habe getroffen	habe getroffen	hätte getroffen
du hast getroffen	habest getroffen	hättest getroffen
er hat getroffen	habe getroffen	hätte getroffen
wir haben getroffen	haben getroffen	hätten getroffen
ihr habt getroffen	habet getroffen	hättet getroffen
sie haben getroffen	haben getroffen	hätten getroffen

Pluperfect
ich hatte getroffen
du hattest getroffen
er hatte getroffen
wir hatten getroffen
ihr hattet getroffen
sie hatten getroffen

		Future Time	
Future	*(Fut. Subj.)*	*(Pres. Conditional)*
ich werde treffen	werde treffen	würde treffen
du wirst treffen	werdest treffen	würdest treffen
er wird treffen	werde treffen	würde treffen
wir werden treffen	werden treffen	würden treffen
ihr werdet treffen	werdet treffen	würdet treffen
sie werden treffen	werden treffen	würden treffen

		Future Perfect Time	
Future Perfect	*(Fut. Perf. Subj.)*	*(Past Conditional)*
ich werde getroffen haben	werde getroffen haben	würde getroffen haben
du wirst getroffen haben	werdest getroffen haben	würdest getroffen haben
er wird getroffen haben	werde getroffen haben	würde getroffen haben
wir werden getroffen haben	werden getroffen haben	würden getroffen haben
ihr werdet getroffen haben	werdet getroffen haben	würdet getroffen haben
sie werden getroffen haben	werden getroffen haben	würden getroffen haben

173

treiben

to drive, push, propel

PRINC. PARTS: treiben, trieb, getrieben, treibt
IMPERATIVE: treibe!, treibt!, treiben Sie!

	INDICATIVE	SUBJUNCTIVE	
		PRIMARY	SECONDARY
	Present	*(Pres. Subj.)*	*(Imperf. Subj.)*
ich	treibe	treibe	triebe
du	treibst	treibest	triebest
er	treibt	treibe	triebe
wir	treiben	treiben	trieben
ihr	treibt	treibet	triebet
sie	treiben	treiben	trieben

Present Time

	Imperfect
ich	trieb
du	triebst
er	trieb
wir	trieben
ihr	triebt
sie	trieben

Past Time

	Perfect	*(Perf. Subj.)*	*(Pluperf. Subj.)*
ich	habe getrieben	habe getrieben	hätte getrieben
du	hast getrieben	habest getrieben	hättest getrieben
er	hat getrieben	habe getrieben	hätte getrieben
wir	haben getrieben	haben getrieben	hätten getrieben
ihr	habt getrieben	habet getrieben	hättet getrieben
sie	haben getrieben	haben getrieben	hätten getrieben

	Pluperfect
ich	hatte getrieben
du	hattest getrieben
er	hatte getrieben
wir	hatten getrieben
ihr	hattet getrieben
sie	hatten getrieben

Future Time

	Future	*(Fut. Subj.)*	*(Pres. Conditional)*
ich	werde treiben	werde treiben	würde treiben
du	wirst treiben	werdest treiben	würdest treiben
er	wird treiben	werde treiben	würde treiben
wir	werden treiben	werden treiben	würden treiben
ihr	werdet treiben	werdet treiben	würdet treiben
sie	werden treiben	werden treiben	würden treiben

Future Perfect Time

	Future Perfect	*(Fut. Perf. Subj.)*	*(Past Conditional)*
ich	werde getrieben haben	werde getrieben haben	würde getrieben haben
du	wirst getrieben haben	werdest getrieben haben	würdest getrieben haben
er	wird getrieben haben	werde getrieben haben	würde getrieben haben
wir	werden getrieben haben	werden getrieben haben	würden getrieben haben
ihr	werdet getrieben haben	werdet getrieben haben	würdet getrieben haben
sie	werden getrieben haben	werden getrieben haben	würden getrieben haben

PRINC. PARTS: treten, trat, ist getreten, tritt
IMPERATIVE: tritt!, tretet!, treten Sie!

to step, walk, tread, go

INDICATIVE		SUBJUNCTIVE	
		PRIMARY	SECONDARY
		Present Time	
	Present	*(Pres. Subj.)*	*(Imperf. Subj.)*
ich	trete	trete	träte
du	trittst	tretest	trätest
er	tritt	trete	träte
wir	treten	treten	träten
ihr	tretet	tretet	trätet
sie	treten	treten	träten

	Imperfect
ich	trat
du	tratest
er	trat
wir	traten
ihr	tratet
sie	traten

			Past Time	
	Perfect	*(Perf. Subj.)*	*(Pluperf. Subj.)*
ich	bin getreten	sei getreten	wäre getreten
du	bist getreten	seiest getreten	wärest getreten
er	ist getreten	sei getreten	wäre getreten
wir	sind getreten	seien getreten	wären getreten
ihr	seid getreten	seiet getreten	wäret getreten
sie	sind getreten	seien getreten	wären getreten

	Pluperfect
ich	war getreten
du	warst getreten
er	war getreten
wir	waren getreten
ihr	wart getreten
sie	waren getreten

			Future Time	
	Future	*(Fut. Subj.)*	*(Pres. Conditional)*
ich	werde treten	werde treten	würde treten
du	wirst treten	werdest treten	würdest treten
er	wird treten	werde treten	würde treten
wir	werden treten	werden treten	würden treten
ihr	werdet treten	werdet treten	würdet treten
sie	werden treten	werden treten	würden treten

			Future Perfect Time	
	Future Perfect	*(Fut. Perf. Subj.)*	*(Past Conditional)*
ich	werde getreten sein	werde getreten sein	würde getreten sein
du	wirst getreten sein	werdest getreten sein	würdest getreten sein
er	wird getreten sein	werde getreten sein	würde getreten sein
wir	werden getreten sein	werden getreten sein	würden getreten sein
ihr	werdet getreten sein	werdet getreten sein	würdet getreten sein
sie	werden getreten sein	werden getreten sein	würden getreten sein

trinken
to drink

PRINC. PARTS: trinken, trank, getrunken, trinkt
IMPERATIVE: trinke!, trinkt!, trinken Sie!

INDICATIVE		SUBJUNCTIVE	
		PRIMARY	SECONDARY
		Present Time	
	Present	*(Pres. Subj.)*	*(Imperf. Subj.)*
ich	trinke	trinke	tränke
du	trinkst	trinkest	tränkest
er	trinkt	trinke	tränke
wir	trinken	trinken	tränken
ihr	trinkt	trinket	tränket
sie	trinken	trinken	tränken
	Imperfect		
ich	trank		
du	trankst		
er	trank		
wir	tranken		
ihr	trankt		
sie	tranken		
		Past Time	
	Perfect	*(Perf. Subj.)*	*(Pluperf. Subj.)*
ich	habe getrunken	habe getrunken	hätte getrunken
du	hast getrunken	habest getrunken	hättest getrunken
er	hat getrunken	habe getrunken	hätte getrunken
wir	haben getrunken	haben getrunken	hätten getrunken
ihr	habt getrunken	habet getrunken	hättet getrunken
sie	haben getrunken	haben getrunken	hätten getrunken
	Pluperfect		
ich	hatte getrunken		
du	hattest getrunken		
er	hatte getrunken		
wir	hatten getrunken		
ihr	hattet getrunken		
sie	hatten getrunken		
		Future Time	
	Future	*(Fut. Subj.)*	*(Pres. Conditional)*
ich	werde trinken	werde trinken	würde trinken
du	wirst trinken	werdest trinken	würdest trinken
er	wird trinken	werde trinken	würde trinken
wir	werden trinken	werden trinken	würden trinken
ihr	werdet trinken	werdet trinken	würdet trinken
sie	werden trinken	werden trinken	würden trinken
		Future Perfect Time	
	Future Perfect	*(Fut. Perf. Subj.)*	*(Past Conditional)*
ich	werde getrunken haben	werde getrunken haben	würde getrunken haben
du	wirst getrunken haben	werdest getrunken haben	würdest getrunken haben
er	wird getrunken haben	werde getrunken haben	würde getrunken haben
wir	werden getrunken haben	werden getrunken haben	würden getrunken haben
ihr	werdet getrunken haben	werdet getrunken haben	würdet getrunken haben
sie	werden getrunken haben	werden getrunken haben	würden getrunken haben

tun

PRINC. PARTS: tun, tat, getan, tut
IMPERATIVE: tue!, tut!, tun Sie!

to do, make, put

	INDICATIVE		SUBJUNCTIVE	
			PRIMARY	SECONDARY
			Present Time	
	Present		*(Pres. Subj.)*	*(Imperf. Subj.)*
ich	tue		tue	täte
du	tust		tuest	tätest
er	tut		tue	täte
wir	tun		tuen	täten
ihr	tut		tuet	tätet
sie	tun		tuen	täten

	Imperfect
ich	tat
du	tatest
er	tat
wir	taten
ihr	tatet
sie	taten

			Past Time	
	Perfect		*(Perf. Subj.)*	*(Pluperf. Subj.)*
ich	habe getan		habe getan	hätte getan
du	hast getan		habest getan	hättest getan
er	hat getan		habe getan	hätte getan
wir	haben getan		haben getan	hätten getan
ihr	habt getan		habet getan	hättet getan
sie	haben getan		haben getan	hätten getan

	Pluperfect
ich	hatte getan
du	hattest getan
er	hatte getan
wir	hatten getan
ihr	hattet getan
sie	hatten getan

			Future Time	
	Future		*(Fut. Subj.)*	*(Pres. Conditional)*
ich	werde tun		werde tun	würde tun
du	wirst tun		werdest tun	würdest tun
er	wird tun		werde tun	würde tun
wir	werden tun		werden tun	würden tun
ihr	werdet tun		werdet tun	würdet tun
sie	werden tun		werden tun	würden tun

			Future Perfect Time	
	Future Perfect		*(Fut. Perf. Subj.)*	*(Past Conditional)*
ich	werde getan haben		werde getan haben	würde getan haben
du	wirst getan haben		werdest getan haben	würdest getan haben
er	wird getan haben		werde getan haben	würde getan haben
wir	werden getan haben		werden getan haben	würden getan haben
ihr	werdet getan haben		werdet getan haben	würdet getan haben
sie	werden getan haben		werden getan haben	würden getan haben

177

überwinden

to overcome, conquer

PRINC. PARTS: überwinden, überwand, überwunden, überwindet
IMPERATIVE: überwinde!, überwindet!, überwinden Sie!

INDICATIVE	SUBJUNCTIVE	
	PRIMARY	SECONDARY

Present Time

	Present	(*Pres. Subj.*)	(*Imperf. Subj.*)
ich	überwinde	überwinde	überwände
du	überwindest	überwindest	überwändest
er	überwindet	überwinde	überwände
wir	überwinden	überwinden	überwänden
ihr	überwindet	überwindet	überwändet
sie	überwinden	überwinden	überwänden

	Imperfect
ich	überwand
du	überwandest
er	überwand
wir	überwanden
ihr	überwandet
sie	überwanden

Past Time

	Perfect	(*Perf. Subj.*)	(*Pluperf. Subj.*)
ich	habe überwunden	habe überwunden	hätte überwunden
du	hast überwunden	habest überwunden	hättest überwunden
er	hat überwunden	habe überwunden	hätte überwunden
wir	haben überwunden	haben überwunden	hätten überwunden
ihr	habt überwunden	habet überwunden	hättet überwunden
sie	haben überwunden	haben überwunden	hätten überwunden

	Pluperfect
ich	hatte überwunden
du	hattest überwunden
er	hatte überwunden
wir	hatten überwunden
ihr	hattet überwunden
sie	hatten überwunden

Future Time

	Future	(*Fut. Subj.*)	(*Pres. Conditional*)
ich	werde überwinden	werde überwinden	würde überwinden
du	wirst überwinden	werdest überwinden	würdest überwinden
er	wird überwinden	werde überwinden	würde überwinden
wir	werden überwinden	werden überwinden	würden überwinden
ihr	werdet überwinden	werdet überwinden	würdet überwinden
sie	werden überwinden	werden überwinden	würden überwinden

Future Perfect Time

	Future Perfect	(*Fut. Perf. Subj.*)	(*Past Conditional*)
ich	werde überwunden haben	werde überwunden haben	würde überwunden haben
du	wirst überwunden haben	werdest überwunden haben	würdest überwunden haben
er	wird überwunden haben	werde überwunden haben	würde überwunden haben
wir	werden überwunden haben	werden überwunden haben	würden überwunden haben
ihr	werdet überwunden haben	werdet überwunden haben	würdet überwunden haben
sie	werden überwunden haben	werden überwunden haben	würden überwunden haben

PRINC. PARTS: unterbrechen, unterbrach, unterbrochen,
unterbricht
IMPERATIVE: unterbrich!, unterbrecht!, unterbrechen Sie!

unterbrechen
to interrupt

INDICATIVE	SUBJUNCTIVE	
	PRIMARY	SECONDARY
	Present Time	
Present	*(Pres. Subj.)*	*(Imperf. Subj.)*
ich unterbreche	unterbreche	unterbräche
du unterbrichst	unterbrechest	unterbrächest
er unterbricht	unterbreche	unterbräche
wir unterbrechen	unterbrechen	unterbrächen
ihr unterbrecht	unterbrechet	unterbrächet
sie unterbrechen	unterbrechen	unterbrächen

Imperfect
ich unterbrach
du unterbrachst
er unterbrach
wir unterbrachen
ihr unterbracht
sie unterbrachen

	Past Time	
Perfect	*(Perf. Subj.)*	*(Pluperf. Subj.)*
ich habe unterbrochen	habe unterbrochen	hätte unterbrochen
du hast unterbrochen	habest unterbrochen	hättest unterbrochen
er hat unterbrochen	habe unterbrochen	hätte unterbrochen
wir haben unterbrochen	haben unterbrochen	hätten unterbrochen
ihr habt unterbrochen	habet unterbrochen	hättet unterbrochen
sie haben unterbrochen	haben unterbrochen	hätten unterbrochen

Pluperfect
ich hatte unterbrochen
du hattest unterbrochen
er hatte unterbrochen
wir hatten unterbrochen
ihr hattet unterbrochen
sie hatten unterbrochen

	Future Time	
Future	*(Fut. Subj.)*	*(Pres. Conditional)*
ich werde unterbrechen	werde unterbrechen	würde unterbrechen
du wirst unterbrechen	werdest unterbrechen	würdest unterbrechen
er wird unterbrechen	werde unterbrechen	würde unterbrechen
wir werden unterbrechen	werden unterbrechen	würden unterbrechen
ihr werdet unterbrechen	werdet unterbrechen	würdet unterbrechen
sie werden unterbrechen	werden unterbrechen	würden unterbrechen

	Future Perfect Time	
Future Perfect	*(Fut. Perf. Subj.)*	*(Past Conditional)*
ich werde unterbrochen haben	werde unterbrochen haben	würde unterbrochen haben
du wirst unterbrochen haben	werdest unterbrochen haben	würdest unterbrochen haben
er wird unterbrochen haben	werde unterbrochen haben	würde unterbrochen haben
wir werden unterbrochen haben	werden unterbrochen haben	würden unterbrochen haben
ihr werdet unterbrochen haben	werdet unterbrochen haben	würdet unterbrochen haben
sie werden unterbrochen haben	werden unterbrochen haben	würden unterbrochen haben

verderben

to ruin, spoil, perish

PRINC. PARTS: verderben, verdarb, verdorben, verdirbt

IMPERATIVE: verdirb!, verderbt!, verderben Sie!

	INDICATIVE	SUBJUNCTIVE	
		PRIMARY	SECONDARY
	Present	*Present Time* (*Pres. Subj.*)	(*Imperf. Subj.*)
ich	verderbe	verderbe	verdürbe
du	verdirbst	verderbest	verdürbest
er	verdirbt	verderbe	verdürbe
wir	verderben	verderben	verdürben
ihr	verderbt	verderbet	verdürbet
sie	verderben	verderben	verdürben
	Imperfect		
ich	verdarb		
du	verdarbst		
er	verdarb		
wir	verdarben		
ihr	verdarbt		
sie	verdarben		
	Perfect	*Past Time* (*Perf. Subj.*)	(*Pluperf. Subj.*)
ich	habe verdorben	habe verdorben	hätte verdorben
du	hast verdorben	habest verdorben	hättest verdorben
er	hat verdorben	habe verdorben	hätte verdorben
wir	haben verdorben	haben verdorben	hätten verdorben
ihr	habt verdorben	habet verdorben	hättet verdorben
sie	haben verdorben	haben verdorben	hätten verdorben
	Pluperfect		
ich	hatte verdorben		
du	hattest verdorben		
er	hatte verdorben		
wir	hatten verdorben		
ihr	hattet verdorben		
sie	hatten verdorben		
	Future	*Future Time* (*Fut. Subj.*)	(*Pres. Conditional*)
ich	werde verderben	werde verderben	würde verderben
du	wirst verderben	werdest verderben	würdest verderben
er	wird verderben	werde verderben	würde verderben
wir	werden verderben	werden verderben	würden verderben
ihr	werdet verderben	werdet verderben	würdet verderben
sie	werden verderben	werden verderben	würden verderben
	Future Perfect	*Future Perfect Time* (*Fut. Perf. Subj.*)	(*Past Conditional*)
ich	werde verdorben haben	werde verdorben haben	würde verdorben haben
du	wirst verdorben haben	werdest verdorben haben	würdest verdorben haben
er	wird verdorben haben	werde verdorben haben	würde verdorben haben
wir	werden verdorben haben	werden verdorben haben	würden verdorben haben
ihr	werdet verdorben haben	werdet verdorben haben	würdet verdorben haben
sie	werden verdorben haben	werden verdorben haben	würden verdorben haben

verdrießen

PRINC. PARTS: verdrießen, verdroß, verdrossen, verdrießt
IMPERATIVE: verdrieße!, verdrießt!, verdrießen Sie!

*to annoy, vex,
displease, grieve*

INDICATIVE	SUBJUNCTIVE	
	PRIMARY	SECONDARY
	Present Time	
Present	*(Pres. Subj.)*	*(Imperf. Subj.)*
ich verdrieße	verdrieße	verdrösse
du verdrießt	verdrießest	verdrössest
er verdrießt	verdrieße	verdrösse
wir verdrießen	verdrießen	verdrössen
ihr verdrießt	verdrießet	verdrösset
sie verdrießen	verdrießen	verdrössen
Imperfect		
ich verdroß		
du verdrossest		
er verdroß		
wir verdrossen		
ihr verdroßt		
sie verdrossen		
	Past Time	
Perfect	*(Perf. Subj.)*	*(Pluperf. Subj.)*
ich habe verdrossen	habe verdrossen	hätte verdrossen
du hast verdrossen	habest verdrossen	hättest verdrossen
er hat verdrossen	habe verdrossen	hätte verdrossen
wir haben verdrossen	haben verdrossen	hätten verdrossen
ihr habt verdrossen	habet verdrossen	hättet verdrossen
sie haben verdrossen	haben verdrossen	hätten verdrossen
Pluperfect		
ich hatte verdrossen		
du hattest verdrossen		
er hatte verdrossen		
wir hatten verdrossen		
ihr hattet verdrossen		
sie hatten verdrossen		
	Future Time	
Future	*(Fut. Subj.)*	*(Pres. Conditional)*
ich werde verdrießen	werde verdrießen	würde verdrießen
du wirst verdrießen	werdest verdrießen	würdest verdrießen
er wird verdrießen	werde verdrießen	würde verdrießen
wir werden verdrießen	werden verdrießen	würden verdrießen
ihr werdet verdrießen	werdet verdrießen	würdet verdrießen
sie werden verdrießen	werden verdrießen	würden verdrießen
	Future Perfect Time	
Future Perfect	*(Fut. Perf. Subj.)*	*(Past Conditional)*
ich werde verdrossen haben	werde verdrossen haben	würde verdrossen haben
du wirst verdrossen haben	werdest verdrossen haben	würdest verdrossen haben
er wird verdrossen haben	werde verdrossen haben	würde verdrossen haben
wir werden verdrossen haben	werden verdrossen haben	würden verdrossen haben
ihr werdet verdrossen haben	werdet verdrossen haben	würdet verdrossen haben
sie werden verdrossen haben	werden verdrossen haben	würden verdrossen haben

181

vergessen

to forget, neglect

PRINC. PARTS: vergessen, vergaß, vergessen, vergißt
IMPERATIVE: vergiß!, vergeßt!, vergessen Sie!

INDICATIVE	SUBJUNCTIVE	
	PRIMARY	SECONDARY

Present Time

	Present	*(Pres. Subj.)*	*(Imperf. Subj.)*
ich	vergesse	vergesse	vergäße
du	vergißt	vergessest	vergäßest
er	vergißt	vergesse	vergäße
wir	vergessen	vergessen	vergäßen
ihr	vergeßt	vergesset	vergäßet
sie	vergessen	vergessen	vergäßen

	Imperfect
ich	vergaß
du	vergaßest
er	vergaß
wir	vergaßen
ihr	vergaßt
sie	vergaßen

Past Time

	Perfect	*(Perf. Subj.)*	*(Pluperf. Subj.)*
ich	habe vergessen	habe vergessen	hätte vergessen
du	hast vergessen	habest vergessen	hättest vergessen
er	hat vergessen	habe vergessen	hätte vergessen
wir	haben vergessen	haben vergessen	hätten vergessen
ihr	habt vergessen	habet vergessen	hättet vergessen
sie	haben vergessen	haben vergessen	hätten vergessen

	Pluperfect
ich	hatte vergessen
du	hattest vergessen
er	hatte vergessen
wir	hatten vergessen
ihr	hattet vergessen
sie	hatten vergessen

Future Time

	Future	*(Fut. Subj.)*	*(Pres. Conditional)*
ich	werde vergessen	werde vergessen	würde vergessen
du	wirst vergessen	werdest vergessen	würdest vergessen
er	wird vergessen	werde vergessen	würde vergessen
wir	werden vergessen	werden vergessen	würden vergessen
ihr	werdet vergessen	werdet vergessen	würdet vergessen
sie	werden vergessen	werden vergessen	würden vergessen

Future Perfect Time

	Future Perfect	*(Fut. Perf. Subj.)*	*(Past Conditional)*
ich	werde vergessen haben	werde vergessen haben	würde vergessen haben
du	wirst vergessen haben	werdest vergessen haben	würdest vergessen haben
er	wird vergessen haben	werde vergessen haben	würde vergessen haben
wir	werden vergessen haben	werden vergessen haben	würden vergessen haben
ihr	werdet vergessen haben	werdet vergessen haben	würdet vergessen haben
sie	werden vergessen haben	werden vergessen haben	würden vergessen haben

PRINC. PARTS: verlieren, verlor, verloren, verliert
IMPERATIVE: verliere!, verliert!, verlieren Sie!

INDICATIVE	SUBJUNCTIVE	
	PRIMARY	SECONDARY

Present Time

	Present	*(Pres. Subj.)*	*(Imperf. Subj.)*
ich	verliere	verliere	verlöre
du	verlierst	verlierest	verlörest
er	verliert	verliere	verlöre
wir	verlieren	verlieren	verlören
ihr	verliert	verlieret	verlöret
sie	verlieren	verlieren	verlören

	Imperfect
ich	verlor
du	verlorst
er	verlor
wir	verloren
ihr	verlort
sie	verloren

Past Time

	Perfect	*(Perf. Subj.)*	*(Pluperf. Subj.)*
ich	habe verloren	habe verloren	hätte verloren
du	hast verloren	habest verloren	hättest verloren
er	hat verloren	habe verloren	hätte verloren
wir	haben verloren	haben verloren	hätten verloren
ihr	habt verloren	habet verloren	hättet verloren
sie	haben verloren	haben verloren	hätten verloren

	Pluperfect
ich	hatte verloren
du	hattest verloren
er	hatte verloren
wir	hatten verloren
ihr	hattet verloren
sie	hatten verloren

Future Time

	Future	*(Fut. Subj.)*	*(Pres. Conditional)*
ich	werde verlieren	werde verlieren	würde verlieren
du	wirst verlieren	werdest verlieren	würdest verlieren
er	wird verlieren	werde verlieren	würde verlieren
wir	werden verlieren	werden verlieren	würden verlieren
ihr	werdet verlieren	werdet verlieren	würdet verlieren
sie	werden verlieren	werden verlieren	würden verlieren

Future Perfect Time

	Future Perfect	*(Fut. Perf. Subj.)*	*(Past Conditional)*
ich	werde verloren haben	werde verloren haben	würde verloren haben
du	wirst verloren haben	werdest verloren haben	würdest verloren haben
er	wird verloren haben	werde verloren haben	würde verloren haben
wir	werden verloren haben	werden verloren haben	würden verloren haben
ihr	werdet verloren haben	werdet verloren haben	würdet verloren haben
sie	werden verloren haben	werden verloren haben	würden verloren haben

verstehen

to understand

PRINC. PARTS: verstehen, verstand, verstanden, versteht
IMPERATIVE: verstehe!, versteht!, verstehen Sie!

INDICATIVE	SUBJUNCTIVE		
	PRIMARY		SECONDARY
	Present Time		
Present	*(Pres. Subj.)*		*(Imperf. Subj.)*
ich verstehe	verstehe	verstände	verstünde
du verstehst	verstehest	verständest	verstündest
er versteht	verstehe	verstände *or*	verstünde
wir verstehen	verstehen	verständen	verstünden
ihr versteht	verstehet	verständet	verstündet
sie verstehen	verstehen	verständen	verstünden

Imperfect
ich verstand
du verstandest
er verstand
wir verstanden
ihr verstandet
sie verstanden

	Past Time	
Perfect	*(Perf. Subj.)*	*(Pluperf. Subj.)*
ich habe verstanden	habe verstanden	hätte verstanden
du hast verstanden	habest verstanden	hättest verstanden
er hat verstanden	habe verstanden	hätte verstanden
wir haben verstanden	haben verstanden	hätten verstanden
ihr habt verstanden	habet verstanden	hättet verstanden
sie haben verstanden	haben verstanden	hätten verstanden

Pluperfect
ich hatte verstanden
du hattest verstanden
er hatte verstanden
wir hatten verstanden
ihr hattet verstanden
sie hatten verstanden

	Future Time	
Future	*(Fut. Subj.)*	*(Pres. Conditional)*
ich werde verstehen	werde verstehen	würde verstehen
du wirst verstehen	werdest verstehen	würdest verstehen
er wird verstehen	werde verstehen	würde verstehen
wir werden verstehen	werden verstehen	würden verstehen
ihr werdet verstehen	werdet verstehen	würdet verstehen
sie werden verstehen	werden verstehen	würden verstehen

	Future Perfect Time	
Future Perfect	*(Fut. Perf. Subj.)*	*(Past Conditional)*
ich werde verstanden haben	werde verstanden haben	würde verstanden haben
du wirst verstanden haben	werdest verstanden haben	würdest verstanden haben
er wird verstanden haben	werde verstanden haben	würde verstanden haben
wir werden verstanden haben	werden verstanden haben	würden verstanden haben
ihr werdet verstanden haben	werdet verstanden haben	würdet verstanden haben
sie werden verstanden haben	werden verstanden haben	würden verstanden haben

PRINC. PARTS: verzeihen, verzieh, verziehen,
verzeiht
IMPERATIVE: verzeihe!, verzeiht!, verzeihen Sie!   *to pardon, forgive, excuse*

INDICATIVE	SUBJUNCTIVE	
	PRIMARY	SECONDARY
	Present Time	
Present	*(Pres. Subj.)*	*(Imperf. Subj.)*
ich verzeihe	verzeihe	verziehe
du verzeihst	verzeihest	verziehest
er verzeiht	verzeihe	verziehe
wir verzeihen	verzeihen	verziehen
ihr verzeiht	verzeihet	verziehet
sie verzeihen	verzeihen	verziehen

Imperfect
ich verzieh
du verziehst
er verzieh
wir verziehen
ihr verzieht
sie verziehen

	Past Time	
Perfect	*(Perf. Subj.)*	*(Pluperf. Subj.)*
ich habe verziehen	habe verziehen	hätte verziehen
du hast verziehen	habest verziehen	hättest verziehen
er hat verziehen	habe verziehen	hätte verziehen
wir haben verziehen	haben verziehen	hätten verziehen
ihr habt verziehen	habet verziehen	hättet verziehen
sie haben verziehen	haben verziehen	hätten verziehen

Pluperfect
ich hatte verziehen
du hattest verziehen
er hatte verziehen
wir hatten verziehen
ihr hattet verziehen
sie hatten verziehen

	Future Time	
Future	*(Fut. Subj.)*	*(Pres. Conditional)*
ich werde verzeihen	werde verzeihen	würde verzeihen
du wirst verzeihen	werdest verzeihen	würdest verzeihen
er wird verzeihen	werde verzeihen	würde verzeihen
wir werden verzeihen	werden verzeihen	würden verzeihen
ihr werdet verzeihen	werdet verzeihen	würdet verzeihen
sie werden verzeihen	werden verzeihen	würden verzeihen

	Future Perfect Time	
Future Perfect	*(Fut. Perf. Subj.)*	*(Past Conditional)*
ich werde verziehen haben	werde verziehen haben	würde verziehen haben
du wirst verziehen haben	werdest verziehen haben	würdest verziehen haben
er wird verziehen haben	werde verziehen haben	würde verziehen haben
wir werden verziehen haben	werden verziehen haben	würden verziehen haben
ihr werdet verziehen haben	werdet verziehen haben	würdet verziehen haben
sie werden verziehen haben	werden verziehen haben	würden verziehen haben

185

wachsen

to grow

PRINC. PARTS: wachsen, wuchs, ist gewachsen, wächst
IMPERATIVE: wachse!, wachst!, wachsen Sie!

	INDICATIVE	SUBJUNCTIVE	
		PRIMARY	SECONDARY

Present Time

	Present	*(Pres. Subj.)*	*(Imperf. Subj.)*
ich	wachse	wachse	wüchse
du	wächst	wachsest	wüchsest
er	wächst	wachse	wüchse
wir	wachsen	wachsen	wüchsen
ihr	wachst	wachset	wüchset
sie	wachsen	wachsen	wüchsen

	Imperfect
ich	wuchs
du	wuchsest
er	wuchs
wir	wuchsen
ihr	wuchst
sie	wuchsen

Past Time

	Perfect	*(Perf. Subj.)*	*(Pluperf. Subj.)*
ich	bin gewachsen	sei gewachsen	wäre gewachsen
du	bist gewachsen	seiest gewachsen	wärest gewachsen
er	ist gewachsen	sei gewachsen	wäre gewachsen
wir	sind gewachsen	seien gewachsen	wären gewachsen
ihr	seid gewachsen	seiet gewachsen	wäret gewachsen
sie	sind gewachsen	seien gewachsen	wären gewachsen

	Pluperfect
ich	war gewachsen
du	warst gewachsen
er	war gewachsen
wir	waren gewachsen
ihr	wart gewachsen
sie	waren gewachsen

Future Time

	Future	*(Fut. Subj.)*	*(Pres. Conditional)*
ich	werde wachsen	werde wachsen	würde wachsen
du	wirst wachsen	werdest wachsen	würdest wachsen
er	wird wachsen	werde wachsen	würde wachsen
wir	werden wachsen	werden wachsen	würden wachsen
ihr	werdet wachsen	werdet wachsen	würdet wachsen
sie	werden wachsen	werden wachsen	würden wachsen

Future Perfect Time

	Future Perfect	*(Fut. Perf. Subj.)*	*(Past Conditional)*
ich	werde gewachsen sein	werde gewachsen sein	würde gewachsen sein
du	wirst gewachsen sein	werdest gewachsen sein	würdest gewachsen sein
er	wird gewachsen sein	werde gewachsen sein	würde gewachsen sein
wir	werden gewachsen sein	werden gewachsen sein	würden gewachsen sein
ihr	werdet gewachsen sein	werdet gewachsen sein	würdet gewachsen sein
sie	werden gewachsen sein	werden gewachsen sein	würden gewachsen sein

PRINC. PARTS: waschen, wusch, gewaschen, wäscht
IMPERATIVE: wasche!, wascht!, waschen Sie!

INDICATIVE	SUBJUNCTIVE	
	PRIMARY	SECONDARY

Present Time

	Present	*(Pres. Subj.)*	*(Imperf. Subj.)*
ich	wasche	wasche	wüsche
du	wäschst	waschest	wüschest
er	wäscht	wasche	wüsche
wir	waschen	waschen	wüschen
ihr	wascht	waschet	wüschet
sie	waschen	waschen	wüschen

	Imperfect
ich	wusch
du	wuschest
er	wusch
wir	wuschen
ihr	wuscht
sie	wuschen

Past Time

	Perfect	*(Perf. Subj.)*	*(Pluperf. Subj.)*
ich	habe gewaschen	habe gewaschen	hätte gewaschen
du	hast gewaschen	habest gewaschen	hättest gewaschen
er	hat gewaschen	habe gewaschen	hätte gewaschen
wir	haben gewaschen	haben gewaschen	hätten gewaschen
ihr	habt gewaschen	habet gewaschen	hättet gewaschen
sie	haben gewaschen	haben gewaschen	hätten gewaschen

	Pluperfect
ich	hatte gewaschen
du	hattest gewaschen
er	hatte gewaschen
wir	hatten gewaschen
ihr	hattet gewaschen
sie	hatten gewaschen

Future Time

	Future	*(Fut. Subj.)*	*(Pres. Conditional)*
ich	werde waschen	werde gewaschen	würde gewaschen
du	wirst waschen	werdest gewaschen	würdest gewaschen
er	wird waschen	werde gewaschen	würde gewaschen
wir	werden waschen	werden gewaschen	würden gewaschen
ihr	werdet waschen	werdet gewaschen	würdet gewaschen
sie	werden waschen	werden gewaschen	würden gewaschen

Future Perfect Time

	Future Perfect	*(Fut. Perf. Subj.)*	*(Past Conditional)*
ich	werde gewaschen haben	werde gewaschen haben	würde gewaschen haben
du	wirst gewaschen haben	werdest gewaschen haben	würdest gewaschen haben
er	wird gewaschen haben	werde gewaschen haben	würde gewaschen haben
wir	werden gewaschen haben	werden gewaschen haben	würden gewaschen haben
ihr	werdet gewaschen haben	werdet gewaschen haben	würdet gewaschen haben
sie	werden gewaschen haben	werden gewaschen haben	würden gewaschen haben

weichen

to yield, give way

PRINC. PARTS: weichen, wich, ist gewichen, weicht
IMPERATIVE: weiche!, weicht!, weichen Sie!

	INDICATIVE	PRIMARY	SECONDARY
		SUBJUNCTIVE	

Present Time

	Present	*(Pres. Subj.)*	*(Imperf. Subj.)*
ich	weiche	weiche	wiche
du	weichst	weichest	wichest
er	weicht	weiche	wiche
wir	weichen	weichen	wichen
ihr	weicht	weichet	wichet
sie	weichen	weichen	wichen

	Imperfect
ich	wich
du	wichst
er	wich
wir	wichen
ihr	wicht
sie	wichen

Past Time

	Perfect	*(Perf. Subj.)*	*(Pluperf. Subj.)*
ich	bin gewichen	sei gewichen	wäre gewichen
du	bist gewichen	seiest gewichen	wärest gewichen
er	ist gewichen	sei gewichen	wäre gewichen
wir	sind gewichen	seien gewichen	wären gewichen
ihr	seid gewichen	seiet gewichen	wäret gewichen
sie	sind gewichen	seien gewichen	wären gewichen

	Pluperfect
ich	war gewichen
du	warst gewichen
er	war gewichen
wir	waren gewichen
ihr	wart gewichen
sie	waren gewichen

Future Time

	Future	*(Fut. Subj.)*	*(Pres. Conditional)*
ich	werde weichen	werde weichen	würde weichen
du	wirst weichen	werdest weichen	würdest weichen
er	wird weichen	werde weichen	würde weichen
wir	werden weichen	werden weichen	würden weichen
ihr	werdet weichen	werdet weichen	würdet weichen
sie	werden weichen	werden weichen	würden weichen

Future Perfect Time

	Future Perfect	*(Fut. Perf. Subj.)*	*(Past Conditional)*
ich	werde gewichen sein	werde gewichen sein	würde gewichen sein
du	wirst gewichen sein	werdest gewichen sein	würdest gewichen sein
er	wird gewichen sein	werde gewichen sein	würde gewichen sein
wir	werden gewichen sein	werden gewichen sein	würden gewichen sein
ihr	werdet gewichen sein	werdet gewichen sein	würdet gewichen sein
sie	werden gewichen sein	werden gewichen sein	würden gewichen sein

PRINC. PARTS: weisen, wies, gewiesen, weist
IMPERATIVE: weise!, weist!, weisen Sie!

to point out, show

| INDICATIVE | SUBJUNCTIVE | |
| | PRIMARY | SECONDARY |

Present Time

	Present	*(Pres. Subj.)*	*(Imperf. Subj.)*
ich	weise	weise	wiese
du	weist	weisest	wiesest
er	weist	weise	wiese
wir	weisen	weisen	wiesen
ihr	weist	weiset	wieset
sie	weisen	weisen	wiesen

	Imperfect
ich	wies
du	wiesest
er	wies
wir	wiesen
ihr	wiest
sie	wiesen

Past Time

	Perfect	*(Perf. Subj.)*	*(Pluperf. Subj.)*
ich	habe gewiesen	habe gewiesen	hätte gewiesen
du	hast gewiesen	habest gewiesen	hättest gewiesen
er	hat gewiesen	habe gewiesen	hätte gewiesen
wir	haben gewiesen	haben gewiesen	hätten gewiesen
ihr	habt gewiesen	habet gewiesen	hättet gewiesen
sie	haben gewiesen	haben gewiesen	hätten gewiesen

	Pluperfect
ich	hatte gewiesen
du	hattest gewiesen
er	hatte gewiesen
wir	hatten gewiesen
ihr	hattet gewiesen
sie	hatten gewiesen

Future Time

	Future	*(Fut. Subj.)*	*(Pres. Conditional)*
ich	werde weisen	werde weisen	würde weisen
du	wirst weisen	werdest weisen	würdest weisen
er	wird weisen	werde weisen	würde weisen
wir	werden weisen	werden weisen	würden weisen
ihr	werdet weisen	werdet weisen	würdet weisen
sie	werden weisen	werden weisen	würden weisen

Future Perfect Time

	Future Perfect	*(Fut. Perf. Subj.)*	*(Past Conditional)*
ich	werde gewiesen haben	werde gewiesen haben	würde gewiesen haben
du	wirst gewiesen haben	werdest gewiesen haben	würdest gewiesen haben
er	wird gewiesen haben	werde gewiesen haben	würde gewiesen haben
wir	werden gewiesen haben	werden gewiesen haben	würden gewiesen haben
ihr	werdet gewiesen haben	werdet gewiesen haben	würdet gewiesen haben
sie	werden gewiesen haben	werden gewiesen haben	würden gewiesen haben

189

wenden

to turn

PRINC. PARTS: wenden,* wandte, gewandt, wendet
IMPERATIVE: wende!, wendet!, wenden Sie!

INDICATIVE		SUBJUNCTIVE	
		PRIMARY	SECONDARY
		Present Time	
	Present	*(Pres. Subj.)*	*(Imperf. Subj.)*
ich	wende	wende	wendete
du	wendest	wendest	wendetest
er	wendet	wende	wendete
wir	wenden	wenden	wendeten
ihr	wendet	wendet	wendetet
sie	wenden	wenden	wendeten
	Imperfect		
ich	wandte		
du	wandtest		
er	wandte		
wir	wandten		
ihr	wandtet		
sie	wandten		
		Past Time	
	Perfect	*(Perf. Subj.)*	*(Pluperf. Subj.)*
ich	habe gewandt	habe gewandt	hätte gewandt
du	hast gewandt	habest gewandt	hättest gewandt
er	hat gewandt	habe gewandt	hätte gewandt
wir	haben gewandt	haben gewandt	hätten gewandt
ihr	habt gewandt	habet gewandt	hättet gewandt
sie	haben gewandt	haben gewandt	hätten gewandt
	Pluperfect		
ich	hatte gewandt		
du	hattest gewandt		
er	hatte gewandt		
wir	hatten gewandt		
ihr	hattet gewandt		
sie	hatten gewandt		
		Future Time	
	Future	*(Fut. Subj.)*	*(Pres. Conditional)*
ich	werde wenden	werde wenden	würde wenden
du	wirst wenden	werdest wenden	würdest wenden
er	wird wenden	werde wenden	würde wenden
wir	werden wenden	werden wenden	würden wenden
ihr	werdet wenden	werdet wenden	würdet wenden
sie	werden wenden	werden wenden	würden wenden
		Future Perfect Time	
	Future Perfect	*(Fut. Perf. Subj.)*	*(Past Conditional)*
ich	werde gewandt haben	werde gewandt haben	würde gewandt haben
du	wirst gewandt haben	werdest gewandt haben	würdest gewandt haben
er	wird gewandt haben	werde gewandt haben	würde gewandt haben
wir	werden gewandt haben	werden gewandt haben	würden gewandt haben
ihr	werdet gewandt haben	werdet gewandt haben	würdet gewandt haben
sie	werden gewandt haben	werden gewandt haben	würden gewandt haben

* The weak forms of the past tense **wendete**, and of the past participle **gewendet** are also found.

PRINC. PARTS: werben, warb, geworben, wirbt
IMPERATIVE: wirb!, werbt!, werben Sie!

to recruit, woo, court, solicit

INDICATIVE		SUBJUNCTIVE	
		PRIMARY	SECONDARY
		Present Time	
	Present	*(Pres. Subj.)*	*(Imperf. Subj.)*
ich	werbe	werbe	würbe
du	wirbst	werbest	würbest
er	wirbt	werbe	würbe
wir	werben	werben	würben
ihr	werbt	werbet	würbet
sie	werben	werben	würben

	Imperfect
ich	warb
du	warbst
er	warb
wir	warben
ihr	warbt
sie	warben

			Past Time	
	Perfect	*(Perf. Subj.)*	*(Pluperf. Subj.)*
ich	habe geworben	habe geworben	hätte geworben
du	hast geworben	habest geworben	hättest geworben
er	hat geworben	habe geworben	hätte geworben
wir	haben geworben	haben geworben	hätten geworben
ihr	habt geworben	habet geworben	hättet geworben
sie	haben geworben	haben geworben	hätten geworben

	Pluperfect
ich	hatte geworben
du	hattest geworben
er	hatte geworben
wir	hatten geworben
ihr	hattet geworben
sie	hatten geworben

			Future Time	
	Future	*(Fut. Subj.)*	*(Pres. Conditional)*
ich	werde werben	werde werben	würde werben
du	wirst werben	werdest werben	würdest werben
er	wird werben	werde werben	würde werben
wir	werden werben	werden werben	würden werben
ihr	werdet werben	werdet werben	würdet werben
sie	werden werben	werden werben	würden werben

			Future Perfect Time	
	Future Perfect	*(Fut. Perf. Subj.)*	*(Past Conditional)*
ich	werde geworben haben	werde geworben haben	würde geworben haben
du	wirst geworben haben	werdest geworben haben	würdest geworben haben
er	wird geworben haben	werde geworben haben	würde geworben haben
wir	werden geworben haben	werden geworben haben	würden geworben haben
ihr	werdet geworben haben	werdet geworben haben	würdet geworben haben
sie	werden geworben haben	werden geworben haben	würden geworben haben

werden

to become, shall or will†, be††

PRINC. PARTS: werden, wurde*, ist
geworden**, wird
IMPERATIVE: werde!, werdet!, werden Sie!

INDICATIVE	SUBJUNCTIVE	
	PRIMARY	SECONDARY

Present Time

	Present	*(Pres. Subj.)*	*(Imperf. Subj.)*
ich	werde	werde	würde
du	wirst	werdest	würdest
er	wird	werde	würde
wir	werden	werden	würden
ihr	werdet	werdet	würdet
sie	werden	werden	würden

	Imperfect
ich	wurde
du	wurdest
er	wurde
wir	wurden
ihr	wurdet
sie	wurden

Past Time

	Perfect	*(Perf. Subj.)*	*(Pluperf. Subj.)*
ich	bin geworden	sei geworden	wäre geworden
du	bist geworden	seiest geworden	wärest geworden
er	ist geworden	sei geworden	wäre geworden
wir	sind geworden	seien geworden	wären geworden
ihr	seid geworden	seiet geworden	wäret geworden
sie	sind geworden	seien geworden	wären geworden

	Pluperfect
ich	war geworden
du	warst geworden
er	war geworden
wir	waren geworden
ihr	wart geworden
sie	waren geworden

Future Time

	Future	*(Fut. Subj.)*	*(Pres. Conditional)*
ich	werde werden	werde werden	würde werden
du	wirst werden	werdest werden	würdest werden
er	wird werden	werde werden	würde werden
wir	werden werden	werden werden	würden werden
ihr	werdet werden	werdet werden	würdet werden
sie	werden werden	werden werden	würden werden

Future Perfect Time

	Future Perfect	*(Fut. Perf. Subj.)*	*(Past Conditional)*
ich	werde geworden sein	werde geworden sein	würde geworden sein
du	wirst geworden sein	werdest geworden sein	würdest geworden sein
er	wird geworden sein	werde geworden sein	würde geworden sein
wir	werden geworden sein	werden geworden sein	würden geworden sein
ihr	werdet geworden sein	werdet geworden sein	würdet geworden sein
sie	werden geworden sein	werden geworden sein	würden geworden sein

* The past tense form **ward** is sometimes found in poetry.
** In the perfect tenses of the passive voice, the past participle is shortened to **worden** after another past participle.
† When present tense is used as auxiliary in the future.
†† When used as the auxiliary in the passive voice.

PRINC. PARTS: werfen, warf, geworfen, wirft
IMPERATIVE: wirf!, werft!, werfen Sie!

throw, hurl, fling

INDICATIVE	SUBJUNCTIVE	
	PRIMARY	SECONDARY
	Present Time	
Present	(*Pres. Subj.*)	(*Imperf. Subj.*)
ich werfe	werfe	würfe
du wirfst	werfest	würfest
er wirft	werfe	würfe
wir werfen	werfen	würfen
ihr werft	werfet	würfet
sie werfen	werfen	würfen

Imperfect
ich warf
du warfst
er warf
wir warfen
ihr warft
sie warfen

Perfect	*Past Time*	
	(*Perf. Subj.*)	(*Pluperf. Subj.*)
ich habe geworfen	habe geworfen	hätte geworfen
du hast geworfen	habest geworfen	hättest geworfen
er hat geworfen	habe geworfen	hätte geworfen
wir haben geworfen	haben geworfen	hätten geworfen
ihr habt geworfen	habet geworfen	hättet geworfen
sie haben geworfen	haben geworfen	hätten geworfen

Pluperfect
ich hatte geworfen
du hattest geworfen
er hatte geworfen
wir hatten geworfen
ihr hattet geworfen
sie hatten geworfen

Future	*Future Time*	
	(*Fut. Subj.*)	(*Pres. Conditional*)
ich werde werfen	werde werfen	würde werfen
du wirst werfen	werdest werfen	würdest werfen
er wird werfen	werde werfen	würde werfen
wir werden werfen	werden werfen	würden werfen
ihr werdet werfen	werdet werfen	würdet werfen
sie werden werfen	werden werfen	würden werfen

Future Perfect	*Future Perfect Time*	
	(*Fut. Perf. Subj.*)	(*Past Conditional*)
ich werde geworfen haben	werde geworfen haben	würde geworfen haben
du wirst geworfen haben	werdest geworfen haben	würdest geworfen haben
er wird geworfen haben	werde geworfen haben	würde geworfen haben
wir werden geworfen haben	werden geworfen haben	würden geworfen haben
ihr werdet geworfen haben	werdet geworfen haben	würdet geworfen haben
sie werden geworfen haben	werden geworfen haben	würden geworfen haben

wiederholen

to repeat

PRINC. PARTS: wiederholen, wiederholte, wiederholt, wiederholt

IMPERATIVE: wiederhole!, wiederholt!, wiederholen Sie!

	INDICATIVE		SUBJUNCTIVE	
			PRIMARY	SECONDARY
			Present Time	
	Present		*(Pres. Subj.)*	*(Imperf. Subj.)*
ich	wiederhole		wiederhole	wiederholte
du	wiederholst		wiederholest	wiederholtest
er	wiederholt		wiederhole	wiederholte
wir	wiederholen		wiederholen	wiederholten
ihr	wiederholt		wiederholet	wiederholtet
sie	wiederholen		wiederholen	wiederholten
	Imperfect			
ich	wiederholte			
du	wiederholtest			
er	wiederholte			
wir	wiederholten			
ihr	wiederholtet			
sie	wiederholten			
			Past Time	
	Perfect		*(Perf. Subj.)*	*(Pluperf. Subj.)*
ich	habe wiederholt		habe wiederholt	hätte wiederholt
du	hast wiederholt		habest wiederholt	hättest wiederholt
er	hat wiederholt		habe wiederholt	hätte wiederholt
wir	haben wiederholt		haben wiederholt	hätten wiederholt
ihr	habt wiederholt		habet wiederholt	hättet wiederholt
sie	haben wiederholt		haben wiederholt	hätten wiederholt
	Pluperfect			
ich	hatte wiederholt			
du	hattest wiederholt			
er	hatte wiederholt			
wir	hatten wiederholt			
ihr	hattet wiederholt			
sie	hatten wiederholt			
			Future Time	
	Future		*(Fut. Subj.)*	*(Pres. Conditional)*
ich	werde wiederholen		werde wiederholen	würde wiederholen
du	wirst wiederholen		werdest wiederholen	würdest wiederholen
er	wird wiederholen		werde wiederholen	würde wiederholen
wir	werden wiederholen		werden wiederholen	würden wiederholen
ihr	werdet wiederholen		werdet wiederholen	würdet wiederholen
sie	werden wiederholen		werden wiederholen	würden wiederholen
			Future Perfect Time	
	Future Perfect		*(Fut. Perf. Subj.)*	*(Past Conditional)*
ich	werde wiederholt haben		werde wiederholt haben	würde wiederholt haben
du	wirst wiederholt haben		werdest wiederholt haben	würdest wiederholt haben
er	wird wiederholt haben		werde wiederholt haben	würde wiederholt haben
wir	werden wiederholt haben		werden wiederholt haben	würden wiederholt haben
ihr	werdet wiederholt haben		werdet wiederholt haben	würdet wiederholt haben
sie	werden wiederholt haben		werden wiederholt haben	würden wiederholt haben

PRINC. PARTS: wiederholen, holte wieder,
wiedergeholt, holt wieder
IMPERATIVE: hole wieder!, holt wieder!, holen
Sie wieder!

wiederholen
to bring or fetch back

INDICATIVE	SUBJUNCTIVE	
	PRIMARY	SECONDARY

	Present	*(Pres. Subj.)*	*(Imperf. Subj.)*
ich	hole wieder	hole wieder	holte wieder
du	holst wieder	holest wieder	holtest wieder
er	holt wieder	hole wieder	holte wieder
wir	holen wieder	holen wieder	holten wieder
ihr	holt wieder	holet wieder	holtet wieder
sie	holen wieder	holen wieder	holten wieder

Present Time above.

	Imperfect
ich	holte wieder
du	holtest wieder
er	holte wieder
wir	holten wieder
ihr	holtet wieder
sie	holten wieder

Past Time

	Perfect	*(Perf. Subj.)*	*(Pluperf. Subj.)*
ich	habe wiedergeholt	habe wiedergeholt	hätte wiedergeholt
du	hast wiedergeholt	habest wiedergeholt	hättest wiedergeholt
er	hat wiedergeholt	habe wiedergeholt	hätte wiedergeholt
wir	haben wiedergeholt	haben wiedergeholt	hätten wiedergeholt
ihr	habt wiedergeholt	habet wiedergeholt	hättet wiedergeholt
sie	haben wiedergeholt	haben wiedergeholt	hätten wiedergeholt

	Pluperfect
ich	hatte wiedergeholt
du	hattest wiedergeholt
er	hatte wiedergeholt
wir	hatten wiedergeholt
ihr	hattet wiedergeholt
sie	hatten wiedergeholt

Future Time

	Future	*(Fut. Subj.)*	*(Pres. Conditional)*
ich	werde wiederholen	werde wiederholen	würde wiederholen
du	wirst wiederholen	werdest wiederholen	würdest wiederholen
er	wird wiederholen	werde wiederholen	würde wiederholen
wir	werden wiederholen	werden wiederholen	würden wiederholen
ihr	werdet wiederholen	werdet wiederholen	würdet wiederholen
sie	werden wiederholen	werden wiederholen	würden wiederholen

Future Perfect Time

	Future Perfect	*(Fut. Perf. Subj.)*	*(Past Conditional)*
ich	werde wiedergeholt haben	werde wiedergeholt haben	würde wiedergeholt haben
du	wirst wiedergeholt haben	werdest wiedergeholt haben	würdest wiedergeholt haben
er	wird wiedergeholt haben	werde wiedergeholt haben	würde wiedergeholt haben
wir	werden wiedergeholt haben	werden wiedergeholt haben	würden wiedergeholt haben
ihr	werdet wiedergeholt haben	werdet wiedergeholt haben	würdet wiedergeholt haben
sie	werden wiedergeholt haben	werden wiedergeholt haben	würden wiedergeholt haben

wiegen

to weigh

PRINC. PARTS: wiegen*, wog, gewogen, wiegt
IMPERATIVE: wiege!, wiegt!, wiegen Sie!

INDICATIVE	SUBJUNCTIVE	
	PRIMARY	SECONDARY
	Present Time	
Present	*(Pres. Subj.)*	*(Imperf. Subj.)*
ich wiege	wiege	wöge
du wiegst	wiegest	wögest
er wiegt	wiege	wöge
wir wiegen	wiegen	wögen
ihr wiegt	wieget	wöget
sie wiegen	wiegen	wögen

Imperfect
ich wog
du wogst
er wog
wir wogen
ihr wogt
sie wogen

Perfect	*(Perf. Subj.)*	*(Pluperf. Subj.)*
ich habe gewogen	habe gewogen	hätte gewogen
du hast gewogen	habest gewogen	hättest gewogen
er hat gewogen	habe gewogen	hätte gewogen
wir haben gewogen	haben gewogen	hätten gewogen
ihr habt gewogen	habet gewogen	hättet gewogen
sie haben gewogen	haben gewogen	hätten gewogen

Past Time appears above the Perf. Subj. / Pluperf. Subj. columns.

Pluperfect
ich hatte gewogen
du hattest gewogen
er hatte gewogen
wir hatten gewogen
ihr hattet gewogen
sie hatten gewogen

	Future Time	
Future	*(Fut. Subj.)*	*(Pres. Conditional)*
ich werde wiegen	werde wiegen	würde wiegen
du wirst wiegen	werdest wiegen	würdest wiegen
er wird wiegen	werde wiegen	würde wiegen
wir werden wiegen	werden wiegen	würden wiegen
ihr werdet wiegen	werdet wiegen	würdet wiegen
sie werden wiegen	werden wiegen	würden wiegen

	Future Perfect Time	
Future Perfect	*(Fut. Perf. Subj.)*	*(Past Conditional)*
ich werde gewogen haben	werde gewogen haben	würde gewogen haben
du wirst gewogen haben	werdest gewogen haben	würdest gewogen haben
er wird gewogen haben	werde gewogen haben	würde gewogen haben
wir werden gewogen haben	werden gewogen haben	würden gewogen haben
ihr werdet gewogen haben	werdet gewogen haben	würdet gewogen haben
sie werden gewogen haben	werden gewogen haben	würden gewogen haben

* **Wiegen** meaning *to rock, sway* is weak. PRINC. PARTS: wiegen, wiegte, gewiegt, wiegt.

PRINC. PARTS: wissen, wußte, gewußt, weiß
IMPERATIVE: wisse!, wißt!, wissen Sie!

to know (a fact)

	INDICATIVE	SUBJUNCTIVE	
		PRIMARY	SECONDARY
		Present Time	
	Present	*(Pres. Subj.)*	*(Imperf. Subj.)*
ich	weiß	wisse	wüßte
du	weißt	wissest	wüßtest
er	weiß	wisse	wüßte
wir	wissen	wissen	wüßten
ihr	wißt	wisset	wüßtet
sie	wissen	wissen	wüßten

	Imperfect
ich	wußte
du	wußtest
er	wußte
wir	wußten
ihr	wußtet
sie	wußten

			Past Time	
	Perfect	*(Perf. Subj.)*	*(Pluperf. Subj.)*
ich	habe gewußt	habe gewußt	hätte gewußt
du	hast gewußt	habest gewußt	hättest gewußt
er	hat gewußt	habe gewußt	hätte gewußt
wir	haben gewußt	haben gewußt	hätten gewußt
ihr	habt gewußt	habet gewußt	hättet gewußt
sie	haben gewußt	haben gewußt	hätten gewußt

	Pluperfect
ich	hatte gewußt
du	hattest gewußt
er	hatte gewußt
wir	hatten gewußt
ihr	hattet gewußt
sie	hatten gewußt

			Future Time	
	Future	*(Fut. Subj.)*	*(Pres. Conditional)*
ich	werde wissen	werde wissen	würde wissen
du	wirst wissen	werdest wissen	würdest wissen
er	wird wissen	werde wissen	würde wissen
wir	werden wissen	werden wissen	würden wissen
ihr	werdet wissen	werdet wissen	würdet wissen
sie	werden wissen	werden wissen	würden wissen

			Future Perfect Time	
	Future Perfect	*(Fut. Perf. Subj.)*	*(Past Conditional)*
ich	werde gewußt haben	werde gewußt haben	würde gewußt haben
du	wirst gewußt haben	werdest gewußt haben	würdest gewußt haben
er	wird gewußt haben	werde gewußt haben	würde gewußt haben
wir	werden gewußt haben	werden gewußt haben	würden gewußt haben
ihr	werdet gewußt haben	werdet gewußt haben	würdet gewußt haben
sie	werden gewußt haben	werden gewußt haben	würden gewußt haben

wollen

to want, intend

PRINC. PARTS: wollen, wollte, gewollt (wollen when immediately preceded by another infinitive; see sprechen dürfen), will
IMPERATIVE: wolle!, wollt!, wollen Sie!

INDICATIVE	SUBJUNCTIVE	
	PRIMARY	SECONDARY

Present Time

	Present	*(Pres. Subj.)*	*(Imperf. Subj.)*
ich	will	wolle	wollte
du	willst	wollest	wolltest
er	will	wolle	wollte
wir	wollen	wollen	wollten
ihr	wollt	wollet	wolltet
sie	wollen	wollen	wollten

	Imperfect
ich	wollte
du	wolltest
er	wollte
wir	wollten
ihr	wolltet
sie	wollten

Past Time

	Perfect	*(Perf. Subj.)*	*(Pluperf. Subj.)*
ich	habe gewollt	habe gewollt	hätte gewollt
du	hast gewollt	habest gewollt	hättest gewollt
er	hat gewollt	habe gewollt	hätte gewollt
wir	haben gewollt	haben gewollt	hätten gewollt
ihr	habt gewollt	habet gewollt	hättet gewollt
sie	haben gewollt	haben gewollt	hätten gewollt

	Pluperfect
ich	hatte gewollt
du	hattest gewollt
er	hatte gewollt
wir	hatten gewollt
ihr	hattet gewollt
sie	hatten gewollt

Future Time

	Future	*(Fut. Subj.)*	*(Pres. Conditional)*
ich	werde wollen	werde wollen	würde wollen
du	wirst wollen	werdest wollen	würdest wollen
er	wird wollen	werde wollen	würde wollen
wir	werden wollen	werden wollen	würden wollen
ihr	werdet wollen	werdet wollen	würdet wollen
sie	werden wollen	werden wollen	würden wollen

Future Perfect Time

	Future Perfect	*(Fut. Perf. Subj.)*	*(Past Conditional)*
ich	werde gewollt haben	werde gewollt haben	würde gewollt haben
du	wirst gewollt haben	werdest gewollt haben	würdest gewollt haben
er	wird gewollt haben	werde gewollt haben	würde gewollt haben
wir	werden gewollt haben	werden gewollt haben	würden gewollt haben
ihr	werdet gewollt haben	werdet gewollt haben	würdet gewollt haben
sie	werden gewollt haben	werden gewollt haben	würden gewollt haben

PRINC. PARTS: zeigen, zeigte, gezeigt, zeigt
IMPERATIVE: zeige!, zeigt!, zeigen Sie!

to show, indicate, point out

INDICATIVE		SUBJUNCTIVE	
		PRIMARY	SECONDARY
		Present Time	
	Present	(*Pres. Subj.*)	(*Imperf. Subj.*)
ich	zeige	zeige	zeigte
du	zeigst	zeigest	zeigtest
er	zeigt	zeige	zeigte
wir	zeigen	zeigen	zeigten
ihr	zeigt	zeiget	zeigtet
sie	zeigen	zeigen	zeigten

	Imperfect
ich	zeigte
du	zeigtest
er	zeigte
wir	zeigten
ihr	zeigtet
sie	zeigten

INDICATIVE			
		Past Time	
	Perfect	(*Perf. Subj.*)	(*Pluperf. Subj.*)
ich	habe gezeigt	habe gezeigt	hätte gezeigt
du	hast gezeigt	habest gezeigt	hättest gezeigt
er	hat gezeigt	habe gezeigt	hätte gezeigt
wir	haben gezeigt	haben gezeigt	hätten gezeigt
ihr	habt gezeigt	habet gezeigt	hättet gezeigt
sie	haben gezeigt	haben gezeigt	hätten gezeigt

	Pluperfect
ich	hatte gezeigt
du	hattest gezeigt
er	hatte gezeigt
wir	hatten gezeigt
ihr	hattet gezeigt
sie	hatten gezeigt

		Future Time	
	Future	(*Fut. Subj.*)	(*Pres. Conditional*)
ich	werde zeigen	werde zeigen	würde zeigen
du	wirst zeigen	werdest zeigen	würdest zeigen
er	wird zeigen	werde zeigen	würde zeigen
wir	werden zeigen	werden zeigen	würden zeigen
ihr	werdet zeigen	werdet zeigen	würdet zeigen
sie	werden zeigen	werden zeigen	würden zeigen

		Future Perfect Time	
	Future Perfect	(*Fut. Perf. Subj.*)	(*Past Conditional*)
ich	werde gezeigt haben	werde gezeigt haben	würde gezeigt haben
du	wirst gezeigt haben	werdest gezeigt haben	würdest gezeigt haben
er	wird gezeigt haben	werde gezeigt haben	würde gezeigt haben
wir	werden gezeigt haben	werden gezeigt haben	würden gezeigt haben
ihr	werdet gezeigt haben	werdet gezeigt haben	würdet gezeigt haben
sie	werden gezeigt haben	werden gezeigt haben	würden gezeigt haben

199

ziehen

to draw, pull, tug, extract,
bring up, move, go

PRINC. PARTS: ziehen, zog, gezogen, zieht
IMPERATIVE: ziehe!, zieht!, ziehen Sie!

	INDICATIVE		SUBJUNCTIVE	
			PRIMARY	SECONDARY
			Present Time	
	Present		(*Pres. Subj.*)	(*Imperf. Subj.*)
ich	ziehe		ziehe	zöge
du	ziehst		ziehest	zögest
er	zieht		ziehe	zöge
wir	ziehen		ziehen	zögen
ihr	zieht		ziehet	zöget
sie	ziehen		ziehen	zögen
	Imperfect			
ich	zog			
du	zogst			
er	zog			
wir	zogen			
ihr	zogt			
sie	zogen			
			Past Time	
	Perfect		(*Perf. Subj.*)	(*Pluperf. Subj.*)
ich	habe gezogen		habe gezogen	hätte gezogen
du	hast gezogen		habest gezogen	hättest gezogen
er	hat gezogen		habe gezogen	hätte gezogen
wir	haben gezogen		haben gezogen	hätten gezogen
ihr	habt gezogen		habet gezogen	hättet gezogen
sie	haben gezogen		haben gezogen	hätten gezogen
	Pluperfect			
ich	hatte gezogen			
du	hattest gezogen			
er	hatte gezogen			
wir	hatten gezogen			
ihr	hattet gezogen			
sie	hatten gezogen			
			Future Time	
	Future		(*Fut. Subj.*)	(*Pres. Conditional*)
ich	werde ziehen		werde ziehen	würde ziehen
du	wirst ziehen		werdest ziehen	würdest ziehen
er	wird ziehen		werde ziehen	würde ziehen
wir	werden ziehen		werden ziehen	würden ziehen
ihr	werdet ziehen		werdet ziehen	würdet ziehen
sie	werden ziehen		werden ziehen	würden ziehen
			Future Perfect Time	
	Future Perfect		(*Fut. Perf. Subj.*)	(*Past Conditional*)
ich	werde gezogen haben		werde gezogen haben	würde gezogen haben
du	wirst gezogen haben		werdest gezogen haben	würdest gezogen haben
er	wird gezogen haben		werde gezogen haben	würde gezogen haben
wir	werden gezogen haben		werden gezogen haben	würden gezogen haben
ihr	werdet gezogen haben		werdet gezogen haben	würdet gezogen haben
sie	werden gezogen haben		werden gezogen haben	würden gezogen haben

zwingen

to force, compel

INDICATIVE	SUBJUNCTIVE	
	PRIMARY	SECONDARY
	Present Time	
Present	*(Pres. Subj.)*	*(Imperf. Subj.)*
ich zwinge	zwinge	zwänge
du zwingst	zwingest	zwängest
er zwingt	zwinge	zwänge
wir zwingen	zwingen	zwängen
ihr zwingt	zwinget	zwänget
sie zwingen	zwingen	zwängen

Imperfect
ich	zwang
du	zwangst
er	zwang
wir	zwangen
ihr	zwangt
sie	zwangen

	Past Time	
Perfect	*(Perf. Subj.)*	*(Pluperf. Subj.)*
ich habe gezwungen	habe gezwungen	hätte gezwungen
du hast gezwungen	habest gezwungen	hättest gezwungen
er hat gezwungen	habe gezwungen	hätte gezwungen
wir haben gezwungen	haben gezwungen	hätten gezwungen
ihr habt gezwungen	habet gezwungen	hättet gezwungen
sie haben gezwungen	haben gezwungen	hätten gezwungen

Pluperfect
ich	hatte gezwungen
du	hattest gezwungen
er	hatte gezwungen
wir	hatten gezwungen
ihr	hattet gezwungen
sie	hatten gezwungen

	Future Time	
Future	*(Fut. Subj.)*	*(Pres. Conditional)*
ich werde zwingen	werde zwingen	würde zwingen
du wirst zwingen	werdest zwingen	würdest zwingen
er wird zwingen	werde zwingen	würde zwingen
wir werden zwingen	werden zwingen	würden zwingen
ihr werdet zwingen	werdet zwingen	würdet zwingen
sie werden zwingen	werden zwingen	würden zwingen

	Future Perfect Time	
Future Perfect	*(Fut. Perf. Subj.)*	*(Past Conditional)*
ich werde gezwungen haben	werde gezwungen haben	würde gezwungen haben
du wirst gezwungen haben	werdest gezwungen haben	würdest gezwungen haben
er wird gezwungen haben	werde gezwungen haben	würde gezwungen haben
wir werden gezwungen haben	werden gezwungen haben	würden gezwungen haben
ihr werdet gezwungen haben	werdet gezwungen haben	würdet gezwungen haben
sie werden gezwungen haben	werden gezwungen haben	würden gezwungen haben

201

INDEX

With the exception of many separable and inseparable prefix verbs,* only the verbs conjugated in this book are listed in the index. Whenever separable and inseparable prefix verbs are listed, the student is referred to the unprefixed form of the verb. Separable prefix verbs have been indicated by a hyphen (-) between the prefix and the verb. Verbs can have both separable and inseparable prefixes (for example, *aus-sprechen*—to pronounce (separable) and *versprechen*—to promise (inseparable)). In both cases the student is referred to *sprechen*. For the fully conjugated forms of separable prefix verbs, the student may refer to *an-fangen, sich an-ziehen,* and *kennen-lernen.* Among the many fully conjugated inseparable prefix verbs are *berichten, erwägen,* and *verstehen.*

Reflexive verbs are indicated by a *sich* preceding the infinitive. The reflexive pronouns of such verbs follow the pattern shown in the conjugation of *sich setzen, sich interessieren für* and *sich an-ziehen.*

Since the German verbs conjugated in the body of this book are in alphabetical order, no page numbers have been given.

* See Foreword.

English-German Verb Index

A

abandon **verlassen** (*see* **lassen**)
(to be) able, (can) **können**
accept **an-nehmen** (*see* **nehmen**)
advise **raten**
animate **beleben** (*see* **leben**)
annoy **verdriessen**
answer **antworten** (*Dat.*); **beantworten** (*Acc.*) (*see* **antworten**)
appear **erscheinen** (*see* **scheinen**)
arrive **an-kommen** (*see* **kommen**)
ask **bitten um** (*for something*); **fragen** (*a question*)
attack **an-greifen** (*see* **greifen**); **überfallen** (*see* **fallen**)
avoid **meiden; vermeiden** (*see* **meiden**)

B

bake **backen**
be **sein; sich befinden** (*see* **finden**)
beat **schlagen; hauen**
become **werden**
begin **an-fangen; beginnen**
behave **sich betragen** (*see* **tragen**); **sich benehmen** (*see* **nehmen**); **sich verhalten** (*see* **halten**)
believe **glauben** (*Dat.*)
belong **gehören** (*Dat.*) (*see* **hören**)
bend **biegen**
(to give) birth **gebären**
bite **beissen**
blow **blasen**
boil **sieden**
break **brechen**
bribe **bestechen** (*see* **stechen**)
bring back **zurück-bringen** (*see* **bringen**); **wieder-holen**
burn **brennen**
burst **bersten**
buy **kaufen**

C

call **rufen; nennen**
carry **tragen**
carry out **hinaus-tragen** (*see* **tragen**); **vollziehen** (*an order, etc.*) (*see* **ziehen**)
catch **fangen**
cheat **betrügen**
climb **steigen**
close **schliessen; zu-machen** (*see* **machen**)
come **kommen**
command **befehlen; gebieten** (*see* **bieten**)
commit **begehen** (*see* **gehen**)
confess **bekennen** (*see* **kennen**); **gestehen** (*see* **stehen**)
conquer **überwinden**
consider **erwägen; bedenken** (*see* **denken**); **sich überlegen** (*see* **legen**)
consist (of) **bestehen aus** (*see* **stehen**)
contradict **widersprechen** (*see* **sprechen**)
convalesce **genesen**
converse **sich unterhalten** (*see* **halten**)
crawl **kriechen**
create **schaffen**
creep **schleichen**
cut **schneiden**

D

describe **beschreiben** (*see* **schreiben**)
devour **schlingen; verschlingen** (*see* **schlingen**)
die **sterben**
differentiate (distinguish) **unterscheiden** (*see* **scheiden**)
dig **graben**
diminish **schwinden; ab-nehmen** (*see* **nehmen**)
disappear **schwinden; verschwinden** (*see* **schwinden**)

203

discuss besprechen (sprechen)
do tun
dress sich an-ziehen
drink trinken; saufen (*of animals*)
drip rinnen
drive treiben; fahren (*a car*)
drown ertrinken (*see* trinken)

E

eat essen, fressen (*of animals*)
educate erziehen (*see* ziehen)
endure ertragen (*see* tragen); aus-halten (*see* halten) leiden; aus-stehen (*see* stehen)
enjoy geniessen
escape entkommen (*see* kommen); entgehen (*see* gehen); entfliehen (*see* fliehen)
exaggerate übertreiben (*see* treiben)
examine untersuchen (*see* suchen); verhören (*cross-examine*) (*see* hören)
exclude aus-schliessen (*see* schliessen)
experience erfahren (*see* fahren); erleben (*see* leben)
(to become) extinguished erlöschen

F

fall fallen
ferment gären
fight fechten
find finden
find out erfahren (*see* fahren); herausfinden (*see* finden)
flee fliehen
flow fliessen
fly fliegen
forbid verbieten (*see* bieten)
force zwingen
forget vergessen
forgive vergeben (*see* geben); verzeihen
freeze frieren
frighten schrecken (*weak verb, aux.* haben)
(to be) frightened erschrecken

G

gain gewinnen; zu-nehmen (*weight*) (*see* nehmen)
get into (a vehicle) ein-steigen (*see* steigen)
get out of (a vehicle) aus-steigen (*see* steigen)
give geben
glide gleiten
go gehen
grind mahlen
grow wachsen
guess raten; erraten (*see* raten)
gush quellen

H

hang hängen
happen geschehen; vor-kommen (*see* kommen); sich zu-tragen (*see* tragen)
have haben
have to (must) müssen
hear hören
help helfen
hide verbergen (*see* bergen)
hit treffen; schlagen; hauen
hold halten

I

include ein-schliessen (*see* schliessen)
indicate hin-weisen auf (*Acc.*) (*see* weisen) an-zeigen (*see* zeigen)
induce bewegen
insist bestehen auf (*Dat.*) (*see* stehen); dringen auf (*Acc.*)
(to be) interested (in something) sich interessieren für
interrupt unterbrechen
invent erfinden (*see* finden)
invite ein-laden (*see* laden)
irregular weak verbs brennen; bringen; denken; kennen; nennen; rennen; senden; wenden; wissen; *and the modals* (*q.v.*)

J

jump springen

K

keep halten; behalten (*see* halten)

know wissen (*a fact*); kennen (*a person*); können (*know how to do something, v.g. speak a language*)

L

laugh lachen

learn lernen (*conjugated like* kennenlernen *without* kennen); studieren

leave lassen; ab-fahren (*see* fahren); weg-ghen (*see* gehen)

lend leihen

let lassen

lie liegen (*be situated*); lügen (*tell a lie*)

lift heben

like gefallen; mögen; gern haben (*see* haben)

load laden

lose verlieren

love lieben

(to be) loved geliebt werden (*passive of* lieben)

M

make machen; tun

manufacture her-stellen (*see* stellen)

measure messen

meet treffen; kennen-larnen

melt schmelzen

modal auxiliaries dürfen, können, mögen, müssen, sollen, wollen

move bewegen (*often reflexive*); aus-ziehen-um-ziehen (*see* ziehen)

N

name nennen, heissen (*be named*)

need brauchen

O

object ein-wenden (*see* wenden)

offer bieten

omit unterlassen (*see* lassen); aus-lassen (*see* lassen)

open auf-machen (*see* machen); auf-schliessen (*see* schliessen)

order befehlen (*command*); bestellen (*food or goods*) (*see* stellen)

originate entstehen (*see* stehen)

P

participate teil-nehmen an (*Dat.*) (*see* nehmen)

penetrate dringen

perceive wahr-nehmen (*see* nehmen); vernehmen (*see* nehmen)

(to be) permitted dürfen (*for conjugation with a dependent infinitive see* sprechen dürfen)

play spielen

polish schleifen

pour giessen

praise preisen

pray beten

prefer vor-ziehen (*see* ziehen); lieber *and* am liebsten haben (*see* haben)

promise versprechen (*see* sprechen)

pronounce aus-sprechen (*see* sprechen)

prove beweisen (*see* weisen); nach-weisen (*see* weisen)

pull ziehen

push schieben; stossen

put stellen; legen; setzen (*see* sich setzen)

Q

quarrel streiten

R

rain regnen

read lesen

receive bekommen (*see* kommen); erhalten (*see* halten); empfangen

recognize erkennen (*see* kennen); an-erkennen (*see* kennen)

recommend empfehlen

refute widerlegen (*see* legen)

reject verwerfen (*see* werfen); zurück-
weisen (*see* weisen)
remain bleiben
repeat wiederholen
represent dar-stellen (*see* stellen); ver-
treten (*see* treten)
resemble gleichen; aus-sehen wie (*look
like*) (*see* sehen)
ride reiten (*on horseback*); fahren (*in
a vehicle*)
ring klingen
roast braten
rub reiben
ruin verderben
run laufen; rennen

S

salvage bergen
say sagen
scold schelten
scream schreien
see sehen
seek suchen
seem scheinen
seize greifen
select aus-lesen (*see* lesen); aus-suchen
(*see* suchen)
sell verkaufen (*see* kaufen)
send senden
sense (feel) empfinden
separate scheiden; trennen
shine scheinen
shoot schiessen
show zeigen, weisen
(to be) silent schweigen
sing singen
sink sinken
sit sitzen
sit down sich setzen
sleep schlafen
sketch entwerfen (*see* werfen)
smell riechen
smile lächeln
snow schneien
solicit werben (um)
speak sprechen

spend aus-geben (*money*) (*see* geben);
verbringen (*time*) (*see* bringen)
spin spinnen
split spalten
sprout spriessen
stand stehen
steal stehlen
sting stechen
stipulate (set conditions) bedingen
stop halten; auf-halten (*see* halten); an-
halten (*see* halten); auf-hören (*see*
hören); stehen-bleiben (*see* bleiben)
stride schreiten
stroke streichen
struggle ringen
study studieren
subjugate unterwerfen (*see* werfen)
succeed gelingen; Erfolg haben (*see*
haben)
succumb unterliegen (*Dat.*) (*see* liegen)
suck saugen
suffer leiden
suggest vor-schlagen (*see* schlagen)
(to be) supposed to (should, ought)
sollen
supply versehen (mit) (*see* sehen)
surpass übertreffen (*see* treffen)
swear schwören
swell schwellen
swim schwimmen
swing schwingen

T

take nehmen
take place statt-finden (*see* finden)
tear reissen
think denken; sinnen
thrive gedeihen
throw werfen
tie binden
transfer versetzen (*see* stezen)
translate übersetzen (*see* sich setzen);
übertragen (*see* tragen)
travel fahren
try versuchen (*see* suchen)
turn wenden
turn out (well or badly) geraten

U

understand verstehen
undress sich aus-ziehen (*see* sich an-ziehen)
use gebrauchen (*see* brauchen); verwenden (*see* wenden)

V

(to be) valid gelten
visit besuchen

W

walk (zu Fuss) gehen; laufen; schreiten; treten

want wollen; mögen
wash waschen
wear (clothes) tragen; an-haben (*see* haben)
weigh wiegen
whistle pfeifen
win gewinnen
work arbeiten
write schreiben

Y

yield ergeben (*result*) (*see* geben); nach-geben (*give way to*) (*see* geben); weichen